Michele Wucker

O Rinoceronte Cinza

Título original: The gray rhino
Copyright © Michele Wucker

O Rinoceronte Cinza
1ª edição: Julho 2021

Direitos reservados desta edição: CDG Edições e Publicações

O conteúdo desta obra é de total responsabilidade do autor e não reflete necessariamente a opinião da editora.

Autor:
Michele Wucker

Tradução:
Nathalia Ferrante

Preparação de texto:
3GB Consulting

Revisão:
Fernanda Guerriero Antunes

Projeto gráfico:
Jéssica Wendy

DADOS INTERNACIONAIS DE CATALOGAÇÃO NA PUBLICAÇÃO (CIP)

Wucker, Michele, 1969-.
    O rinoceronte cinza : como reconhecer os riscos óbvios que ignoramos e agir de maneira eficaz / Michele Wucker ; tradução de Nathalia Ferrante. – São Paulo : Citadel, 2021.
    368 p.

ISBN 978-65-87885-74-2
Título original: The Gray Rhino: how to recognize and act on the obvious dangers we ignore

1. Planejamento estratégico 2. Avaliação de risco 3. Administração I. Título II. Ferrante, Nathalia

21-2197   CDD - 658.4

Angélica Ilacqua - Bibliotecária - CRB-8/7057

Produção editorial e distribuição:

contato@citadel.com.br
www.citadel.com.br

Michele Wucker

O Rinoceronte Cinza

Como reconhecer e agir diante dos
perigos óbvios que ignoramos

Tradução:
Nathalia Ferrante

2021

"Michele Wucker propõe uma avaliação atual dos desafios presentes na sociedade que precisam ser enfrentados, mas que, no entanto, são ignorados. As autoridades públicas nos serviriam bem caso se ocupassem dos rinocerontes cinza que estão por aí, em vez de esperar pela próxima surpresa previsível."

– **Max Bazerman**, Professor Straus da Escola de Negócios de Harvard, codiretor do Centro de Liderança Pública e autor de *The Power of Noticing* (O poder de perceber)

"Como Michele Wucker nos avisa, a questão não é se, mas quando. Este é um livro para o nosso tempo, quando nos deparamos com múltiplas e evidentes ameaças existenciais. Este livro nos lembra de que a negação não nos salvará, e fornece estratégias para encontrar um caminho de sobrevivência, descobrindo as oportunidades nascidas da crise."

– **Mira Kamdar**, autora de *Planet India* (Planeta Índia)

"Com um estilo lúcido e acessível, Michele Wucker nos impele a observar os fatos conhecidos que tratamos como desconhecidos e nos orienta a enxergar oportunidades nos momentos de crise. Este livro é um manual útil para repensar como lidamos com todas as coisas, desde nossa vida pessoal até a economia global."

– **Parag Khanna**, autor de *Connectography* (**Conectografia**) e *Como governar o mundo*

"*O Rinoceronte Cinza* oferece estratégias para lidar com o maior e mais perigoso ponto fraco para organizações, empresas e nações: o fracasso deliberado de líderes empresariais e políticos em perceber os sinais de alerta. Este livro é importante, perspicaz e original e será uma leitura obrigatória para os líderes globais e formadores de opinião."

– **William Saito**, CEO da Intecur e autor de *The Team* **(A equipe)**

Outros títulos da autora

Why the Cocks Fight: Dominicans, Haitians, and the Struggle for Hispaniola (Por que os galos brigam: dominicanos, haitianos e a luta por Hispaniola)

Lockout: Why America Keeps Getting Immigration Wrong When Our Prosperity Depends on Getting It Right (Fronteiras fechadas: por que a América continua agindo errado com a imigração quando nossa prosperidade depende de fazer a coisa certa)

Sumário

Prefácio   11

Capítulo 1
    Conheça o Rinoceronte Cinza   24

Capítulo 2
    O problema com as previsões: desencadeando a negação   60

Capítulo 3
    Negação: por que não vemos os rinocerontes e não saímos de seu caminho   91

Capítulo 4
    Hesitação: por que não agimos mesmo quando vemos o rinoceronte   125

Capítulo 5
    Fazendo o diagnóstico: soluções certas e erradas   159

Capítulo 6
    Pânico: a hora da decisão diante de um rinoceronte pronto para atacar   195

Capítulo 7

Ação: a hora "H"   228

Capítulo 8
Após o atropelamento: uma crise é algo terrível de se desperdiçar   260

Capítulo 9
Rinocerontes no horizonte: pensando no longo prazo   282

Capítulo 10
Conclusão: como evitar ser atropelado por um rinoceronte   306

Agradecimentos   337

Notas   342

Bibliografia   362

Iniciativas sobre rinocerontes   367

Prefácio

Visitando Buenos Aires em março de 2001, era difícil não perceber a catástrofe econômica que se aproximava. Placas com o escrito "fechado" penduradas em muitas portas de lojas; taxistas exaltados falando em termos dramáticos sobre as dificuldades terríveis enfrentadas no país, mesmo levando em conta a tendência argentina ao exagero; a capa de uma das principais revistas mostrando uma foto do controverso ministro das finanças usando uma máscara de Hannibal Lecter, em uma referência ao filme de terror *O silêncio dos inocentes*, e a pergunta: "Ele precisa canibalizar o país para salvá-lo?".

Eu havia acabado de chegar da reunião anual do Banco Interamericano de Desenvolvimento, no vizinho Chile, onde banqueiros, ministros e jornalistas franziram as testas sobre os problemas financeiros da Argentina, com os chilenos sem dúvida se sentindo um tanto presunçosos, devido à rivalidade nacional de longa data com os argentinos.

Se observasse os números – dívida externa crescente, dólares deixando o país, reservas despencando, reestruturações caras que acariciavam os bolsos dos banqueiros, mas que não fizeram muito para ajudar os argentinos a sair do buraco –, saberia que era impossível que a Argentina se mantivesse daquela maneira. Com o peso atrelado ao dólar, não era possível desvalorizar a moeda para impulsionar a economia. Os investidores vendiam títulos argentinos em massa, e os preços haviam caído ao que, em retrospecto, era a generosa quantia de oito centavos de dólar, mas não era preciso ver os números para chegar a essa conclusão.

Como jornalista financeira especializada na América Latina, algumas semanas depois escrevi sobre uma proposta, idealizada por um grupo de acadêmicos respeitados e investidores de Wall Street, sugerindo que a Argentina e seus credores reduzissem as dívidas em 30%, a fim evitar mais tarde um corte ainda maior e caótico. Depois que publiquei o artigo, vários banqueiros de Wall Street me telefonaram para dizer que isso era exatamente o que precisava acontecer, mas que eles não podiam dizer em público, ou seriam demitidos. Mesmo que os investidores falassem sobre a quebra da Argentina como uma questão de "quando", e não de "se", nenhum banco ousava dizer isso a seus acionistas, que seriam os primeiros a saírem com cada centavo que possuíam. Nove meses depois, o pior aconteceu. A moeda argentina colapsou, e os bancos que não quiseram renunciar a 30% acabaram perdendo aproximadamente 70% de seu dinheiro.

Vamos avançar uma década e observar a Grécia. Como a Argentina, a Grécia estava tentando encobrir o problema da dívida com uma série de resgates que apenas adiaram o dia do acerto de contas. Outras economias europeias, embora em uma situação não tão ruim quanto a Grécia, também estavam passando por dificuldades. Na primavera de 2011, publiquei um artigo para a *New America Foundation* argumentando que a Grécia deveria aprender com os erros da Argentina para reconhecer uma catástrofe financeira iminente, e reagir a ela, reestruturando suas dívidas antes que fosse tarde demais.

A reação ao problema grego foi muito diferente do que aconteceu em 2001: dessa vez, os investidores falaram abertamente, em público, sobre o que precisava ser feito no país – ou seja, o que a Argentina deveria ter feito em 2001. O problema foi resolvido, mas no início de 2012 o governo grego e seus credores do setor privado chegaram a um acordo que impedia o país de entrar em *default* em sua dívida privada e derrubar a Europa e a economia global junto. Os credores do governo eram uma outra história, o que levaria a Grécia e toda a Europa a uma nova crise em 2015.

Em 2011 os organizadores do Global HR Forum, uma organização coreana centrada nos desafios dos recursos humanos, me convidaram para participar de sua conferência de novembro em Seul para dizer se achava que o mundo enfrentaria uma nova crise econômica. "Bem", eu disse a eles, "ainda não saímos da última crise." Ainda estávamos lidando com os mesmos problemas dos últimos anos. Não era apenas a Grécia. Enormes desequilíbrios fiscais e comerciais em outros países da Europa também ameaçavam afetar o valor do euro e arrastar consigo a economia global. Aos olhos dos americanos, os líderes europeus pareciam não estar fazendo mais do que tentar sobreviver à crise. Eles não estavam tomando decisões politicamente difíceis que poderiam tirá-los e realmente os livrar dos problemas. Então, falei sobre as opções entre postergar o enfrentamento ou tomar decisões difíceis sobre alguns dos maiores problemas enfrentados pela economia global: crescimento e austeridade, curto e longo prazo, política fiscal e monetária, consumo e investimento, mão de obra barata e capital humano, produção de bens ou conhecimento.

Quando o acordo com o setor privado grego foi fechado alguns meses depois, o contraste entre a situação da Argentina e da Grécia me fez pensar: o que fez a diferença? Como a Grécia e seus credores do setor privado foram capazes de agir no momento certo, evitando uma catástrofe para sua própria economia e que ameaçava derrubar o resto da Europa com ela? Essas perguntas são as sementes que me levaram a escrever *O Rinoceronte Cinza*. Essas questões também voltariam à tona para a Grécia, porque, apesar do fôlego que o país ganhou ao fechar negócio com bancos e fundos de investimentos de alto risco, os gregos ainda deviam muito mais ao Fundo Monetário Internacional e à União Europeia. Esses credores "oficiais", financiados por governos nacionais, em última análise dependiam dos contribuintes – principalmente os alemães –, que se recusavam a fazer o que os credores privados haviam feito.

Desde o lançamento de *A lógica do Cisne Negro: o impacto do altamente improvável*, de Nassim Nicholas Taleb, e seu *timing* extraordinário logo antes da crise financeira de 2008, muitas pessoas nos mercados financeiros e nos círculos de políticas públicas ficaram obcecadas com as crises do Cisne Negro ou cauda gorda – ou seja, eventos que individualmente podem ser bastante improváveis, mas que em grupo ocorrem muito mais frequentemente do que a maioria das pessoas imagina. No entanto, esses analistas e estrategistas não tinham uma maneira semelhante de concentrar suas energias na análise de eventos perigosos, óbvios e altamente prováveis. Para mim, parecia que, por trás de muitos cisnes negros, havia um conjunto de crises *bastante prováveis*.

Ao buscar exemplos de rinocerontes cinza, tornou-se claro que muitas das grandes crises do passado haviam começado como ameaças bastante óbvias, mas ignoradas, e que os grandes desafios da atualidade são também eventos óbvios que estão sendo ignorados. Comecei a notar evidências em toda parte de perigos visíveis que eram reconhecidos, mas que não eram enfrentados, de mudanças climáticas e crise financeira global a tecnologias disruptivas que reformularam indústrias inteiras (como o que as tecnologias digitais fizeram com a mídia, destruindo companhias e empregos, mas criando fortunas de bilhões de dólares para novas empresas), assim como questões individuais que podem não ser qualificadas como impactantes em escala global, mas que certamente tiveram efeito profundo na vida dos indivíduos que as enfrentam. Houve muitas oportunidades em que poderíamos ter respondido melhor às ameaças óbvias: no furacão Katrina, na crise financeira de 2008, no colapso da ponte de Minnesota, em 2007, em ciberataques, incêndios florestais, escassez de água e tantos outros desastres que serão abordados neste livro.

Enquanto o furacão Sandy assolava a costa leste em outubro de 2012, pensei sobre os sistemas de monitoramento de tempestades que deram a Nova York vários dias de antecedência para se preparar. No rescaldo da tempestade, ficou claro que, embora os funcionários da defesa civil tivessem aprendido algumas lições com a gestão desastrosa do Katrina pelo governo, houve muitas pessoas, empresas, organizações e agências governamentais que não se prepararam para a tempestade. E, depois da passagem do furacão Sandy, não estava claro se as pessoas que tinham o poder de fazer as mudanças necessárias para proteger Nova York agiriam de acordo no futuro.

Naquela época, os organizadores da reunião anual do Fórum Econômico Mundial em Davos convidaram-me para falar sobre o tema "da resiliência dinâmica" – especificamente, "os sinais fracos" que prenunciam as situações de crise. Foi uma oportunidade perfeita para refletir mais sobre por que somos tão ruins em agir frente às evidências de desastres iminentes. Lancei o conceito do Rinoceronte Cinza em janeiro de 2013 com uma apresentação em Davos, juntamente com o autor japonês e *expert* em crises William Saito, que estava falando sobre os cisnes néon, eventos cujo destino foi selado por uma falta intencional coletiva em perceber sinais que, em retrospecto, pareciam extremamente óbvios. Nossas apresentações tiveram um tema comum. O problema, em última análise, não eram os sinais fracos, mas respostas fracas a esses sinais. Havia uma relutância em constatar e agir de acordo com os sinais de alerta que eram evidentes para um número grande de pessoas.

Quando meu agente distribuiu pela primeira vez a proposta deste livro aos editores, vários deles responderam que não era contraintuitivo dizer que precisávamos prestar atenção a crises óbvias, porque as pessoas já sabem que estão lá e estão lidando com isso. Isso me fez perceber que estava lidando com algo ainda mais importante e assustador do que havia imaginado. Na verdade, minha ideia era tão contraintuitiva que tive de salientar, enfaticamente, que não, a maioria das pessoas e organizações não estava lidando com grandes ameaças de forma eficaz.

Em minhas pesquisas para o livro, também descobri que o outro lado de muitos perigos óbvios era a oportunidade. Frequentemente, a consciência de uma ameaça e uma estratégia de resposta beneficiavam os cínicos: no mundo das finanças, certamente, muitos investidores prosperam nas oscilações dos mercados, ganhando dinheiro de inexperientes que lançavam capital nas bolhas do mercado e, novamente, quando o pânico se instala. Muitas vezes, como acontece com as tecnologias inovadoras, as ameaças surgem porque alguém identificou uma nova oportunidade. Em outros casos, buscar novas soluções para lidar com um risco ativa a imaginação. Em 2014 a Comissão Global sobre Economia e Clima calculou que o mundo provavelmente gastará US$ 90 trilhões nos próximos quinze anos apenas para substituir, manter e expandir a infraestrutura envelhecida das grandes cidades a fim de atender às demandas de populações urbanas em crescimento. Tendo isso em mente, a comissão propôs que, em vez de apenas seguir os negócios normais, as cidades deveriam usar esses fundos para implantar novas tecnologias que favoreçam o crescimento, criem empregos, aumentem os lucros das empresas, estimulando o desenvolvimento econômico e economizando alguns dos quase US$ 400 bilhões perdidos anualmente na produção econômica devido ao estresse causado pela expansão urbana apenas nos Estados Unidos.

ENTRANDO NA FACA

As soluções para crises financeiras, geopolíticas e corporativas gigantescas estão suscetíveis à mesma tendência humana à procrastinação que os desafios diários mais comuns. Na verdade, são o efeito combinado e ampliado de muitos humanos cujas ações coletivas produzem esses problemas compartilhados.

No nível mais pessoal, não pude deixar de relacionar a estruturação do livro à necessidade de passar por duas cirurgias na gengiva. Sim, percebi que problemas periodontais não são nada perto de furacões e grandes negociações financeiras. Mas nossa capacidade de responder a riscos potencialmente catastróficos está sujeita às mesmas peculiaridades da natureza humana que nos fazem ignorar os conselhos do dentista para usar o fio dental e fazer profilaxia a cada seis meses. Depois que você volta de uma limpeza e seus dentes ficam rangentes e com aquela sensação boa ao passar a língua, é fácil ser extremamente diligente com o uso do fio dental – por alguns dias. Então, a rotina diária se instala e você acaba pulando aqueles molares que são tão difíceis de alcançar. E talvez você faça isso alguns dias, ou – para dizer a verdade – mais do que alguns dias.

Todos nós fazemos isso e não pensamos muito nas consequências, até que seja tarde demais.

Aprendi isso da maneira mais difícil, como muitas pessoas, quando o dentista disse que eu precisava de um enxerto de gengiva. Embora entrar na faca não seja nada divertido, existem algumas maneiras melhores de se lembrar de ser diligente. Agora mantenho todo um arsenal de ferramentas para limpar a gengiva, incluindo algumas que nem sequer sabia que existiam antes da cirurgia, e as uso regularmente.

A gengivite é a menor das questões no âmbito dos problemas bastante óbvios. É um exemplo simples de como, às vezes, é preciso um grande golpe para nos fazer prestar atenção ao que poderia ter sido evitado com muito menos dor e inconveniência.

NÃO CONSEGUIR PARAR

O mesmo aconteceu no meu bairro, na cidade de Nova York, quando foi necessária uma tragédia tripla para fazer a cidade prestar atenção a um problema absurdamente óbvio que já havia tirado vidas e sido ignorado por muito tempo.

Em uma noite chuvosa de sábado em janeiro de 2014, eu estava no meu computador, no Twitter, descansando do trabalho deste manuscrito, quando vários tweets começaram a pipocar furiosos sobre certa atividade policial a alguns quarteirões do meu apartamento. As ruas foram bloqueadas, e carros de polícia e ambulâncias estavam chegando em direção ao local. Quando a história toda veio à tona, foi horrível. Um menino de nove anos, Cooper Stock, estava atravessando a rua com seu pai na faixa de pedestres em frente à sua casa, com o sinal aberto para pedestres, quando um táxi "não conseguiu parar", conforme o termo usado pela polícia. O táxi atropelou Cooper e feriu seu pai, que teve de presenciar seu filho perder a vida diante de seus olhos.

A apenas dois quarteirões de distância e menos de uma hora antes, um motorista de ônibus de turismo não havia conseguido ver Alex Shear, um pai de 74 anos e famoso colecionador de objetos da cultura americana cujos amigos chamavam de "o flautista do sonho americano". Shear supostamente estava atravessando no sinal vermelho quando o ônibus – cujo motorista não o viu porque o *design* do ônibus criava um ponto cego – o arrastou até a morte enquanto os passageiros gritavam para o motorista parar.

Na semana seguinte, juntei-me a vizinhos e amigos, muitos dos quais tinham filhos que iam à escola com Cooper, e outros que conheciam Alex Shear, para uma vigília à luz de velas em frente à casa de Cooper Stock. A multidão transbordou da calçada para a rua em que o táxi havia atropelado Cooper até que a polícia bloqueou a rua 97, para que as pessoas pudessem chegar perto dos vizinhos, amigos da família e autoridades locais que pediam um fim às mortes em acidentes de trânsito que poderiam ter sido evitadas. Enquanto tentava encontrar um lugar para observar e ouvir, mantendo-me o mais perto possível dos carros estacionados na West End Avenue, para evitar ficar no meio da rua, era difícil não pensar no perigo.

Alguns dias depois, Samantha Lee, uma estudante de Medicina de 26 anos, foi morta ao atravessar a rua 96 quando uma ambulância a atingiu e jogou o corpo dela no caminho de um carro que se aproximava. Embora as notícias inicialmente indicassem que ela teria atravessado a rua no meio do quarteirão, um vídeo mostrou que usara a faixa de pedestres.

Os acidentes de trânsito com pedestres podem não causar o amplo impacto de muitas das ameaças que discutiremos neste livro, mas, para as famílias afetadas, os resultados foram devastadores. Observar a dinâmica do Rinoceronte Cinza em uma escala pessoal pode nos ajudar a entender as falhas, na natureza humana e nos governos, que trazem consequências terríveis quando questões maiores estão em jogo.

As triplas mortes no trânsito evidenciaram vários exemplos de problemas que eram conhecidos havia muito tempo, mas que estavam sendo praticamente ignorados: ruas mal projetadas e de tráfego intenso com entrada para a rodovia e saída em frente a uma escola de ensino fundamental, e leis de trânsito que geralmente permitem que os motoristas que atropelam pedestres não sejam punidos com severidade (o taxista que atropelou Cooper Stock foi intimado por "não conseguir parar"). O período que antecedeu às tragédias teve muitas das características de um Rinoceronte Cinza, assim como o resultado teve muito em comum com os perigos que os líderes municipais se recusam a enfrentar até que o pior aconteça. Nesse caso, Nova York não agiu mesmo diante de evidências de que precisava mudar suas políticas.

Sempre paro e olho para os dois lados mais de uma vez antes de atravessar a West End Avenue, porque conheci alguém que havia morrido ali vários anos antes. Em 2005 um utilitário esportivo atingiu o editor da *Newsweek*, Tom Masland, na esquina da 95 com a West End. Eu o conheci brevemente por meio de uma amiga em comum, que me dera um exemplar do livro dela, quando a visitei na República Dominicana, para levar a ele. Embora não conhecesse Masland bem, foi um choque ouvir a notícia de sua morte e ter que ligar para nossa amiga em comum para contar o que havia acontecido. Não deveria ser surpresa para ninguém que aquela região fosse uma armadilha mortal. No local onde o SUV atingiu Masland, os carros saem da West Side Highway para as ruas 95 e 96. A West End Avenue, entre a 95 e a 97, sempre esteve congestionada com carros virando para entrar na rodovia.

Um estudo de tráfego de 2008 recomendou ações para tornar as ruas de Nova York mais seguras, mas nada foi feito, um fato que não passou despercebido pela família e amigos de Cooper Stock. Em novembro de 2013, poucas semanas antes das tragédias, o Conselho da Comunidade local emitiu outro estudo e um conjunto de recomendações para tornar as coisas mais seguras. Naquele mesmo mês, advogados advertiram que as mortes de pedestres estavam aumentando na cidade – mais de 15% desde 2011. Em 2011, sete crianças morreram após serem atingidas por veículos. O número de crianças mortas aumentou para doze em 2012 e treze em 2013. O total de mortes de pedestres em Nova York aumentou de 150 em 2012 para 173 em 2013.

A morte de Cooper Stock foi a gota d'água. A família do menino de nove anos insistiu que as coisas tinham que mudar; muitas vozes se uniram à deles, das famílias e amigos de tantas outras crianças, homens e mulheres que haviam morrido de maneira desnecessária. Nesse caso, a motivação era uma história humana: uma lição importante sobre como colocar uma ameaça óbvia na agenda.

As crises podem ajudar a impulsionar mudanças, mas muitas vezes essas mudanças podem chegar tarde demais. Os problemas mais óbvios costumam ter as soluções mais dramáticas, embora dificilmente as mais eficazes.

A resposta inicial da cidade às tragédias no meu bairro foi chocante: reprimiu as travessias imprudentes, com policiais espancando o rosto de um chinês de 84 anos que não os compreendia. De janeiro a meados de fevereiro, o número de multas para pedestres em toda a cidade aumentou oito vezes, enquanto o número de multas para motoristas caiu.

O Conselho Comunitário local aprovou por unanimidade uma resolução exigindo que a cidade mudasse a pena para os motoristas que matam ou ferem gravemente pedestres mediante a violação das regras de trânsito, para que, no mínimo, tenham suas habilitações revogadas definitivamente. Era chocante ver que uma recomendação aparentemente sensata não tivesse sido adotada décadas antes.

Em fevereiro de 2014, o prefeito Bill de Blasio propôs um conjunto de medidas de 42 páginas, com base no modelo Visão Zero, da Suécia, com o objetivo de ajudar a cidade a alcançar a meta (talvez não totalmente realista) de eliminar mortes no trânsito. Ele prometeu colocar mais ênfase na aplicação de leis contra violações de trânsito cometidas por motoristas.

E, no entanto, dois dias depois de ter anunciado o plano de trânsito, as câmeras da imprensa captaram a caravana do prefeito de Blasio em alta velocidade. Poucos dias depois, um fotógrafo do *New York Post* tirou uma foto do prefeito atravessando a rua fora da faixa de pedestres. Os incidentes mostraram como é difícil mudar comportamentos que sabemos serem perigosos, e que, mesmo depois de uma crise, somos péssimos em agir para evitar a crise seguinte.

Se somos tão ruins em reconhecer e agir frente às ameaças, o que podemos fazer a respeito? De que adianta se não podemos mudar quem somos? Embora não seja possível mudar quem somos, podemos nos tornar mais cientes de por que agimos como agimos. Reconhecer os gatilhos da natureza humana que dão forma a nossas decisões tem o poder mudar nossas ações. Pesquisas recentes em economia comportamental e exemplos de empresas, organizações, comunidades e governos mostram muitas maneiras pelas quais podemos fazer um trabalho melhor para reconhecer ameaças óbvias e agir para combatê-las.

Nossa dificuldade em responder de maneira oportuna e eficaz também tem a ver com os sistemas que construímos e que tornam mais difícil agir. Nossos sistemas político e financeiro são baseados em poderosos incentivos financeiros e sociais para agir tendo em mente apenas o curto prazo. Como resultado, não fazemos investimentos de longo prazo com recursos suficientes para evitar os problemas antes que eles se tornem maiores e mais difíceis de resolver.

O Rinoceronte Cinza é um roteiro para reconhecer e aprender com os momentos em que não fomos capazes de evitar um perigo claro e presente, e aplicar essas lições aprendidas às decisões que tomamos quando temos a chance não apenas de prevenir uma crise, reduzindo custos humanos e financeiros, mas também de criar oportunidades.

Sair do caminho de um Rinoceronte Cinza pode significar muitas coisas. Pode significar abraçar uma ameaça e transformá-la em uma oportunidade. No entanto, também pode significar evitar danos ou, pelo menos, minimizá-los. Agir a tempo pode melhorar dramaticamente uma situação. Também pode simplesmente evitar que uma crise se agrave, como os planos de estímulo que se seguiram à crise financeira de 2008. Muitas vezes, o dano é tão grande que as coisas podem nunca mais voltar ao normal. Mas, se o dano causado é menor do que muitos cenários possíveis, ainda assim temos uma melhoria significativa. Evitar ser pisoteado raramente – ou nunca – significa manter o *status quo*.

1

Conheça o Rinoceronte Cinza

No outono de 2001, Glenn Labhart era diretor de Gerenciamento de Risco da Dynegy. A empresa estava considerando comprar uma companhia de comercialização de energia cujas ações haviam caído 80% nas semanas anteriores, propagando ondas de choque nos mercados de energia. O presidente e CEO da Dynegy, Charles Watson, conhecia bem futura aquisição – ou pensava que conhecia – e planejava comprar seus recursos de marketing de energia por uma pechincha, estabilizar aqueles mercados, combinar os recursos de comercialização das duas empresas e proteger-se da exposição que já sofria, caso a empresa fracassasse. Era uma chance de sair como herói e ganhar algum dinheiro no processo.

Labhart, um texano direto e reto, era comerciante, havia dezessete anos, de petróleo e gás e ex-consultor de risco que agora tinha um portfólio de US$ 42 bilhões em transações, geração de energia e ativos de energia, juntamente com seguro associado e risco de crédito, sob sua supervisão. Ele ajudara a conduzir a empresa Dynegy durante a recente crise de energia da Califórnia e as consequências dos ataques terroristas de 11 de Setembro. Labhart havia desenvolvido uma ferramenta dinâmica para fornecer informações sobre riscos em tempo real. Agora ele tinha a tarefa de avaliar os riscos associados ao negócio de US$ 25 bilhões e aconselhar a diretoria a respeito.

Ele fez uma análise do risco da empresa para gerar um conjunto de medições não muito diferente do painel de um carro, com seu velocímetro e medidor de nível de combustível. Já era óbvio que a Dynegy teria de colocar mais capital na empresa que estava pensando em comprar e assumir parte significativa da dívida. Quanto mais Labhart olhava para as finanças da empresa, mais preocupado ficava. "Eu extrapolei para um ano o retorno sobre o capital ajustado ao risco, e os resultados foram preocupantes", ele me disse em uma conversa durante um café. Ele simplesmente não conseguia descobrir como a empresa havia calculado a lucratividade e o fluxo de caixa de suas operações comerciais. Quando tentava se imaginar diante de uma agência de classificação para justificar o negócio, ele simplesmente não sabia como faria isso.

Quase quinze anos depois, Labhart recordou vividamente uma reunião de auditoria às sete e meia da manhã, no famoso escritório de advocacia Baker Botts, em Houston, para discutir a avaliação de risco com executivos da Dynegy e seus advogados. Ele disse sem rodeios: "Se vamos fechar esse negócio, precisamos-lhes perguntar como eles avaliam o risco de ativos não líquidos". Labhart apresentou seu relatório ao Conselho, alertando os membros de que os números não estavam batendo e afirmando que uma nova auditoria precisava ser feita, ou o negócio deveria ser adiado. "O relatório dizia que não precisávamos fazer aquilo", lembra-se Labhart. "Eu disse que precisávamos fazer mais perguntas, mas o trem já havia saído da estação. Desejei que houvesse mais tempo antes da conclusão do negócio."

A empresa a ser adquirida era, claro, a Enron, a corporação que ficou marcada nos anais da história como um exemplo da falha colossal de auditores, analistas e investidores em reconhecer que uma empresa avaliada em US$ 90 bilhões era apenas um castelo de cartas. Tornou-se um exemplo clássico de ganância e de desprezo pelos sinais de alerta.

Recontando a história, Labhart rapidamente esboçou um quadro organizacional assustador, delineando os ativos e passivos de curto e longo prazo e os fluxos dentro da empresa. Labhart desenhou uma flecha e um círculo ao redor do que havia disparado o alarme para ele: a maneira como a empresa marcava seus ativos para o mercado – uma prática contábil comumente usada para negociação de títulos, mas que a empresa usava para avaliar suas turbinas. "Como avaliar o preço de uma turbina?", perguntou. Ao contrário das ações e títulos frequentemente negociados, turbinas são máquinas imensas e pesadas que não são simples de se vender – e cujos preços, portanto, são difíceis de determinar.

Embora Labhart desejasse que seu relatório tivesse chamado a atenção da diretoria logo, para impedir que o negócio fosse fechado, seu aviso não foi totalmente em vão. O relatório convenceu os membros da diretoria a certificarem-se de incluir algumas cláusulas de proteção no acordo, no caso de Labhart ter razão. "Quando você é o encarregado da gestão de riscos, suas opiniões são sempre vistas com desconfiança, porque você deve sempre ter um olhar mais pessimista", disse Labhart em retrospectiva. Mas, mesmo quando suas ideias são questionadas, ainda pode haver espaço para fazer a diferença.

À medida que a data da fusão proposta se aproximava, Labhart trabalhou com a administração em uma cláusula de contingência que reduziria o risco de crédito da Dynegy ao lhe ceder a propriedade da Northern Natural Gas Company, o único gasoduto pertencente à Enron e seu ativo físico mais lucrativo. A Enron colocou o gasoduto de 26.400 quilômetros como garantia.

Em 19 de novembro de 2001, a Enron notificou à SEC outros US$ 690 milhões em novas dívidas, deixando a Dynegy em uma situação muito difícil. A Dynegy já havia disponibilizado US$ 1,5 bilhão em financiamento para a Enron e assumido a responsabilidade por quase outro bilhão de dólares em dívidas. As agências de classificação rebaixaram a dívida da Enron ao *status* de lixo. Em 28 de novembro, quando o preço das ações da Enron se aproximava de zero, a Dynegy retirou sua oferta. No início do ano seguinte, como o preço de suas próprias ações oscilou muito por causa da debacle, a Dynegy tomou posse do gasoduto, o que, pelo menos temporariamente, estabilizou a empresa. No ano seguinte, a Associação Global de Profissionais de Risco nomeou Labhart como Gerente de Risco do Ano.

A experiência da Dynegy e o colapso da Enron podem ser um caso particularmente dramático, mas o episódio tem muito em comum com eventos que acontecem todos os dias com pessoas diante de sinais de alerta: nós simplesmente não queremos ver. Evitamos fazer perguntas cujas respostas não queremos saber, porque não queremos lidar com as consequências desse saber, especialmente quando verdades inconvenientes atrapalham as histórias que contamos a nós mesmos sobre como será maravilhoso se as coisas saírem como o planejado. Vemos os riscos por meio de lentes cor-de-rosa, minimizando a possibilidade de que nossas apostas possam estar erradas – mesmo quando reagimos de forma exagerada a ameaças menos prováveis, porém mais impactantes emocionalmente.

Mesmo quando reconhecemos a existência de um perigo claro e presente, incentivos perversos vigentes em nossos sistemas políticos e financeiros – uma forte ênfase no pensamento de curto prazo, recursos mal alocados e riscos mal avaliados – muitas vezes são fatores que nos impedem de fazer a coisa certa para sair do caminho. Como resultado, não podemos contar com os sistemas de alerta mais bem projetados do mundo para soar o alarme alto o suficiente e persuadir nossos líderes a fazerem o que é necessário. Mesmo quando reconhecemos a evidência do perigo, muitas vezes não agimos até que a ameaça esteja totalmente sobre nós – e, às vezes, quando já é tarde demais.

Mas as consequências dos desdobramentos sombrios da natureza humana e desses incentivos perversos – os Enrons, WorldComs, capital de longo prazo, edifícios e pontes destruídos e desastres de todos os tipos que poluem nossa história, do âmbito geopolítico ao humanitário e pessoal – não são inevitáveis.

Nos últimos anos, economistas comportamentais identificaram muitas das tendências cognitivas que nos impedem de agir para o nosso próprio bem e ajudaram a chamar a atenção necessária para o fato de que percepções distorcidas e motivações emocionais e irracionais acabam moldando nossas decisões. Nos Capítulos 2 e 3, nós exploraremos algumas dessas tendências, juntamente com estratégias para combatê-las. Um desafio igualmente difícil, a ser abordado no Capítulo 4, é o conjunto de incentivos perversos, obstáculos estruturais e cálculos grosseiros de interesse próprio – a tragédia dos comuns – que impedem os indivíduos, empresas e governos de agir a tempo, mesmo quando reconhecemos os muitos problemas à nossa frente.

Existem exemplos entre as muitas pessoas que veem o perigo, estão dispostas a dizer algo e às vezes podem impedir que pelo menos parte do pior cenário se desenvolva. O sucesso dessas pessoas é uma combinação de liderança e caráter. Elas têm consciência das maneiras como nós, humanos, costumamos tropeçar e como podemos evitar esses erros, e, às vezes, seu sucesso se deve à pura sorte de ter um conjunto certo de circunstâncias – por exemplo, recursos suficientes e uma massa crítica de outras pessoas que reconhecem um desafio e estão motivadas para responder a ele.

QUEBRANDO AS REGRAS

Imagine que você está em um safári na África, a quilômetros de casa, para ter a chance de ver um rinoceronte vivo antes que seja tarde demais. O rinoceronte-negro ocidental foi declarado extinto em 2011, após cinco anos sem nenhum avistamento, e o número total de todos os rinocerontes-negros remanescentes é muito baixo. Você sabe que o tempo está se esgotando. Você já viu as fotos horríveis de rinocerontes mortos, com seus chifres brutalmente arrancados de seus rostos por caçadores furtivos, para serem comercializados na Ásia a um preço mais alto do que o da cocaína ou heroína.

Já se passaram três dias, e você e seus dois melhores amigos estão ansiosos para ver o que os trouxe a esse lugar, quem sabe levando consigo uma bela foto como troféu. O sol está tão forte que você pode ver o calor tremeluzindo no ar. Mas você e seus amigos estão determinados, tão focados em sua missão que ignoram as recomendações do guia e se afastam enquanto ele não está olhando.

Você está quase pronto para desistir e retornar ao grupo. Mas, de repente, lá estão eles: uma rinoceronte fêmea e seu filhote. A enorme mãe afasta moscas de seu corpo com a cauda e com as orelhas compridas. Você percebe que se esqueceu de respirar – a própria definição de uma visão de tirar o fôlego.

O filhote está a vários metros da mãe, que está olhando para outra direção. Você se aproxima, tentando encontrar o melhor o ângulo para a foto. Tirar uma foto com as lentes especiais seria ótimo, mas um *close* valeria o risco. Você esquece tudo o que o guia disse sobre como evitar assustar os rinocerontes, mantendo-se fora de seu território, mantendo-se a favor do vento e ficando quieto. Eles têm mais medo de você do que você deles, ele disse.

Seus amigos também estão entusiasmados demais para se lembrar da advertência de ficar quieto. "Tente fazer com que ele olhe para você para que possamos tirar uma foto do rosto dele", sussurra um de seus amigos. Sem pensar nas consequências, o outro amigo assobia. O filhote olha para a sua direção, mas, infelizmente, a mãe também. É quando você percebe o erro. Você perturbou uma rinoceronte. Pior do que isso, você conseguiu estar mais próximo de seu filhote do que ela. O bebê rinoceronte rapidamente volta para o lado da mãe, mas ela ainda está furiosa. Ela desloca o peso do corpo de um lado ao outro enquanto decide o que fazer.

No entanto, esse é o menor dos seus problemas, já que um rinoceronte macho apareceu nas proximidades e também notou sua presença. Ele é bem maior do que a fêmea. Ele baixa a cabeça e arrasta a pata esquerda no chão, preparando-se para atacar. Com a ponta do chifre direcionada para você, ele prepara as duas toneladas de peso para se lançar em sua direção.

Você já ignorou o conselho que o guia lhe deu – de que a melhor maneira de evitar ser atacado por um rinoceronte é não provocar o animal. Uma vez que o rinoceronte parte em uma direção, é quase impossível detê-lo. Mas agora é tarde demais. O rinoceronte deu seus primeiros passos e começou a acelerar até sua velocidade máxima de quase 60 Km/h.

Enquanto ele corre em sua direção, você se mantém imóvel. O que fazer? Você poderia subir em uma árvore, mas não há nenhuma alta ou forte o suficiente. Jogar algo em seu caminho? Você pode fazer ruído suficiente para assustá-lo? Poderia correr em zigue-zague na direção oposta, mas o calor o deixou sem energia. Se estivesse perto do veículo do safári, poderia fazer o motorista pisar fundo no acelerador, mas você se afastou demais do grupo para isso. Você olha para seus amigos em busca de ideias, mas eles também estão paralisados. Sua única opção é esperar que o rinoceronte se aproxime e então pular para fora do caminho, contando com a incapacidade dele de se virar rapidamente, para evitar que seja pisoteado. O guia disse que há uma coisa que você não pode esquecer sobre o que fazer quando um rinoceronte avança: não fique parado. Ficar parado não é uma opção. Mas, até agora (aparentemente), não fazer nada foi o que você escolheu fazer.

PAQUIDERMES PROBLEMÁTICOS

Pensar sobre o que fazer diante de um ataque de rinoceronte é basicamente a forma como muitos líderes abordam uma ameaça iminente: seja uma mudança geopolítica catastrófica com implicações para o futuro do mundo como o conhecemos, seja uma guinada disruptiva do mercado, seja um desafio de gestão que afeta o futuro de uma empresa, organização, país ou região, ou mesmo uma decisão pessoal com consequências para nós ou nossas famílias. Quando a crise aparece, é necessário que os líderes tomem decisões rapidamente. Cada escolha depende do que aconteceu no passado; cada erro aumenta o risco. Boas decisões tomadas com antecedência – como ficar longe de rinocerontes potencialmente furiosos – fazem toda a diferença. Uma vez que erros já foram cometidos, a situação se agrava, e as opções se estreitam até o ponto em que as escolhas não são entre bom e ruim, mas entre ruim, péssimo e quase inimaginável.

Um Rinoceronte Cinza é uma ameaça de alto impacto muito provável: algo que deveríamos ver chegando, como um rinoceronte de duas toneladas apontando seu chifre em nossa direção e se preparando para atacar. Como seu primo, o elefante na sala, um Rinoceronte Cinza é algo que deveríamos ver claramente em virtude de suas imensas proporções. É de se imaginar que algo tão enorme receberia a atenção que merece. Pelo contrário, a própria obviedade desses paquidermes problemáticos é parte do que nos torna tão ineptos para agir diante deles. Sempre falhamos em reconhecer o óbvio e, assim, evitarmos crises iminentes e de alto impacto: aquelas sobre as quais temos o poder de fazer algo. Chefes de estado, CEOs de empresas e organizações, como todos nós, costumam ter mais dificuldades de lidar com rinocerontes cinza do que de agir rapidamente quando surge uma crise inesperada. Isso tem grandes e perigosas implicações para os líderes, que são particularmente vulneráveis às ameaças que deveriam ver, mas ainda assim falham em reconhecê-las e reagir a tempo.

Ao enfrentar um rinoceronte que está prestes a atacar, não fazer nada raramente é a melhor opção. No entanto, muitas vezes é exatamente isso que acontece. O perigo raramente chega de forma inesperada. Pelo contrário, antes do ataque sempre há muitas oportunidades perdidas de tomar precauções, entender e reagir aos sinais de alerta. O impulso de ficar paralisado é difícil de superar. Às vezes, o impulso da negação é tão forte que não fazemos absolutamente nada; ou, pior ainda, como em muitas bolhas de mercado que levam a quebras, agimos mais no sentido de autodestruição. Pense em uma família que decidiu não deixar sua residência antes de um furacão que se aproxima. O fumante que simplesmente decidiu não parar de fumar. O presidente que não largou seus *cheeseburgers* até que tivesse um ataque cardíaco. O jogador que continuou a se afundar no buraco na falsa esperança de ganhar e sair daquela situação.

Incentivos perversos e o egoísmo calculado podem turbinar nosso impulso natural de negação. Pense nos banqueiros que foram alertados sobre os perigos dos empréstimos de alto risco, mas não desistiram desses investimentos arriscados, e nos formuladores de políticas públicas que não interferiram ("Desta vez" – raramente, ou nunca – será diferente). Os funcionários que sabiam como as pontes estavam em estado deteriorado, mas continuavam adiando os reparos necessários. Os gerentes de uma fábrica cheia de rachaduras nas paredes que insistiam em continuar os negócios como de costume até que tudo desabou. Os supervisores e executivos, alertados sobre contabilidade suspeita, que se recusaram a ouvir os delatores. Os engenheiros que sabiam o quão perigoso podia ser um interruptor de ignição de 57 centavos com defeito, mas que não fizeram nada para trocá-lo. O CEO de uma empresa líder de mercado que não conseguiu responder às novas tecnologias que aparentemente tiraram sua vantagem da noite para o dia e deixou a companhia lutando pela sobrevivência. O velho patriarca que sabe que o tempo está passando e é hora de deixar a nova geração assumir o controle, mas prefere levar sua empresa ou país à falência em vez de renunciar ao poder.

Muitos dos maiores problemas enfrentados pelo mundo são rinocerontes cinza. Pense na mudança climática: os cientistas apresentaram um cenário claro de que mais de 350 partes por milhão (ppm) de dióxido de carbono no ar é perigoso para o planeta. No entanto, estamos em 400 ppm e aumentando, pois os esforços feitos até agora trouxeram apenas uma pequena redução. O aumento do nível do mar está causando um evento climático catastrófico após o outro: na cidade de Nova York, tempestades que aconteciam de cem em cem anos, como Irene e Sandy, ocorreram em dois anos consecutivos; nas Filipinas, o tufão Haiyan se tornou a tempestade mais poderosa já medida. Em 2013, cada um dos 41 desastres naturais relacionados à mudança climática deixou mais de 1 bilhão de dólares em danos, um recorde.

Níveis de dívida nacional insustentáveis, crescimento econômico anêmico e mudanças profundas nas dinâmicas do mercado de trabalho deixaram muitos países vulneráveis a uma nova rodada de crises financeiras. O aumento das disparidades de renda intensificará a agitação social e a turbulência política, desencadeando protestos, derrubando governos e destruindo economias. A escassez de água em todo o mundo já está ameaçando populações, a estabilidade e as cadeias de abastecimento. E o cenário só tende a piorar: segundo as Nações Unidas, metade do mundo enfrentará escassez de água em 2030, quando a demanda deve ultrapassar o fornecimento em 40%. Essa situação trará seca para as plantações e fará com que as pessoas passem fome, forçando dezenas de milhões de indivíduos a se mudarem de casa, podendo até mesmo provocar guerras por recursos hídricos que atravessam fronteiras nacionais.

Em todo o mundo, tanto nos países em desenvolvimento quanto nos desenvolvidos, o desemprego entre os jovens é um grande problema que contribui para o desespero, a inquietação e a violência, junto com enorme perda de potencial humano. Em 2045 a África abrigará quatrocentos milhões de pessoas entre quinze e vinte e quatro anos que precisarão de meios de subsistência sem os quais direcionarão suas consideráveis energias para protestos e coisas piores. A juventude africana já representa 60% dos desempregados do continente, e o problema só tende a se intensificar. Como a África fornecerá empregos suficientes para o número crescente de jovens e preparará a nova geração para quaisquer que sejam os empregos do futuro – ou arriscará presenciar um tipo de inquietação civil que fará a Primavera Árabe parecer brincadeira de criança?

Tecnologias disruptivas como a impressão 3D vão dizimar algumas indústrias e lançar novas, assim como a internet fez nas últimas duas décadas com as empresas de mídia que não se adequaram às mudanças. Uma infraestrutura em ruínas custará vidas e colocará cidades e economias de joelhos. Mais de um milhão de pessoas estão se mudando para as cidades a cada semana, o que, segundo projeções, significará que até 2050 dois terços da população mundial viverão nas cidades. No entanto, com sistemas de transporte já sobrecarregados, redes elétricas e sistemas de esgoto insuficientes, modelos de crescimento econômico desatualizados e cidadãos desengajados, isso significa que essas metrópoles em rápido crescimento não poderão responder com rapidez suficiente para fornecer os serviços necessários, criar empregos e tecer um novo tecido social.

Junto com a ameaça urbana está o fato de que a maioria das grandes metrópoles se localiza em regiões costeiras, onde o aumento do nível do mar e o clima cada vez mais violento – resultado do Rinoceronte Cinza da mudança climática – ameaçam as pessoas que vivem ali. A frequência de pandemias alerta para uma ameaça global muito maior que está por vir à saúde: não é uma questão de se, mas de quando.

Pergunte a qualquer especialista em segurança cibernética qual é a probabilidade de determinada empresa ou organização sofrer um grande ataque e ele não hesitará em dizer que as chances são superiores a 100%. Esse tipo de violação acontece regularmente. "Há dois tipos de empresas: aquelas que foram hackeadas e aquelas que ainda não sabem que foram hackeadas", disse o CEO da Cisco, John Chambers, aos líderes reunidos em Davos, na Suíça, para a reunião anual de 2015 do Fórum Econômico Mundial. Casos como Target e Neiman Marcus são peixes pequenos se comparados com o que está por vir. Os *hackers* que atacaram a Sony causaram sérios danos à reputação da empresa e iniciaram um confronto geopolítico. Isso é apenas o começo.

Todos esses desafios, como rinocerontes pastando no horizonte distante, a princípio parecem ameaças distantes. Quanto mais perto chegarem, mais difícil será detê-los. No entanto, quanto mais distante estão (ou nos convencemos de que estão), menos provável é que façamos algo a respeito. Ameaças persistentes podem nos exaurir, nos deixando com a sensação de que nunca vamos vencer, ou nos tornando tolerantes enquanto a ameaça de desastre se aproxima de nós muito lentamente para nos fazer sair fora de seu caminho.

Em alguns casos, esses rinocerontes cinza têm potencial para se tornarem rebanhos: a elevação do nível do mar, coincidindo com a migração para cidades costeiras, aumenta o número de pessoas sob risco de tufões e furacões. A escassez de água e a de alimentos andam de mãos dadas. O mesmo acontece com a água e a energia, uma vez que é necessário água para produzir energia, e energia para produzir água. As interconexões entre os mercados globais significam que a falência de um banco em um país tem o potencial de fazer os sistemas financeiros ao redor do mundo sambarem e, por sua vez, tirar pessoas do mercado de trabalho e provocar tumultos nas ruas.

No mundo dos animais, uma manada de rinocerontes é chamada de "batida". Não consigo pensar em um termo mais apropriado. Qualquer uma das ameaças descritas aqui pode ser avassaladora por si só. Combinadas, são assustadoras. Priorizá-las não é algo fácil. As pressões da vida diária já tornam difícil lidar com os desafios simples impostos, que dirá lidar com coisas tão complexas e confusas que parecem de difícil compreensão.

É MELHOR PREVENIR

Mas você pode dizer que todas essas crises são bastante óbvias. Os líderes globais reconhecem a sua existência e estão fazendo algo a respeito, não? Infelizmente, não é bem assim. Nosso histórico em muitas crises óbvias é bem desanimador. As importantes reuniões de cúpula, uma após a outra, desde as do G20 sobre a economia até as das Nações Unidas sobre o clima, entre outras, costumam terminar com muito pouco avanço diante de todo o *hype* e dinheiro gasto em hotéis luxuosos, refeições, viagens e segurança para líderes globais que, apesar de bem-intencionados, não fazem mais do que acenar para o público.

Todos os anos, o Fórum Econômico Mundial entrevista mil CEOs, governos, mídia e líderes de ONGs, pedindo-lhes que classifiquem quais ameaças acreditam que mais provavelmente os afetarão no ano seguinte e qual será o impacto delas. Em 2007 a segunda edição do relatório de Riscos Globais identificou um colapso global de preço dos ativos como o maior risco em termos de gravidade potencial e o sexto com maior probabilidade de ocorrer. Em 2008 o relatório citou a "avaliação incorreta do risco financeiro" como um tema central. Poucos meses antes da falência do Lehman Brothers, o relatório notou que a previsível recessão imobiliária, a crise de liquidez e os altos preços do petróleo estavam acontecendo, aumentando o risco de um colapso ainda maior. Embora o relatório tenha baseado a avaliação nas opiniões dos próprios líderes empresariais, quando foi lançado, a tempo da reunião anual do Fórum em janeiro de 2008, os líderes empresariais reunidos em Davos, na Suíça, recuaram, não querendo admitir o que eles próprios haviam previsto.

Em 2013 uma grande falha do sistema financeiro estava no topo da lista, seguida pelo aumento das emissões de gases de efeito estufa e pela incapacidade de adaptação às mudanças climáticas. Os entrevistados também consideraram um conjunto de desafios muito provável e de alto impacto: disparidade de riqueza, dívida pública insustentável, pandemias e ameaças cibernéticas, urbanização mal administrada, crises de abastecimento de água, escassez de alimentos, riscos associados ao envelhecimento da população, aumento do fanatismo religioso. A pesquisa de 2013 pediu aos líderes que atribuíssem aos próprios países uma pontuação em uma escala de 1 a 5, do menos ao mais capacitado a lidar com riscos econômicos e ambientais. Os dez países com maior número de entrevistados pontuaram abaixo de 3,5, e quatro deles estavam abaixo de 3. Em outras palavras, todos tinham desempenhos medíocres, na melhor das hipóteses, em relação ao quanto haviam se preparado para ameaças prováveis. Suíça, Alemanha e Reino Unido tiveram as pontuações mais altas em preparação, com os Estados Unidos e a China logo atrás; Rússia e Japão tiveram as pontuações mais baixas; e Índia, Brasil e Itália ficaram no meio.

Outras pesquisas relatam resultados semelhantes. Quando o Pacto Global das Nações Unidas e a Accenture entrevistaram mil

CEOs em 2013, apenas 32% desses CEOs acreditavam que a economia estava no caminho para atender às demandas de uma população crescente dentro das limitações ambientais e de recursos, e somente 33% acreditavam que os negócios estavam indo bem o suficiente para enfrentar esses desafios.

As taxas de mortalidade infantil estão caindo dramaticamente, mas todos os dias dezoito mil crianças morrem de doenças evitáveis, de acordo com dados da UNICEF. Pneumonia (17% das mortes), diarreia (9%) e malária (7%) são as maiores causas de mortes. Mas não precisava ser assim. Conhecemos as origens dessas doenças, as quantias de dinheiro necessárias para evitá-las estão bem ao nosso alcance, e não há discordância de que se trata de enfermidades terríveis que precisam ser enfrentadas.

Mesmo quando pensamos que estamos lidando com um problema, podemos estar extremamente enganados. As manchetes iniciais sobre o tufão Haiyan sugeriam que os preparativos para a tempestade haviam evitado um grande desastre. Conforme o tufão se aproximava, em novembro de 2013, um artigo da *Associated Press* citou esforços das Filipinas para levar mais a sério os preparativos e reduzir as mortes por tempestades violentas. "Os anúncios de utilidade pública são frequentes, assim como avisos do presidente e de altos funcionários frequentemente veiculados no rádio, na TV e em *sites* de redes sociais", afirmava o artigo. "O presidente Benigno Aquino III garantiu ao público preparativos semelhantes aos de uma guerra, com três aviões de carga da força aérea C-130 e 32 helicópteros e aviões militares de prontidão, além de vinte navios da Marinha." Mesmo assim, 24 horas depois, as manchetes eram muito diferentes: cerca de dez mil mortos e mais de seiscentas mil pessoas desabrigadas. Às vezes, nenhuma preparação é suficiente.

Haiyan não foi a única tempestade em que pessoas morreram devido ao excesso de confiança ou complacência dos líderes. Em Nova Orleans, a Agência Federal de Gerenciamento de Emergências compartilhou um plano de desastre detalhado de 113 páginas com funcionários do estado da Louisiana em janeiro de 2005, apresentando uma análise do que aconteceria caso um furacão de categoria 3 os atingisse, com base em uma simulação apelidada de Furacão Pam: "milhares de fatalidades", "caixões flutuantes" e "grandes quantidades de resíduos perigosos que resultariam em contaminação pelo ar e pela água". No entanto, quando o furacão Katrina, uma réplica quase exata da tempestade fictícia Pam, se aproximou naquele agosto – poucos meses depois de as autoridades revisarem um plano claro sobre o que fazer, e logo após os *workshops* de acompanhamento do mês anterior e do mesmo mês –, a cidade demorou a reagir e ignorou quase todas as recomendações. A ameaça era tão óbvia quanto poderia ser. O plano de contingência estava lá. No entanto, era quase como se a tempestade e o que se tinha formulado como preparação para ela não existissem. O pequeno elemento de incerteza – quando uma tempestade vai atacar e quão grande ela será – foi o suficiente para colocar as autoridades em estado de negação.

Todos nós sabemos que, quanto mais cedo você lidar com um problema, mais fácil e menos caro será o conserto: antes prevenir do que remediar. Esse princípio remonta a Hipócrates: *"Morbum evitare quam curare facilius est"*. Uma grama de prevenção vale mais que um quilo de cura. Ou, como dizem os franceses: *"Mieux vaut prévenir que guérir"*. Em alemão, *"Vorsorge ist besser als Nachsorge"*. Em espanhol: *"¡Mas vale prevenir que lamentar!"*. Ou, no sueco: *"Stämma de Bättre eu bäcken o ån do än i"* (melhor represar o riacho do que o rio).

Infelizmente, essas máximas permanecem boas na teoria, mas não são postas em prática com a frequência necessária. De todos os truques que a natureza humana nos prega, a inércia é uma das forças mais poderosas a nos impedir de sair do caminho de um perigo conhecido. Quantos alunos esperam até o último minuto para fazer o trabalho final ou ficam acordos a noite inteira pouco antes do exame final, quando estudar mais cedo traria uma chance muito maior de obter uma boa nota? Quanto tempo deixou seu carro rodando além da data de troca de óleo recomendada (e quanto mais caro seria ter que refazer o motor do que uma simples troca de óleo)? Quantos avisos costumamos ignorar quando a impressora está ficando sem tinta e quão inconveniente é quando a tinta acaba antes de pedirmos uma recarga? Pense no impacto dessas procrastinações diárias ampliadas por bilhões de pessoas em empresas, governos e até mesmo líderes que tomam decisões importantes que afetam milhões, até bilhões de outras pessoas.

O garotinho holandês da história de Hans Brinker passou ao lado de um vazamento em um dique que evitava que a água do canal inundasse campos e aldeias. Mas se ele não soubesse que um gotejamento poderia se tornar uma inundação, não teria tido a presença de espírito de salvar sua aldeia. Infelizmente, essa lenda não é holandesa; é produto da imaginação de um romancista americano. Nem poderia ter acontecido assim, já que diques são pilhas gigantes de terra que não teriam rachado da forma como a história descreve. Teria sido impossível salvar um dique comprometido com um mero polegar. Mas a lição da história soa verdadeira mesmo assim e ecoa a mensagem que remonta a Hipócrates: uma ação decisiva, se vier a tempo, pode fazer toda a diferença.

Não importa o quão boas sejam nossas intenções, muitas vezes o único momento em que podemos agir diante de uma ameaça é quando ela já está em cima de nós e quando o custo é mais alto. Isso cria um círculo vicioso: gastamos tanta energia e capital para lidar com crises que poderiam ter sido mais bem administradas no início e acreditamos não ter recursos para investir para evitar outras ameaças com antecedência suficiente. É como afirmar que não podemos ter recursos para trocar o óleo do carro porque todo o nosso dinheiro foi usado para refazer um motor que não teria fundido se tivéssemos trocado o óleo em primeiro lugar. Este é o paradoxo central de ameaças como o Rinoceronte Cinza: enfrentar a ameaça cedo demais, enquanto ela está no horizonte, mas suas mãos estão atadas; ou enfrentar a ameaça quando pode acessar os recursos de que precisa, mas o custo é astronômico, seja para suavizar o golpe, seja para juntar os cacos.

NÃO É QUESTÃO DE SE, MAS DE QUANDO

Em *Cisne negro: o impacto do altamente improvável*, Nassim Nicholas Taleb escreve sobre catástrofes com consequências imensas que são tão raras e impensáveis que as pessoas não estavam preparadas para enfrentá-las por simplesmente nem sequer conceber sua existência. A certa altura, os europeus sabiam apenas da existência dos cisnes brancos e não podiam imaginar algo como um Cisne Negro, daí o título: algo tão fora do alcance das noções preconcebidas que a maioria de nós não consegue imaginar sua existência. Os cisnes negros são raros, criam impactos extremos e não são previsíveis, embora, em retrospecto, os fatores que levaram a seu surgimento possam ficar claros. Taleb está falando sobre Grande Guerra na Europa, a quebra do mercado de ações em 1987, a invenção da internet, a ascensão do fundamentalismo islâmico e outros eventos atípicos. O livro foi publicado em 2007, exatamente quando a bolha de crédito e os empréstimos hipotecários de risco e as indústrias de derivativos do início dos anos 2000 levavam ao colapso do Lehman Brothers e à subsequente turbulência financeira e à recessão profunda que viria a ser conhecida como a Segunda Grande Contração. Portanto, o *timing* do lançamento foi bastante oportuno, fornecendo uma poderosa metáfora para a compreensão da crise que se desenrolou.

Em uma seção do livro, o autor ataca a superestimação humana sobre nossa capacidade de prever o futuro. Taleb, brincando, especulou que alguém poderia escrever um ataque a seu trabalho com o nome de "O Cisne Branco". O Rinoceronte Cinza não é uma réplica, mas um complemento ao Cisne Negro. O próprio Taleb argumentaria que seus leitores obcecados em prever o próximo Cisne Negro não compreenderam o que ele quis dizer. É interessante pensar que podemos prever o improvável, mas não podemos. Devemos perceber que eventos imprevisíveis vão jogar por terra muitas de nossas suposições.

Cisnes negros estão fora de nossa capacidade de previsão. Rinocerontes cinza são ameaças que deveríamos ver, mas muitas vezes não vemos, ou vemos, mas deliberadamente ignoramos. No caso dos rinocerontes cinza, em sua maioria, a questão não são os sinais de alerta fracos, mas os ouvintes determinados a ignorá-los e sistemas que encorajam e aceitam como normal as falhas de enfrentamento. Sempre haverá alguém teimoso o suficiente para ignorar até mesmo a ameaça mais óbvia. Mas, como regra, se uma ameaça é óbvia o suficiente para que uma pessoa razoável a veja chegando, é um Rinoceronte Cinza, não um Cisne Negro.

Apesar das críticas de Taleb contra a ideia de que somos capazes de prever o futuro com precisão, a maioria das crises no mundo são ocorrências muito prováveis. As maiores ameaças diante dos líderes mundiais não são cisnes negros improváveis, mas rinocerontes cinza prováveis. Podemos não ser capazes de prever os detalhes ou o momento exato, mas os contornos das maiores ameaças que enfrentamos são difíceis de ignorar.

Por que se preocupar com um pássaro estranho quando está enfrentando uma besta de duas toneladas que está bufando, dando patadas no chão e olhando diretamente para você enquanto se prepara para atropelá-lo? As crises do Rinoceronte Cinza são óbvias e fáceis de imaginar. Você não pode argumentar que um rinoceronte não existe porque é da cor errada: branco, preto, de Sumatra, javaneses e indianos, são todos cinza. Seu impacto potencial é enorme, seja político, econômico, ambiental, militar ou humanitário. Certamente você já deve ter visto um Rinoceronte Cinza porque pode ter acontecido com você ou com algum conhecido: um colapso de mercado, uma guerra, um ataque cardíaco, um furacão. Ele geralmente avisa antes de atacar. A questão não é se, mas quando um Rinoceronte Cinza vai acontecer.

A crise financeira que saiu de controle em 2007–08 foi um Cisne Negro para alguns, mas muitas pessoas não ficaram surpresas: a crise que estava se formando ali foi um choque convergente entre vários rinocerontes cinza. Havia muitos sinais de advertência de que a bolha financeira que cresceu entre 2001 e 2007 estava prestes a estourar. Muitas pessoas perceberam esses sinais e agiram seguindo seus instintos. Para os estudantes da volatilidade financeira e apreciadores do trabalho de Charles Kindleberger, ficou claro que grandes problemas estavam a caminho. O Fundo Monetário Internacional e o Banco de Compensações Internacionais emitiram vários avisos nos anos que antecederam à crise. Em 2004 um relatório do FBI alertou sobre uma fraude generalizada em hipotecas. Em 2008 as execuções hipotecárias atingiram números recordes. Christine Lagarde, então ministra das finanças da França, alertou, na cúpula do G7 em 2008, de que um tsunami financeiro estava a caminho. William Poole, o ex-presidente do Federal Reserve Bank de St. Louis, e Richard Baker, representante da Louisiana, previram os problemas de Fannie Mae e Freddie Mac. Muitos investidores, tanto pessoas físicas quanto instituições, viram os problemas. Alguns deles agiram rápido o suficiente para saírem ilesos dos problemas; outros fizeram fortunas com o colapso. A Goldman

Sachs, como sabemos agora, apostou contra hipotecas por meio de contratos de derivativos que comprou da AIG. Fez até um seguro contra o colapso da AIG, porque também previu esse acontecimento. Os processos judiciais que se seguiram à crise financeira mostraram dolorosamente e em detalhes quantas empresas sabiam que um colapso estava a caminho e apostaram contra os títulos que estavam vendendo a seus próprios clientes.

A crise financeira de 2008 estava longe de ser um caso de falta de evidências sobre o problema. Os primeiros sinais estavam lá. Muitas pessoas souberam ler. Outras podem não ter agido com rapidez suficiente, mas estavam se movendo na direção certa, conforme mostrado pelo Índice Gallup de Otimismo do Investidor, que atingiu o pico de 178 em janeiro de 2000, mas caiu abruptamente de 95, em meados de 2007, para 15 no verão de 2008, não muito antes do colapso do Lehman Brothers. Esse índice chegaria a 64 pontos negativos naquele inverno.

No entanto, as pessoas no governo e em posições de liderança nos negócios e finanças que poderiam ter feito algo para evitar a crise não levaram essas evidências suficientemente a sério. Alguns podem ter optado por não ouvir porque não queriam ouvir. Outros ouviram, depois fizeram uma análise fria e calculista de custo-benefício e concluíram que os riscos de permanecer no jogo valiam a pena. O sistema foi manipulado para encorajar um comportamento que era na melhor das hipóteses complacente, e irresponsável se levado ao extremo.

Alguns ainda insistem em dizer: "Ninguém previa o que aconteceu em 2008". Até o ex-presidente do Federal Reserve dos Estados Unidos Alan Greenspan continuou afirmando que não sabia o que estava por vir. Em 2013 ele escreveu, na revista *Foreign Affairs*, que "praticamente todos os economistas e formuladores de políticas importantes" estavam cegos para a calamidade que se aproximava. Esse definitivamente não é o caso, mas a falha em reagir aos sinais de alerta, mesmo em retrospectiva, é típica. Em muitos rinocerontes cinza, como no colapso de 2008, nem todo mundo vai reconhecer que os sinais estavam lá.

A própria recusa em reconhecer o que deveria ser uma ameaça óbvia faz parte do fenômeno Rinoceronte Cinza. Para que exista um Rinoceronte Cinza, muita coisa deve ter dado errado a fim de que uma ameaça esteja se aproximando e uma crise se torne muito provável. Pelo menos alguns especialistas confiáveis terão soado o alarme. As pessoas sabem que algo ruim está prestes a acontecer. Ou pelo menos deveriam saber.

Quando George Soros percebeu sinais da derrocada da libra esterlina, ele apostou dez bilhões e ganhou, junto com dois bilhões em lucros, o apelido de "o homem que quebrou o Banco da Inglaterra". Em 1992 Soros percebeu que a relação entre os países dentro do Mecanismo de Taxas de Câmbio da Europa estava em um momento crítico. Ele tomou emprestadas libras esterlinas e investiu em marcos alemães, desencadeando uma corrida à libra que fez o valor cair 15% em relação ao marco alemão e 25% em relação ao dólar. A Grã-Bretanha logo deixou o mecanismo de taxa de câmbio e permitiu a flutuação da libra. Soros viu a iminência de um evento provável se aproximando e transformou-o em uma oportunidade para si mesmo. Na verdade, uma das principais lições da lógica do Rinoceronte Cinza é ver oportunidade na reação a uma crise iminente.

Os rinocerontes cinza parecem surgir mais frequentemente como ameaças, mas também podem ser eventos neutros em termos de valor: uma combinação de bom e mau, dependendo da sua perspectiva e habilidade em identificar maneiras de se beneficiar. Para as redes de televisão, a internet surgiu como uma ameaça. Para o Yahoo e o Google, como uma oportunidade. As redes de televisão demoraram bastante para descobrir como a internet também poderia ser benéfica para elas. Os altos preços da gasolina eram uma ameaça para os veículos movidos a combustível, mas uma oportunidade para os híbridos. Pelo menos, essa era a teoria desde o início. Os consumidores e as montadoras demoraram mais do que o esperado para responder ao aumento dos preços do gás.

Quando a United Airlines destruiu a guitarra Taylor de US$ 3,5 mil do músico Dave Carroll e depois se recusou a assumir a responsabilidade e pagar por uma nova guitarra, Carroll não ficou apenas bravo, ele fez um vídeo no YouTube que se tornou viral, alcançando mais de um milhão de espectadores até o momento em que escrevo isto. A United falhou em reconhecer o poder dessa habilidade recém-descoberta pelos consumidores de usar as redes sociais para alertar as empresas sobre falhas e alcançar o grande público. Essa falha em larga escala tornou a empresa aérea vulnerável a um problema cotidiano previsível que se transformou em uma ameaça muito maior por causa do poder que a internet deu aos consumidores. Essa mesma ameaça foi uma bênção para os clientes e para as empresas que fizeram um bom trabalho para evitar incidentes infelizes, e uma oportunidade de reconhecer falhas rapidamente e agir logo no início de um problema. A adesão dos consumidores às mídias sociais passou a ser uma maneira importante de comunicar e obter *feedbacks* valiosos sobre produtos e serviços.

Na área da saúde, as mudanças são oportunidades e ameaças, dependendo de como reagimos criativamente. A obesidade atingiu níveis epidêmicos no mundo desenvolvido, aumentando os custos com saúde e ameaçando vidas. Para aqueles que sofrem de diabetes, ataques cardíacos ou outras doenças relacionadas à obesidade e pagam pelo tratamento, trata-se de uma crise terrível. Para as empresas de saúde, é uma área de negócios em pleno crescimento. Para empresas cujos produtos contribuem para o problema, a crescente conscientização sobre a obesidade é um perigo – ou uma oportunidade.

ONDE HÁ SANGUE, HÁ AUDIÊNCIA

Muita tinta foi gasta e muitas árvores derrubadas para descrever por que as crises acontecem e a sequência de eventos que as precedem. No entanto, tão importante quanto isso é compreender por que elas não acontecem, ou por que acontecem mas não são tão ruins quanto poderiam ser. Podemos aprender ótimas lições dos momentos em que líderes conseguem sair do caminho de um Rinoceronte Cinza. Infelizmente, as chances de não ouvirmos falar desses momentos são grandes.

No noticiário, "se há sangue, há audiência". Todos nós sabemos de situações nas quais não fazer nada ou fazer a coisa errada transformou crises em verdadeiras catástrofes. Perigos evitados não chegam às manchetes, mas são exatamente esses eventos que precisam ser estudados para evitar catástrofes futuras.

Uma lição importante de um famoso estudo de caso baseado no desastre da espaçonave Challenger é que pode ser desastroso tomar uma decisão baseando-se apenas em fracassos conhecidos. No estudo de caso, os alunos têm de avaliar se devem ou não participar de uma corrida de carros em uma manhã excepcionalmente fria, quando sabem que o motor de ignição às vezes falha em baixas temperaturas. Os dados coletados referem-se apenas às corridas em que a junta falhou. As apostas são altas: se eles competirem e vencerem, podem ganhar quantias de patrocínio além do que já têm. Porém, se o motor falhar, eles perdem seu patrocinador atual e destroem sua reputação. Quando observamos os dados das corridas anteriores que falharam, não fica claro se você deve competir ou não. Mas, quando se adicionam dados das corridas que deram certo, você vê imediatamente que todas as corridas anteriores bem-sucedidas ocorreram em temperaturas mais altas do que as registradas para a manhã dessa corrida. Fica claro que a melhor decisão é não ir adiante.

Os engenheiros que debateram sobre o lançamento da Challenger sabiam que os anéis de vedação usados no foguete propulsor sólido tinham uma falha de projeto que permitia que gases perigosos escapassem e potencialmente destruíssem o ônibus espacial se ele fosse lançado em temperaturas muito baixas. O fabricante sabia do problema desde 1977 e, pouco antes do desastre da Challenger, estava testando um projeto alternativo. Na manhã do lançamento, vários engenheiros avisaram que não tinham evidências suficientes de que os anéis de vedação selariam corretamente em temperaturas mais baixas do que as registradas no momento de todos os demais lançamentos. A equipe da NASA rebateu, dizendo que não havia visto nenhuma evidência de ligação entre temperaturas frias e falha do anel de vedação. "Mas, como muitos de nós costumamos fazer, os engenheiros e gerentes se limitaram aos dados disponíveis e nunca se perguntaram quais dados seriam necessários para testar a hipótese de temperatura", escreveu o professor de Harvard Max Bazerman sobre o episódio, no livro *The Power of Noticing: What the Best Leaders See* (O poder de perceber: o que os melhores líderes veem). Se eles tivessem feito isso, saberiam que as chances de um lançamento bem-sucedido eram muito baixas, adiariam o lançamento para um dia mais quente, e os astronautas ainda estariam vivos.

As lições desse caso ressoam particularmente forte em mim. Na manhã de 28 de janeiro de 1986, quando a Challenger explodiu, eu estava sentada em uma sala de estudantes na Rice University, em Houston. Muitos de meus colegas de classe e seus professores fizeram experimentos no ônibus espacial ou tinham conexões com a NASA. O desastre atingiu duramente todo o país, mas, para a comunidade Rice, foi algo muito mais pessoal.

Muitos anos depois, estudei o caso Challenger, convenientemente disfarçado sob a capa de um conjunto de circunstâncias totalmente diferente, em um exercício na Harvard Kennedy School of Government com o professor Bazerman. Nosso grupo lutou com as emoções conflitantes de uma equipe que queria muito vencer uma competição em que os riscos eram altos, embora dificilmente tão altos quanto as vidas que foram perdidas na explosão da Challenger. Nós nos concentramos muito na possibilidade de que nada desse errado. Focamos em todas as razões pelas quais a baixa temperatura ao ar livre pudesse não ser o motivo de o equipamento ter falhado no passado. Se tivéssemos solicitado um conjunto completo de dados, teríamos visto que cada um dos testes bem-sucedidos fora realizado acima de determinada temperatura, e teríamos decidido não prosseguir. Não nos fizemos as perguntas certas sobre os dados, o que teria feito com que pausássemos o procedimento. Deixamos de nos perguntar o que fazia a diferença quando as coisas davam certo.

No desastre da Challenger da vida real, parte do problema foi que as pessoas que tomavam decisões não fizeram o tipo de pergunta que lhes permitiria ver que a resposta certa era abortar a missão até que o problema do anel de vedação fosse corrigido. Existem muitas outras razões pelas quais deixamos de responder a tempo aos sinais de alerta: as peculiaridades e fraquezas da natureza humana, incluindo o simples e velho impulso de procrastinar; tabus culturais contra soar o alarme; nossa tendência a valorizar resultados positivos e descontar os negativos; pensamento de grupo; ou a tendência das pessoas de reforçar a visão predominante e ignorar as informações que se opõem à história reconhecidamente aceita.

Por mais que compreendamos intelectualmente que, quanto mais cedo reconhecermos um sinal de alerta e lidarmos com ele, melhor, é frequente nos opormos a agir para evitar um desastre. Sabemos que prevenir é melhor do que remediar, mas também internalizamos crenças que funcionam na direção oposta. Os incentivos perversos reforçam essa inércia e tornam improvável que reconheçamos as ameaças mais óbvias e lidemos com ela.

Temos um nome para aqueles que predizem acontecimentos ruins futuros, e não é algo elogioso: Cassandras. A palavra veio para sugerir alguém que está o tempo todo pessimista em relação ao futuro – geralmente alguém em quem não acreditar. No mito grego original, entretanto, as previsões de Cassandra se tornavam realidade. Filha do rei Príamo e da rainha Hécuba de Troia, Cassandra teve a infelicidade de chamar a atenção do deus Apolo, que lhe deu o poder da profecia. Quando ela não retribuiu o afeto dele, porém, ele lançou uma maldição que impedia qualquer pessoa de acreditar nas previsões dela. Ela viu um Rinoceronte Cinza chegando: o ataque grego a Troia. Se ao menos os troianos tivessem acreditado nela, a história poderia ter sido diferente. A principal lição da história de Cassandra, que se tornou um princípio da cultura ocidental, é que os pessimistas não são bem-vindos.

AS CINCO FASES DE UM RINOCERONTE CINZA

Como veremos em capítulos posteriores, as expectativas culturais não são o único obstáculo para aqueles que fazem soar o alarme. A natureza humana, bem como os sistemas organizacionais e sociais, é estabelecida para reforçar o *status quo* e uma visão cor-de-rosa do que está por vir. Como já vimos, a negação é um elemento profundamente arraigado na preparação e no rescaldo de muitas crises. A negação, perigosa o suficiente na mente de uma única pessoa, torna-se mortal quando a dinâmica de grupo entra em ação. Se já é difícil persuadir uma pessoa a prestar atenção a um aviso, torna-se exponencialmente mais difícil à medida que você adiciona membros do grupo à equação. Economistas comportamentais alertam para o fenômeno do pensamento de grupo, que leva os grupos a buscar a conformidade, tornando-os extremamente vulneráveis a ignorar informações que contradizem o pensamento dominante e, por sua vez, levando a decisões erradas. As pessoas preferem estar erradas juntas a estarem certas sozinhas.

Mesmo quando superamos a mentalidade de grupo e outras barreiras para emitir um aviso claro, não é fácil transformar o conhecimento de uma ameaça em ação. Se o primeiro dos cinco estágios de resposta a um Rinoceronte Cinza é a negação, o segundo e o terceiro estágios incluem várias razões para não agir. Normalmente, a negação é seguida pela hesitação, também conhecida como "empurrar com a barriga" – ou seja, encontrar maneiras de empurrar o problema para o futuro. À medida que fica mais claro que hesitar não é suficiente, tentamos obter controle sobre a situação, muitas vezes por meio de barganha, ou negociação, a terceira das cinco fases de luto famosamente estabelecidas por Elisabeth Kübler-Ross, que também começa com a negação. Nesse terceiro estágio, nossas respostas aos rinocerontes cinza podem ser úteis, mesmo que tardias, tentativas de diagnóstico, embora também frequentemente acabem se transformando em disputas sobre qual é a resposta certa. Tanto nos estágios de hesitação quanto nos de diagnóstico, que envolvem grande perda de tempo e oportunidade, uma série de incentivos perversos e desafios da ação coletiva atrapalha a maneira de agir.

Em 1429 Joana d'Arc ouviu a voz de Deus dizendo-lhe para lutar e ajudar a salvar a França durante a Guerra dos Cem Anos. Ainda apenas adolescente, ela convenceu Carlos VII a deixá-la liderar o Exército francês contra a Inglaterra, mudando o curso da guerra a favor da França e levando a uma breve trégua. Depois que essa trégua terminou, o duque da Borgonha a capturou e a manteve prisioneira de guerra, depois a vendeu aos ingleses, que a queimaram na fogueira por heresia, aos dezenove anos. Era tão raro alguém ouvir e dar atenção a um aviso que até mesmo o rei francês, que naquele momento devia sua coroa a ela, temia acusações de heresia e feitiçaria, o que pode ter sido o motivo pelo qual não fez mais para tentar salvá-la. A moral da história: aja a tempo de salvar seu povo e seja queimado na fogueira. Por seu sofrimento, pode ser que eventualmente seja santificado alguns séculos após sua morte.

Em outras palavras, nenhuma boa ação fica impune. Essa é em parte a razão pela qual poucos líderes agem com antecipação, a menos que seja por estarem ouvindo vozes, terem a sensação de invencibilidade de um adolescente, sentirem que não têm absolutamente nada a perder, ou serem santos. Sair do caminho de um Rinoceronte Cinza não deveria ser tão difícil quanto é para os líderes. Mas as probabilidades são contrárias à ação a tempo de prevenir o desastre.

Nossas estruturas financeiras, políticas e sociais frequentemente encorajam comportamento de risco e ignorância intencional dos perigos. Estar ciente desses incentivos perversos e preconceitos arraigados é o primeiro passo para mudar aqueles que podemos mudar. O grande desafio é o conjunto de incentivos financeiros e tendências psicológicas que favorecem o pensamento de curto prazo sobre as estratégias de médio e longo prazo que visam manter o perigo a uma distância segura no horizonte. Nosso sistema de recompensas e punições torna mais fácil fugir da responsabilidade de agir. A forma como configuramos as coisas nos ajuda a racionalizar a não ação. Quando esse sistema baseado na razão colide com os fundamentos irracionais das decisões que tomamos, é uma receita para o desastre.

Os truques que nossas próprias mentes nos pregam fazem com que seja difícil sair do caminho de um Rinoceronte Cinza. Como um número cada vez maior de investidores e tomadores de decisões políticas está começando a entender, nem sempre somos racionais quando pesamos riscos *versus* recompensas ou na forma como agimos com base no que sabemos.

Mesmo quando os pontos fracos da natureza humana não estão atrapalhando, existem as questões reais que tornam difícil decidir o que fazer. O problema com muitos rinocerontes cinza é que, embora possa haver poucas dúvidas sobre se uma ameaça se materializará ou não, o momento do acontecimento é bastante incerto. Como disse John Maynard Keynes, "O mercado pode permanecer irracional por muito mais tempo do que você e eu podemos permanecer solventes". Então, torna-se difícil preparar e priorizar, pois existem custos para agir cedo demais a fim de responder a uma ameaça ou oportunidade. Os investidores falam com tristeza dos negócios de altíssimo risco: apostar alto que a dívida nacional crescente do Japão vai destruir o valor de seus títulos, uma aposta arriscada que nas últimas duas décadas levou muitos investidores a um fim trágico.

Michael Burry, da Scion Capital, viu a crise dos empréstimos imobiliários de alto risco chegando e começou a apostar nela em 2005. Mas seguir com seu palpite custou-lhe o apoio (e dólares) de investidores que se preocupavam com ganhos de curto prazo e reclamaram que ele não estava ganhando dinheiro rápido o suficiente. Para seguir apostando em sua convicção até que a negociação terminasse, Burry teve que demitir metade de sua equipe e vender partes de outras ações. Em 2007, é claro, os empréstimos imobiliários de alto risco começaram a se desfazer, e sua aposta valeu a pena. Quando tudo havia terminado, o investimento de Scion gerara um retorno de 726%, gerando quase US$ 1 bilhão de lucro. Sua história, brilhantemente contada por Michael Lewis em *The Big Short*, mostra como pode ser difícil agir a tempo quando há uma ameaça óbvia – mas também quão lucrativo pode ser se seus bolsos forem fundos o suficiente.

Agir cedo demais nas oportunidades apresenta um desafio semelhante. Os anais da história da internet estão repletos de histórias de empresas em estágio inicial que caíram no esquecimento após o surgimento de uma geração nova e mais poderosa de empresas navegando na Web 2.0. Veja o AltaVista, um mecanismo de busca antigo que o Yahoo mais tarde comprou e acabou fechando no verão de 2013, ou a primeira líder da internet, AOL, que a Time Warner comprou em 2000 por US$ 164 bilhões, grande parte dos quais a Time Warner teve que dar baixa apenas dois anos depois, quando empresas mais ágeis ultrapassaram a AOL.

Outro obstáculo à nossa capacidade de lidar com uma ameaça é fazer malabarismos para saber qual situação devemos enfrentar primeiro quando estamos diante de muitos rinocerontes de uma vez. Diante da incerteza do momento de ataque e da escassez de recursos, pode ser difícil priorizar entre os vários rinocerontes cinza concorrentes. Às vezes, a única escolha é enfrentar mais de um, porque do contrário você sofrerá um ataque vindo de mais de uma direção. Às vezes, embora com menos frequência do que na realidade, a resposta certa é deixar o atropelo acontecer.

Independentemente do motivo que leva os líderes a deixarem de agir de maneira rápida para evitar uma ameaça, isso, infelizmente, é o que tende a acontecer. Afinal, confusão, preocupação e disputa sobre o que fazer não conseguem evitar o inevitável. Passamos para o quarto estágio de uma crise do Rinoceronte Cinza: o estado de pânico. Como reagimos ao estágio de pânico depende de quanta preparação fizemos com antecedência: quantas outras vezes vimos situações semelhantes, e respondemos a elas, quão bem imaginamos as opções possíveis uma vez que somos obrigados a agir, e quantas escolhas permanecem abertas ou fechadas para nós enquanto nos confundíamos e hesitávamos sobre o que fazer. Boas decisões ajudam a evitar ou minimizar o impacto das crises. Más decisões levam à catástrofe.

O quarto estágio, o pânico, passa rapidamente para o quinto e último estágio: ação ou atropelamento, ou, às vezes, ambos. Mesmo quando é tarde demais, pode haver alguma esperança: ao juntar os cacos, os líderes podem trabalhar para que os mesmos erros não sejam repetidos. Na Holanda, por exemplo, a terrível enchente do Mar do Norte em 1953 matou quase duas mil pessoas. O país levou a lição a sério, embarcando em um grande programa de obras públicas de proteção contra enchentes para se fortalecer no combate ao tipo de tempestade que ocorre apenas uma vez a cada dez mil anos. Cidades como Nova York e Nova Orleans recorreram à Holanda em busca de conselhos sobre como se proteger de futuros eventos climáticos catastróficos – tempestades que se tornaram mais frequentes por nossa falha coletiva em responder ao Rinoceronte Cinza das mudanças climáticas, que elevou o nível do mar e as temperaturas da superfície, tornando as tempestades mais violentas e as áreas costeiras mais vulneráveis.

VENDO O RINOCERONTE

Precisamos de uma maneira melhor para pensar os rinocerontes cinza: uma estrutura para reconhecer, priorizar e lidar com essas ameaças óbvias antes que seja tarde demais.

> **Primeiro, precisamos distinguir o Rinoceronte Cinza de outros tipos de ameaças, principalmente seu companheiro, o Cisne Negro.**

Os cisnes brancos são eventos bastante prováveis, mas de baixo impacto, portanto, não merecem o tipo de atenção que reservamos para o Rinoceronte Cinza. Caudas gordas ou cisnes negros são eventos improváveis e de alto impacto. Por serem tão improváveis e, no caso dos cisnes negros, amplamente imprevisíveis, a única maneira de lidar com eles é criando estruturas e sistemas que sejam resilientes: fundações fortes, reservas amplas, estruturas flexíveis.

Tipo	Características	Exemplos	Estratégias
Verdade inconveniente	Forte resistência reconhecida; negação fabricada; alto custo de ação; não há um evento detonador; distribuição de impacto desigual	Mudança Climática; déficits orçamentários; obesidade; condições industriais não seguras; infraestrutura; odor cortiça	Reformulação; oportunidades; custo de desenvolvimento e benefícios; estratégias compartilhadas
Rinoceronte pronto para atacar	Desafio de rápido desenvolvimento; muitas vezes um problema latente que surge	Primavera Árabe; Síria; colapso do subprime; humanitário; desastres naturais	Use a vantagem de urgência para agir
Rinoceronte recorrente	Recorrência (pode se tornar um rinoceronte pronto para atacar)	Crise financeira; pandemias; eventos meteorológicos; terremotos; ameaças cibernéticas	Use listas de verificação e exercícios para formar hábitos; criar gatilhos automático; construir resiliência; evitar complacência
Meta-rinoceronte	Problema estrutural que cria/agrava outros desafios	Governabilidade; desigualdade; estado de direito; questões de gênero	Priorize esse e relacione-o a outros rinocerontes
Rinocerontes dominó e quimera	Um perigo que afeta outras questões; combinados eles podem tornar-se um bicho de sete-cabeças (rinocerontes-quimera)	Escassez de água, preço da comida; volatilidade; saúde; em igualdade	Priorize estes e lide com rinocerontes relacionados em conjunto
Enigmas e nós górdios	Nenhuma resposta óbvia; muitas vezes com obstáculos profundamente enraizados para resolução	Síria; conflito Israel-palestina; desigualdade	Reformule o problema; trate os sintomas
Destruição criativa	Obsolescência inevitável ou situação na qual o esforço necessário é maior do que o benefício	Kodachrome; moinhos de água	Abrace o novo; busque orquestrar as mudanças de maneira ordenada
Rinocerontes Indefinidos	Incerteza sobre a natureza do perigo e/ou a solução	Inteligência artificial; impacto digital na mídia (um enigma ou destruição criativa)	Testar cenários e identificar o mais provável; seja flexível e esteja alerta

Os rinocerontes cinza, em contraste, são bastante prováveis e de alto impacto. Quanto mais cedo lidarmos com eles, menor será o custo. Infelizmente, quanto mais longe eles estão, menor a probabilidade de avançarmos antes que eles se tornem mais caros e nossas opções se tornem limitadas. Este livro pretende mudar essa dinâmica, tornando-nos mais propensos a confrontar os rinocerontes cinza mais cedo, quando as chances de sucesso são maiores.

Em cada um dos cinco estágios de um Rinoceronte Cinza que se aproxima, temos oportunidades para mudar o curso dos eventos. Você reagiria de forma muito diferente a uma manada de rinocerontes no horizonte do que a um rinoceronte que está perto demais para sua segurança. Da mesma forma, as opções e estratégias para cada estágio de um Rinoceronte Cinza são distintas.

Começamos negando ou minimizando a existência de uma ameaça de um Rinoceronte Cinza; hesitamos, em vez de agir de forma decisiva, depois de reconhecer o desafio em questão; jogamos o jogo da culpa enquanto buscamos soluções; entramos em estado de alerta e pânico quando o Rinoceronte Cinza está prestes a atacar, mas nem sempre temos as ferramentas para agir com sabedoria; por fim, fazemos algo – ocasionalmente antes do atropelamento, mas muitas vezes depois do fato.

As lições importantes devem ser encontradas nas maneiras como os líderes, as organizações e os países responderam ou não com sucesso. A diferença entre ser pisoteado ou não é parte caráter, parte sorte, parte circunstâncias, parte estratégia e parte liderança. Aqueles que podem antecipar uma grande mudança disruptiva acabam tendo uma oportunidade de lucro. Eles também podem mudar o mundo.

Se os líderes ouvirem um aviso e decidirem ignorá-lo, ou atender ao aviso agindo de maneira errada, serão esmagados e lembrados como Neville Chamberlain em vez de Winston Churchill, ou como Herbert Hoover em vez de Franklin D. Roosevelt. É preciso esperar para agir até que uma ameaça seja real o suficiente para criar um senso de urgência e levar as pessoas à ação, mas não se deve esperar até que seja tarde demais.

Os líderes precisam começar preocupando-se mais com os rinocerontes cinza do que com os cisnes negros, encontrando maneiras de evitar a negação e mudando nossos sistemas de incentivos para que reagir seja uma tarefa mais fácil. Eles podem se basear nos exemplos de sistemas criados para salvar pessoas de crises recorrentes como tornados, tsunamis, furacões e até mesmo o vírus anual da gripe, sistemas que fazem um importante trabalho salvando vidas. Isso inclui maneiras de reconhecer sinais de uma ameaça iminente, soar um alarme difícil de ignorar para as pessoas em seu caminho, educá-las com antecedência sobre como reagir e fornecer abrigos e instruções claras quando a ameaça estiver a caminho. É preciso criar com antecedência medidas seguras que possam disparar respostas automáticas para líderes que tentam negar a existência de uma ameaça. Uma estratégia previdente contra os rinocerontes cinza é mudar os incentivos perversos a fim de encorajar os líderes a agir mais cedo, e usar nossa compreensão das fraquezas humanas para nos tornar mais propensos a fazer a coisa certa.

Líderes com a intenção de evitar atropelamentos protegeriam as sociedades contra os perigos da mentalidade de grupo e encontrariam maneiras de manter novas ideias fluindo para debates e decisões. Eles passam o tempo olhando para os rinocerontes no horizonte, mesmo que isso signifique deixar os problemas menos importantes e de curto prazo piorarem. Eles escutam opiniões diversas para evitar ouvir apenas os discursos conhecidos.

Os líderes mais bem equipados para superar um Rinoceronte Cinza têm acesso a sinais de alerta e prestam atenção quando o alarme soa. Eles sabem o que fazer para sair do caminho ou, pelo menos, aprendem em tentativas e erros suficientes para mitigar a investida do rinoceronte.

Aprendendo com exemplos de líderes que enfrentaram rinocerontes cinza, sejam eles fracassados ou bem-sucedidos, podemos fazer um trabalho melhor na gestão de nossos países, empresas, lares e famílias. A primeira lição é que só podemos evitar ser pisoteados se decidirmos fazer isso. Precisamos reconhecer que os rinocerontes cinza estão por aí – e são muito, muito perigosos.

2

O problema com as previsões:

Desencadeando a negação

Todo mês de janeiro, Byron Wien, vice-presidente da Blackstone Advisory Partners, publica sua Lista Anual de Dez Surpresas. Wien define uma "surpresa" como um evento que acredita ter mais de 50% de chance de acontecer, mas ao qual o investidor médio atribuiria não mais do que uma chance em três. Acompanho suas previsões todos os anos, pois ele tem uma forma de pensar que desafia o pensamento convencional.

Em 1985, em seu primeiro ano na Morgan Stanley e também como estrategista de investimentos depois de anos como gerente de portfólio, Wien pensou em como poderia causar impacto. Um amigo questionou os motivos de ter aceitado, perguntando-lhe: "Por que você aceitaria aquele cargo se é um gerente de portfólio de sucesso? Se você estiver errado, será muito difícil voltar ao gerenciamento de portfólio". Seu amigo estava falando uma verdade: costumamos colocar muita fé em prognósticos futuros, embora saibamos como previsões podem ser incertas.

Wien sabia que não poderia ser mais inteligente do que os outros estrategistas, mas achava que poderia fazer algo que ninguém mais estava fazendo. Ele começou do nada, um órfão que cresceu nas escolas públicas de Chicago, mas chegou aonde chegou por um motivo muito importante: "Todo o dinheiro que ganhei, ganhei por meio de ideias fora do consenso geral que acabaram se mostrando corretas". Então, ele propôs ao Morgan Stanley uma Lista Anual de Dez Surpresas para fazer previsões fora da visão de consenso. "Eles recusaram porque eu poderia errar todas as dez e a firma ficaria envergonhada", disse ele. Mas, eventualmente, ele convenceu o Morgan Stanley a tentar. "Mesmo se eu errasse algumas, achei que valeria a pena, porque a maioria das pessoas tende a pensar nas mesmas coisas", disse enquanto estávamos sentados nos escritórios da Blackstone na Park Avenue. "As pessoas são muito conservadoras. Elas têm medo de estarem erradas."

Wien olhou para cerca de 25 grandes previsões, facilmente retiradas dos anúncios dos palpiteiros de costume. O simples exercício de identificar qual era o consenso geral revelou-se extremamente útil para chamar a atenção para o comportamento de rebanho que poderia ser algo perigoso. Wien então pensou em quinze previsões que poderiam se desenrolar de maneira diferente: eventos que poderiam ir dramaticamente na mesma direção que o pensamento convencional ou situações contrárias ao que as pessoas esperavam.

"No início, as pessoas acharam que as Dez Surpresas eram fofas, uma curiosidade", disse Wien. "Então, um ano, previ que a IBM triplicaria de tamanho e isso os colocaria no mapa." Os céticos que haviam recusado a ideia vieram até ele e agora achavam que se tratava de uma ideia brilhante. "No início, pensei que seria mais punido do que fui por errar algumas previsões. Quando descobri que não fui tão punido tanto quanto imaginava, vi que as pessoas apreciavam as Surpresas pelo que eram, não pelos acertos." Ele voltou ao amigo que havia questionado sua decisão de aceitar o cargo do Morgan Stanley. "Você disse que ser estrategista é como estar em um chão escorregadio", disse ele. "Mas eu fui até o fim e não havia corpos, então talvez não seja tão escorregadio quanto pensa." Suas ideias fizeram com que fosse reconhecido continuamente como um dos maiores pensadores de Wall Street. A revista *Forbes* o descreveu como um oráculo. Em março de 2000, ele era uma voz importante na equipe do Morgan Stanley, pedindo cautela em um mercado de ações superaquecido por uma bolha de tecnologia.

Em 2005, quando Wien deixou o Morgan Stanley, ele presumiu que a empresa continuaria com a lista anual porque era muito popular. Ele estava, em uma palavra, errado. "Ninguém queria correr o risco de errar", relembrou. Portanto, as Dez Surpresas foram com ele para Pequot Capital e, eventualmente, para Blackstone.

Em 2013, Wien previu que os republicanos tomariam uma nova direção em relação à imigração conforme a liderança do partido reconhecesse a oportunidade apresentada por uma postura mais aberta, e que uma reforma na imigração seria aprovada. Ele me disse um ano depois que havia feito essa previsão com muita convicção: "Os republicanos perderam a última eleição, mas se tivessem assumido a liderança na imigração, poderiam ter vencido no ano passado. Até que assumam a liderança na imigração, os republicanos perderão todas as eleições. Hoje em dia, 17% da população do país é formada por hispânicos – podendo chegar até a 30%. Eles são naturalmente republicanos – são pró vida, são católicos, são empresários. Eles poderiam facilmente se tornar uma parte significativa do Partido Republicano. Os republicanos não reconhecem isso". Ao longo de 2013, vários líderes do partido, de fato, abraçaram a reforma da imigração. A previsão de Wien não se concretizou naquele ano, mas ele não estava completamente errado.

"Não tenha medo de errar", diz Wien. "Você não será tão punido por estar errado quanto imagina. Todos os anos, algum blogueiro vai tirar sarro de mim – até mesmo alguns blogueiros." Na verdade, o blog PunditTracker disse que suas previsões de 2013 de que o ouro alcançaria o valor de 1.900 dólares por onça e o S&P 500 cairia abaixo de 1.300 eram "as piores previsões financeira de 2013". Mas para Wien, não há nada de mais em estar errado às vezes. "A maioria das pessoas está errada a maior parte do tempo. Acredite em mim, eu estive errado muitas vezes", disse ele. "Mas as pessoas dizem: aqui está um cara que tem a coragem de assumir publicamente que está errado."

As surpresas de Wien são úteis pela maneira como identificam o consenso e o desafiam. Ao estar disposto a questionar as visões predominantes, ele nos apresenta diversas possibilidades que estão bem diante de nós, mas que não podemos ver, muitas vezes porque não estamos dispostos a abrir os olhos e romper com o senso comum. Wien é um pensador de Rinocerontes Cinzas: ele está disposto a desafiar o pensamento convencional e analisar cuidadosamente se um evento é provável ou não de acontecer, quando e o que significa.

ALEATORIEDADE MANDELBROTIANA?

Pergunte a uma sala cheia de pessoas o que "muito provável" ou "bastante óbvio" significa para elas, e você provavelmente obterá uma variedade de respostas. Algo que é óbvio para uma pessoa pode não ser tão óbvio para outra.

Por exemplo, alguns residentes da Flórida estão profundamente preocupados com a elevação do nível do mar, mas outros estão mais preocupados sobre a possibilidade de tempestades cada vez mais destrutivas que acabam enterrando (trocadilho) seu dinheiro em propriedades à beira-mar. Uma pessoa pode pensar que é bastante provável que a mudança demográfica cause o colapso da Previdência Social, mas não se preocupa com isso porque é muito difícil prever exatamente quando esse fato acontecerá. Alguns problemas – como as fraquezas do mercado para as obrigações de dívida colaterais anteriores ao colapso financeiro de 2008

– são óbvios demais para as pessoas que os seguem de perto e foram treinadas para detectar problemas. No entanto, esses problemas não parecem óbvios para outros porque não foram educados neste campo, seja numa tentativa deliberada de esconder os problemas, ou (como veremos no próximo capítulo) pela maneira como a natureza humana mascara o que não queremos reconhecer. As crises financeiras acontecem com bastante regularidade e geralmente têm muitos elementos previsíveis. Afinal, o que sobe sempre desce. No entanto, vez após vez, as pessoas não conseguem percebê-las.

Outros problemas, como furacões, tornados e epidemias, acontecem regularmente, mas é difícil prever com precisão onde e quando acontecerão. No entanto, há um número significativo de pessoas informadas para garantir a categorização de todos esses eventos como Rinocerontes Cinza. Trata-se de bons exemplos devido aos sistemas existentes para alertar pessoas e comportamentos amplamente conhecidos por reduzirem de forma drástica o risco de ferimentos, danos à propriedade, doenças ou o pior.

Embora seu livro *O Cisne Negro* se concentre em eventos improváveis e imprevisíveis, como a Primeira Guerra Mundial, Nassim Nicholas Taleb reconhece a existência de crises que se assemelham a Rinocerontes Cinza. "Alguns eventos podem ser raros e danosos, mas um tanto previsíveis, especialmente para aqueles que estão preparados para eles e têm as ferramentas para entendê-los (em vez de ouvir estatísticos, economistas e charlatões e todo tipo)", escreveu ele. "Eles são quase Cisnes Negros. Esses eventos são passíveis de serem analisados cientificamente – saber sobre sua incidência deve diminuir a surpresa. São eventos raros, mas já esperados. Eu chamo este caso especial de aleatoriedade mandelbrotiana de Cisnes 'Cinza'." Esta é uma referência ao matemático Benoit Mandelbrot, conhecido como "o pai dos fractais". Antes de sua morte em 2010, Mandelbrot popularizou o uso da geometria fractal para encontrar e descrever padrões lógicos em fenômenos aparentemente acidentais e aleatórios em todo o nosso mundo, da natureza aos mercados financeiros. Muitos *traders* usam a teoria fractal para analisar movimentos de mercado aparentemente aleatórios a fim de prever mudanças nos preços.

Rinocerontes Cinza são uma categoria mais ampla do que esses "Cisnes cinzentos". A diferença entre um Cisne Negro e um Rinoceronte Cinza é que um grande número de pessoas acredita que um Rinoceronte Cinza é suficientemente provável e estão dispostas a admitir isso. Desde que um número suficiente de pessoas respeitáveis acredite na iminência desse evento. A questão é "se" um número suficiente de pessoas acredita que é possível mudar o curso dos eventos.

Os Rinocerontes Cinza são acontecimentos prováveis e de alto impacto que, até certo ponto, são previsíveis. Parte do desafio de enfrentar os Rinocerontes Cinza reside na natureza de nosso relacionamento com as próprias previsões. Se apenas uma minoria acredita que algo é bastante provável de acontecer, então quão óbvio isso é, realmente? Você pode pensar que o número de pessoas que aceita que o evento é óbvio não deve afetar sua probabilidade. Mas as previsões podem ser autorrealizáveis ou autodestrutivas; como resultado, nossas crenças nas probabilidades afetam a probabilidade de um evento acontecer. Um investidor que aposta nos mercados em alta, mesmo sabendo que eventualmente eles vão cair, não quer participar da queda dos preços das ações antes da hora, a menos que ele esteja apostando contra essas ações.

As predições são, naturalmente, predições: não são coisas inevitáveis. Sua natureza inconstante dá aos tomadores de decisão uma desculpa fácil para falhar em agir. Eles podem culpar as previsões por não serem confiáveis ou podem apontar para outros indivíduos que, da mesma forma, falharam em antever uma situação. Duas frases muito familiares – "Ninguém imaginou" e "Desta vez é diferente" – são refrões clássicos no desenrolar de Rinocerontes Cinza: previsões e retrospectivas baseadas em expectativas. Precisamos questionar as pessoas que recorrem a esse tipo de chavão para se defender de críticas por não reconhecer e por não agir diante de perigos óbvios.

A ESPIRAL DA MORTE

Quando ouvimos algo, mas não queremos ouvir, nós estamos criando um silenciamento. Se reconhecemos uma previsão e respondemos a ela depende de quão abertos estamos para ouvi-la, em primeiro lugar, e de quanto respeitamos a fonte. A forma como os outros reagem à previsão também é importante. Como Wien certamente descobriu com suas Dez Surpresas, nós, humanos, temos dificuldade em nos desvencilhar do desejo de um consenso. Alguém em uma posição de respeito ou autoridade – mesmo que simplesmente um colega de confiança e, especialmente, um grupo de colegas – pode determinar se daremos ouvidos a uma previsão ou se iremos ignorá-la.

Na conferência do Círculo Polar Ártico de 2014 em Reykjavik, eu inadvertidamente pisei no ninho de uma vespa científica, onde tive a oportunidade de observar e experimentar o choque de reações a uma previsão sobre o futuro do gelo do mar Ártico quando uma opinião provocou um debate acalorado por um grupo de cientistas que discordou de um orador.

Imagens virais do desaparecimento do gelo marinho no verão do Ártico circulando nas redes sociais em 2013 e 2014 me cativaram. Os números eram uma coisa – 2,50 milhões de milhas quadradas de gelo em 1984 foram reduzidos para 1,32 milhão em 2012, – mas os mapas e visualizações (principalmente aquelas fotos de ursos-polares abandonados em meio a blocos de gelo derretendo) foram chocantes pela maneira como mostraram que a mudança climática era real.

Comecei a estudar as questões do Ártico com um olhar novo, não como uma especialista ou como um cientista, mas como uma observadora interessada em aprender sobre uma região que concentra uma das maiores ameaças ao planeta, junto com um fascinante conjunto de questões políticas. Sentei-me ali fascinada, assim como grande parte da plateia, enquanto Peter Wadhams, professor de Matemática Aplicada e Física Teórica na Universidade de Cambridge, na Inglaterra, postava uma série de gráficos alarmantes mostrando o declínio constante do gelo marinho do Ártico. Ele previu um Ártico sem gelo em 2020. Uma das imagens era particularmente interessante como metáfora, se não particularmente de fácil entendimento: o gráfico em forma de espiral que Wadhams chamou de Espiral da Morte do Gelo Ártico. De acordo com dados de físicos do Sistema Pan-Ártico de Modelagem e Assimilação de Oceanos de Gelo (PIOMAS) do Centro de Ciência Polar da Universidade de Washington, o gráfico mapeava os níveis de gelo em um círculo em vez de uma linha reta.

A Espiral da Morte mostrou o volume de gelo marinho do Ártico caindo de bem mais de trinta milhões de quilômetros cúbicos em 1979 para apenas 3.673 milhões de quilômetros cúbicos em setembro de 2013, o menor nível já registrado.

Eu uso o Twitter como uma forma de fazer anotações em conferências e compartilhar os procedimentos com outras pessoas, então tirei uma foto do gráfico e postei. Enquanto eu postava o gráfico da Espiral da Morte, outros participantes da conferência tuitavam furiosamente para desacreditar Wadhams.

Um dos rivais de Wadhams da Universidade de Reading, também no Reino Unido, disse o seguinte:

As opiniões de Peter Wadhams sobre o gelo marinho e o pulso de metano iminente são inconsistentes com a visão de consenso AR5 do IPCC # ArcticCircle2014

ArcticPredictability @arcticpredict 2 de novembro

O que aconteceu quando as visões de Peter Wadhams foram desafiadas por outros cientistas do clima? Ameaças legais: *http://ipccreport.wordpress.com/2014/10/08/when-Climate-Scientists-Critical -each-Other/...* **# ArcticCircle2014**

ArcticPredictability @arcticpredict 2 de novembro

Os tweets colocam os comentários do professor Wadhams em contexto, então eu os retuitei e pesquisei na web por mais informações. Tanto o que descobri quanto minhas próprias reações ao que descobri deixaram claro que não se tratava apenas de uma discordância científica e animosidades pessoais, mas também de uma dinâmica muito mais profunda em torno de como reagimos a opiniões que não confirmam os pontos de vista prevalecentes.

No início, fiquei um pouco irritada e envergonhada por não saber que Wadhams havia previsto em 2011 que o Ártico estaria livre de gelo marinho por volta de 2015, o que claramente não tinha acontecido. (Para complicar ainda mais o debate, verifica-se que a definição de "livre de gelo marinho" não é na verdade totalmente "livre". O National Snow & Ice Data Center considera uma área como "livre" quando a cobertura de gelo é menor que 15%, não 0%, que é o que muitos considerariam ser a definição de "livre".) Mas então fiquei perplexa. A conferência foi cuidadosamente organizada e foi excelente. Achava muito improvável que os organizadores colocassem um maluco no painel. Após a apresentação do Círculo Polar Ártico de Wadhams, um membro da plateia continuou o debate acirrado. O crítico o acusou de não incluir ciência ou física em seus modelos. O professor Wadhams, visivelmente chateado, respondeu com indignação que suas previsões não eram baseadas em modelos, mas em dados. Em seguida, disse que as reclamações anteriores que fizera sobre as críticas dirigidas a ele eram mais sobre como o Twitter fora usado. Curiosa, pesquisei um pouco para entender a situação.

No fim das contas, a conversa que testemunhei foi na verdade a continuidade de uma discussão que irrompeu semanas antes, em uma reunião da Royal Society em setembro no Ártico. Ainda mais intrigada, pesquisei uma carta que Wadhams escrevera aos chefes das instituições dos pesquisadores, alegando que eles o haviam ridicularizado. Depois da reunião de setembro, Wadhams passou a reclamar que os acadêmicos não deveriam usar o Twitter para debater ciência. A *thread* do Twitter e os artigos sobre o debate sugeriam que parte do problema é geracional, no sentido de que se trata de um cientista que espera deferência dentro da hierarquia acadêmica e não está familiarizado com a natureza atrevida das conversas no Twitter. Mark Brandon, um dos organizadores da conferência da Royal Society e um dos estudiosos envolvidos na disputa anterior, respondeu publicando a reclamação de Wadhams com uma anotação, em uma tentativa de refutá-la, levando todo o confronto a se aproximar do universo cômico – algo digno de um episódio em um romance de David Lodge zombando sutilmente das peculiaridades da cultura acadêmica.

No entanto, a disputa mostrou como as emoções humanas podem ser complicadas quando se trata de pontos de vista diferentes do que é geralmente aceito. Minha própria reação foi tipicamente a de todas as nossas respostas às predições e informações que não estão de acordo com a opinião geral. Quer essas ideias atípicas estejam corretas, quer não, nós instintivamente recuamos diante delas. Parte disso é um mecanismo de defesa natural para evitar que nos sintamos sobrecarregados. Temos a tendência de buscar, interpretar e priorizar informações de modo que confirmem nossas crenças ou hipóteses. Estar pouco disposto a considerar uma gama mais ampla de previsões pode ser perigoso. As visões discrepantes ocupam um papel essencial ao permitir que a fé cega nas previsões seja desafiada.

Contudo, as opiniões discrepantes são também muito convenientes para aqueles que discordam de uma predição em particular. Essa realidade desconfortável fez parte desse debate particular, cujo momento coincidiu com uma conversa muito mais abrangente que teve implicações mais amplas para todo o planeta. No mesmo dia em que o professor Wadhams discursou em Reykjavik, o Painel Intergovernamental sobre Mudanças Climáticas das Nações Unidas publicou um novo relatório, alertando que as mudanças climáticas são irreversíveis. O fato de o painel representar o consenso dos cientistas é o que o torna tão poderoso. Ele é a base para os próximos esforços em Paris no sentido de negociar um novo acordo para desacelerar o ritmo das emissões de gases de efeito estufa e as mudanças resultantes no clima como o aumento de condições climáticas extremas.

Aqueles que negam a mudança climática persistem obstinados com suas crenças, apesar da abundância de evidências científicas. A própria existência desses negacionistas pode ajudar a explicar por que os cientistas ficaram tão sensibilizados diante das previsões mais agressivas do professor Wadhams. Os cientistas não queriam deixar qualquer dúvida de que seus achados são regidos pela objetividade científica. Uma opinião divergente torna essa empreitada mais difícil, munindo os céticos de armamento para descartar seus argumentos.

MACACOS JOGANDO DARDOS

Muitas previsões são precisas sobre a questão "se", mas não sobre a questão de "quando". Quando alguém prevê que algo vai acontecer em uma certa data e isso não acontece, essa pessoa é frequentemente caluniada. Ele não recebe crédito se as previsões se concretizarem mais tarde. Uma piada frequente do mercado é que os economistas previram dez das duas últimas recessões (ou seja, muito mais do que realmente aconteceu). Quando as previsões estão incompletas – por exemplo, sabemos que o que sobe deve eventualmente descer, mas o "quando" permanece no ar – os líderes têm maior probabilidade de minimizar a previsão e evitar fazer qualquer coisa para reduzir os riscos de enfrentá-las.

O Prêmio Nobel de Economia de 2013 foi entregue a dois economistas que investigaram se é possível prever bolhas. Eugene Fama, da Universidade de Chicago, ficou famoso apoiando a hipótese dos mercados eficientes. Em outras palavras, a crença de que, como os preços das ações absorvem todas as informações relevantes, eles são imprevisíveis em curtos períodos de dias e semanas. Em contraste, o economista Robert Shiller de Yale anunciou corretamente a bolha tecnológica dos anos 1990 e a bolha imobiliária que começou a estourar em 2007. O trabalho de Shiller sustenta a visão de que podemos antecipar os mercados de maneira razoavelmente precisa em períodos mais longos. As duas visões, embora não sejam totalmente incompatíveis, levantam a importante questão de quanto podemos confiar em nossa capacidade de previsão.

Essas visões conflitantes de nosso poder de antecipar acontecimentos moldam nossa capacidade de superar a negação e de responder apropriadamente aos Rinocerontes Cinza. Se não podemos antever com uma boa probabilidade de sucesso, dificilmente agiremos com uma resposta apropriada. Não seria possível determinar que um evento é "provável" de acontecer.

Existem razões reais para duvidar das previsões. Não é assim fácil avaliar se algo é provável ou não de acontecer. Nós conhecemos as previsões que se provaram acertadas. Muitas mais não. Às vezes, é porque eram previsões falsas, antes de mais nada. Às vezes, como frequentemente vemos em relação às previsões do tempo, uma alta probabilidade não significa uma certeza absoluta. Noventa por cento de chance de chuva significa que ainda há 10% de chance de não chover – embora muitos de nós ainda concordem, pelo menos em tom de brincadeira, com a superstição de que se você trouxer um guarda-chuva não vai chover, e se não trouxer, vai. Às vezes, isso ocorre porque quando reconhecemos uma ameaça e fazemos algo a respeito, a ameaça desaparece. Muitas vezes, é difícil dizer quem é o responsável por um determinado resultado.

Você se lembra da crise de bug do milênio que supostamente deixaria milhões de computadores inativos? Nunca saberemos se foi apenas uma reação desproporcional a um perigo menor ou se foi o clima de histeria que levou inúmeros programadores a resolver um problema real. (A propósito, comece a se preparar agora, pois há um bug do ano 2038 à espreita.) Ainda se debate sobre o que teria acontecido se o mundo não tivesse gastado cerca de 400 bilhões de dólares se preparando para essa ameaça. Será que preparação frenética resolveu em grande parte o problema? Ou a falta de problemas em países que não fizeram uma recodificação tão extensa indica que tudo não passou de uma perda de tempo e dinheiro? Alguns teóricos da conspiração que conheci no Texas ficaram profundamente desapontados porque suas previsões de que o governo dos Estados Unidos e os Illuminati usariam o bug do milênio para dominar o país não se concretizaram.

O *Wall Street Journal* é famoso por afirmar que, se você comparar previsões de mercado e seus resultados com um macaco jogando dardos, o macaco geralmente se sai melhor. Os analistas de Wall Street estão acostumados a estar errados. Como o blog *PunditTracker* apontou, as estimativas para o desempenho das metas de preço da S&P estão longe da meta ano após ano: alta de 9,6% em 2011, baixa de 7% em 2012 e mais de 19% baixa em 2013. Além do mais, como *PunditTracker* acrescentou, as estimativas tendem a se agrupar nos mesmos valores. Cinco das seis previsões que rastreou caíram dentro de cem pontos uma da outra em uma faixa que não incluía o preço real em um único caso.

Observe o consenso existente nas projeções dos analistas financeiros sobre o desempenho do mercado de ações a cada ano e é difícil não concluir que os *traders* do mercado financeiro estão ansiosos para acreditar em histórias incríveis de prosperidade e são profundamente céticos em relação a prognósticos de crise. Isso é verdade para muitos de nós também. Nós torcemos para que aqueles que preveem algo ruim estejam errados. Nós geralmente temos razão, mas quando estamos errados, isso pode ser catastrófico. Enquanto isso, Chicken Little é atropelado por uma noz e corre pela estrada gritando que o céu está caindo, tornando-se motivo de chacota em uma fábula infantil. Moral da história: Não presuma que tudo de ruim que acontece é um prenúncio de desastre. Afinal, mesmo um relógio quebrado costuma mostrar a hora correta duas vezes por dia, não é? É como se todos nós vivêssemos em Lake Wobegon, a vizinhança fictícia de infância do apresentador de rádio Garrison Keillor em Minnesota, onde "todas as mulheres são fortes, todos os homens são bonitos e todas as crianças estão acima da média". Sabemos que é bom demais para ser verdade, mas não podemos deixar de acreditar.

O neurocientista Tali Sharot argumenta que os humanos são programados para ver o mundo através de lentes cor-de-rosa. Temos a tendência de superestimar a probabilidade de eventos positivos e de subestimar a probabilidade de eventos negativos. Em outras palavras, demonstramos consistentemente o "viés de otimismo", termo cunhado pelo psicólogo Neil Weinstein. "Dados mostram que a maioria das pessoas superestima suas perspectivas de realização profissional, espera que seus filhos sejam extraordinariamente talentosos, calcula mal sua expectativa de vida provável (às vezes em vinte anos ou mais), espera ser mais saudável do que a pessoa média e mais bem-sucedida do que seus pares, subestima enormemente a chance de divórcio, câncer, desemprego e está confiante de que sua vida futura será melhor do que a de seus pais", escreveu Sharot em seu fantástico livro *The Optimism Bias*.

Esse impulso está tão profundamente enraizado em nós que afeta a capacidade de aprender a reconhecer e ajustar nosso viés de otimismo. Em um estudo conduzido por Sharot no Instituto Weizmann de Israel, voluntários foram solicitados a estimar a probabilidade de encontrar vários eventos (câncer, úlceras, sofrer um acidente de carro). Mais tarde, eles foram informados sobre probabilidades reais e, em seguida, perguntados novamente quão prováveis achavam que os eventos seriam. Revelando o quão profundo é o viés de otimismo, eles ajustaram suas expectativas quando as informações de que as chances de um determinado evento acontecer eram melhores do que esperavam, mas ignoraram informações que não eram a seu favor.

Embora as lentes cor-de-rosa não sejam tão úteis no processamento de informações, especialmente no reconhecimento dos perigos a tempo de fazer algo para evitá-los, Sharot acredita que o otimismo serve a um propósito biológico importante. "O otimismo parece ser tão essencial para nossa sobrevivência que está embutido em nosso órgão mais complexo, o cérebro", afirma ela.

O viés do otimismo compromete nossa capacidade de julgar quais previsões têm maior probabilidade de se tornar realidade. Esse é um dos motivos pelos quais é tão difícil ver o óbvio. Nosso otimismo inerente é um obstáculo real no reconhecimento e ação frente ao perigo, mesmo quando temos informações para nos alertar. Sharot reconhece que subestimar os riscos à saúde (por exemplo) nos torna menos propensos a buscar cuidados preventivos e mais propensos a correr riscos.

Ainda assim, ela defende a teoria de que nossas lentes cor-de-rosa podem ser úteis: "Subestimar a probabilidade de eventos adversos futuros reduz nossos níveis de estresse e ansiedade, o que é benéfico para nossa saúde". Ela também observa que o otimismo pode ser uma profecia autossuficiente, desde que seja adotado com moderação. Um estudo da Duke University citado por Sharot descobriu que otimistas moderados tendiam a trabalhar mais, economizar mais e fumar menos do que outros participantes do estudo. Os otimistas extremos estavam no lado oposto.

Como veremos em capítulos posteriores, o otimismo pode desempenhar um papel crucial na reformulação de nossas respostas aos Rinocerontes Cinza, transformando ameaças em oportunidades. E, se vamos ter uma chance de evitar um atropelamento, temos que acreditar que as chances de sucesso são grandes o suficiente para justificar um esforço.

ORÁCULOS MODERNOS

Você pode dizer que somos oportunamente otimistas em nossa complicada relação com as previsões. Enquanto aceitamos previsões quando gostamos delas e as descartamos quando os eventos tomam uma direção inesperada, os humanos perseguem o Santo Graal de melhores previsões com a obstinação que apenas os otimistas podem ter.

E, de fato, estamos melhorando em alguns tipos de previsões. Novas tecnologias e os sistemas em evolução estão melhorando nossa capacidade de entender melhor o presente e, às vezes, de adivinhar o futuro por meio de *crowdsourcing*, agregação de dados, mapeamento e mercados de previsão.

Big Data é a bola da vez. Google, Microsoft, Facebook e outras empresas de tecnologia estão trabalhando em maneiras de usar informações para prever o comportamento do consumidor e tendências maiores. Ferramentas como o Índice de Risco Político Global do Grupo Eurasia e o índice recentemente criado pela Força-Tarefa de Estabilidade Política estão identificando tendências globais à beira da erupção. Nos casos em que os dados não são confiáveis – o crescimento do PIB da China, por exemplo – os analistas recorrem a indicadores como o uso de eletricidade, que são mais confiáveis. Em outros casos, como no próprio PIB, que alguns críticos consideram uma medida muito eficiente, os formuladores de políticas públicas estão buscando indicadores alternativos de saúde econômica.

As redes sociais estão criando novos sinais de alerta – alguns corretos e outros errados, mas outros com o poder de obter resultados rapidamente. O Google Flu Trends começou com a ideia de que as pessoas que pesquisam *on-line* por informações sobre a gripe podem sinalizar surtos. Infelizmente, a maioria das pessoas que vai ao médico por causa da gripe, de fato, não está gripada. Até agora, apesar dos esforços do Google para ajustar seus algoritmos, o projeto ainda não apresentou a precisão que seus criadores esperavam. Pouco depois de o site ser lançado, falhou em detectar o surto de "gripe suína" de 2009, a H1N1. Um estudo da *Science* calculou que o Google Flu estava errado em cem das 108 semanas, relatando de forma consistente surtos de gripe no período que estudou, 2011-13. No entanto, à medida que aprendemos mais sobre como interpretar Big Data, nossas previsões se tornarão mais precisas. Embora o Google Flu ainda não tenha acertado sobre a gripe, seus dados ainda podem fornecer um indicador da temporada de resfriados e gripes ou de algo que ainda não determinamos.

Embora as previsões individuais sejam erráticas, agregá-las pode tornar os resultados combinados muito mais precisos, como James Surowiecki detalhou elegantemente em seu livro de 2004, *The Wisdom of Crowds*. A tecnologia está tornando cada vez mais fácil agrupar opiniões. As redes sociais nos ajudam a reunir uma ampla gama de perspectivas independentes para chegar a previsões mais precisas. A força do *crowdsourcing* está em reunir informações de vários pontos de vista.

Nate Silver aplicou esse princípio à Liga Principal de Beisebol e às eleições presidenciais, mudando as regras do jogo da previsão. Ele adverte sobre as limitações de sua profissão e nos alerta para o perigo de que informações em rápida expansão ultrapassem nossa capacidade de processá-las. Quanto mais humildes formos em relação às previsões, melhor, sugere Silver. Como apontou em seu importante livro *The Signal and the Noise*, muitas previsões falham. "Nos concentramos nos sinais que contam uma história sobre o mundo como gostaríamos que fosse, e não como ele de fato é", escreveu. "Ignoramos os riscos mais difíceis de mensurar, mesmo quando representam as maiores ameaças ao nosso bem-estar."

Silver enquadrou a crise financeira de 2008 como uma falha catastrófica de julgamento e previsão, citando as agências de classificação como particularmente culpadas. A Standard & Poor's, observou ele, estimou que havia apenas uma chance em 850 de que as obrigações de dívidas colateralizadas que avaliou como AAA entrariam em default nos próximos cinco anos; a taxa real acabou sendo duzentas vezes maior. A S&P afirmou que "praticamente ninguém" previu a chegada da crise imobiliária. No entanto, como Silver também observou, muitas pessoas viram a tempestade financeira chegando, afirmando isso pública e repetidamente. Em 2005, os jornais mencionavam a bolha imobiliária dez vezes por dia, embora as pesquisas no Google pelo termo "bolha imobiliária" tivessem aumentado dez vezes no ano anterior. Na verdade, acrescenta Silver, citando um memorando interno, a S&P havia considerado a possibilidade de que os preços das moradias caíssem

20% em dois anos, mas descartou a possibilidade de que isso afetaria os títulos o suficiente para provocar um rebaixamento.

Por que os *experts* não perceberam isso? É difícil ignorar o aparente conflito de interesses inerente às agências de classificação sendo pagas pelas empresas que avaliam. Esse problema sem dúvida ajudou a criar a tempestade perfeita de condições que levou ao colapso financeiro de 2008. O maior problema é que costumamos não dar a devida atenção às opiniões divergentes antes de rejeitá-las, mais frequentemente, pelo simples fato de as deixarmos de lado.

DESCONHECIDO CONHECIDO

Na tentativa de se livrar da polêmica que assola a falta de evidências de que o Iraque possuía as tais armas de destruição em massa que o governo dos Estados Unidos usou para justificar a guerra, o secretário de Defesa Donald Rumsfeld deu aos repórteres uma explicação bizarra das dificuldades de saber com certeza o que havia lá: "Como sabemos, existem coisas conhecidas sabidas. Há coisas que sabemos que sabemos. Sabemos também que há coisas desconhecidas sabidas. Ou seja, sabemos que existem coisas que não sabemos. Mas também existem desconhecidos ocultos – coisas que não sabemos que não sabemos".

Essa fala desconexa rendeu argumentos para defensores de todas as ideologias políticas. A Plain English Association nomeou Rumsfeld com seu prêmio Foot in Mouth pela declaração mais desconcertante feita por uma figura pública. Talvez o escárnio público tivesse sido menor se alguém tivesse dito que essas categorias são bem conhecidas pelos estudantes de psicologia organizacional com a teoria da Janela Johari, uma ferramenta desenvolvida em 1955 para ajudar pessoas a avaliar relacionamentos. Tudo o que Rumsfeld fez foi tirar essa análise de contexto. Na verdade, as categorias expostas por ele se tornaram uma maneira útil para os líderes pensarem nos riscos.

Os desconhecidos ocultos são o terreno do Cisne Negro. Não ser capaz de prever fatos desconhecidos ocultos é um grande problema apenas nos casos mais raros. Os "sabidos conhecidos" e os "desconhecidos conhecidos" entram em jogo, como veremos, em nossa capacidade de lidar com ameaças óbvias.

Uma quarta categoria extrapolada pelo filósofo Slavoj Žižek poderia ser um sinônimo para o primeiro estágio de uma ameaça Rinoceronte Cinza: o desconhecido conhecido, ou algo que intencionalmente nos recusamos a reconhecer.

Ao defender Rumsfeld, o linguista Geoffrey K. Pullum citou um provérbio persa:

**Aquele que não sabe,
e não sabe que não sabe,
é um tolo. Evite-o.
Aquele que não sabe
e sabe que não sabe
pode ser ensinado. Ensine-o.
Aquele que sabe,
e não sabe que sabe,
está dormindo. Acorde-o.
Aquele que sabe,
e sabe que sabe,
é um profeta. Siga-o.**

O "desconhecido conhecido" é o domínio do Rinoceronte Cinza: a informação que podemos ter disponível em nossas cabeças, mas que nos recusamos a ouvir.

OUVINDO ORÁCULOS

É difícil saber a inspiração original para o provérbio persa das quatro combinações saber/não saber, mas certamente se aplica à história do antigo rei persa Xerxes e suas ambições de conquistar a Grécia.

Em 481 a.C., Xerxes atacou a Grécia, apesar de ter sido avisado da possibilidade de um resultado muito diferente do que previa. Ele sabia, mas não sabia que sabia. Os gregos sabiam o que sabiam e usaram seu conhecimento para lutar contra um inimigo muito mais poderoso. O resultado dessa batalha épica permitiu que ambos os lados tivessem a capacidade de prever, responder aos avisos e reagir de forma adequada. O relato do historiador grego Heródoto sobre as batalhas dá grande relevância aos oráculos, sonhos, visões e à importância de escolher quais fontes e conselheiros seguir.

Xerxes, o rei da Pérsia, filho de Dario, o Grande, e neto do primeiro imperador de Pérsia, Ciro, o Grande, partiu no século V a.C. para conquistar a Grécia. Quando ele assumiu o poder em 486 a.C. após a morte de seu pai, ele ainda não era conhecido como Xerxes, o Grande. Ele tinha sua própria reputação e o legado de seu pai em mente. Seis anos antes, Dario, o Grande, havia invadido a Grécia, apenas para que as desorganizadas forças gregas expulsassem as tropas persas na Batalha de Maratona em 490 a.C. Dario morreu antes que pudesse organizar um novo ataque.

Enquanto Xerxes planejava como conquistaria terras que seu pai não tinha sido capaz de tomar antes de sua morte, seu primo e cunhado Mardônio, comandante do exército, era o mais ativo de um grupo de conselheiros que apoiava o plano de expandir o Império Persa através do Mediterrâneo. Que força poderia resistir a seu exército, o maior já reunido, enquanto se preparava para marchar sobre a península ateniense? Se as lembranças da expulsão na Batalha de Maratona não tivessem sido esquecidas, Xerxes e seus conselheiros poderiam saber a resposta.

Dois dos conselheiros de confiança de Xerxes proferiram palavras de cautela, mas ele se recusou a ouvir. Seu tio Artabanus aventou a possibilidade: "Vamos supor que eles nos enfrentem no mar, nos derrotem e depois naveguem até o Helesponto e destruam a ponte. Esse é o grande perigo, meu senhor". Xerxes ficou furioso, mas depois reconsiderou e pensou seriamente no conselho de Artabano. Pelo relato de Heródoto, porém, um homem alto e bonito visitou Xerxes em seus sonhos, ameaçando-o repetidamente de que, se não prosseguisse com o ataque, perderia sua posição de poder.

Após ser deposto como rei de Esparta, o grego Demarato se autoexílio em Susa, onde se tornou confidente íntimo de Xerxes. Demarato avisou Xerxes que os espartanos jamais cederiam às forças persas, mesmo que os outros gregos desertassem para Xerxes. Eles permaneceriam firmes e resistiriam, independentemente do que acontecesse: "O senhor deles é a lei, e eles têm muito mais medo disso do que de você". Ao contrário da maneira como tratou Artabano, Xerxes "o dispensou civilizadamente". Mesmo assim, Xerxes não acatou o conselho de Demarato e, em 483 a.C., enviou tropas para iniciar o ataque.

Mais tarde, quando um batedor relatou a Xerxes que os espartanos haviam assumido posições defensivas na Lacônia, ele convocou Demarato, que repetiu seu aviso anterior de que os gregos não seriam uma presa fácil. Como não era de se surpreender, Demarato tinha razão. Xerxes voltou a ele uma terceira vez para perguntar o que poderia fazer para derrotar os espartanos. Demarato disse que enviasse um comboio para a ilha de Citera, ao largo da costa, e usá-lo como base para distrair os lacedemônios e impedi-los de ajudar os outros gregos. Caso contrário, ele avisou: "O que acontecerá, com toda probabilidade, se você não fizer isso? Há um istmo na Península do Peloponeso. Todos os peloponésios formarão uma confederação destinada a resistir a você, e então este istmo será o lugar onde você deve esperar enfrentar combates muito mais ferozes do que os que já enfrentou até agora". Pela terceira vez, Xerxes o ignorou e, em vez disso, ouviu o conselho de seu cunhado de manter a frota intacta e apoiar o exército terrestre principal.

E assim continuaram os preparativos para uma guerra total que pudesse assegurar a visão de "domínio sobre toda a raça humana" que apareceu a Xerxes em outro sonho. Heródoto relata um conjunto de oráculos conflitantes prevendo exatamente o contrário. Pouco depois de suas tropas cruzarem o Helesponto, "uma coisa extraordinária aconteceu: um cavalo pariu uma lebre. Xerxes considerou o fato insignificante, embora seu significado fosse transparente. Queria dizer que, embora Xerxes caminhasse ereto e orgulhoso em seu caminho para atacar a Grécia, ele voltaria ao ponto de partida correndo para salvar sua vida". Embora possa parecer que Heródoto fez uso da licença poética neste momento particular da história, é razoável acreditar que, dado o eventual resultado da guerra, houve numerosos sinais de que as coisas poderiam não correr como planejado.

Os gregos, por sua vez, logo perceberam que a invasão que impediram em 490 a.C. era apenas prenúncio de um ataque muito mais intenso. Eles consultaram a profetisa do Oráculo em Delfos, que confirmou o medo de um ataque persa, mas ofereceu esperança em "uma parede de madeira" que "permaneceria intacta e os ajudaria e a seus filhos". Os gregos haviam abandonado o que agora pareciam ser conflitos mesquinhos entre si e se uniram contra a Pérsia. Em seu planejamento, fizeram uso frequente do Oráculo em Delfos, conferindo amplamente (não deixando as discussões para um pequeno círculo interior) sobre o que, de fato, significava. Por fim, decidiram seguir o conselho do general ateniense Temístocles, que havia lutado em Maratona e os aconselhou a construir uma frota de duzentos navios: a "parede de madeira" prescrita pelo Oráculo. Como Demarato havia previsto, os gregos começaram a preparar sua frota para enfrentar os agressores persas no mar. Na verdade, as coisas aconteceram mais ou menos como Demarato havia avisado a Xerxes que sucederiam. Na Batalha de Salamina em setembro de 480, uma frota grega derrotou os persas. Xerxes voltou para casa, deixando Mardônio para continuar a campanha contra os gregos. No ano seguinte, os gregos destruíram o que restava da frota persa, Mardônio morreu na batalha e os persas foram forçados a se retirar totalmente.

Os povos gregos venceram a guerra contra um contingente muito maior porque reconheceram a crise rapidamente, agiram com firmeza e tomaram as decisões certas para superar a ameaça imediata. As apostas eram altas. Eles não estavam excessivamente confiantes e ouviram diversas opiniões. Seu inimigo via a possibilidade de perder como um inimaginável Cisne Negro, dado o tamanho das tropas persas em comparação com as tropas gregas. Enquanto os gregos viam o ataque persa como um Rinoceronte Cinza, uma ameaça óbvia que estava vindo em direção a eles.

Heródoto valoriza muito a capacidade dos gregos de ler oráculos. Mas sua vitória não estava apenas em sua capacidade de interpretar sinais fantasiosos, mas em sua disposição de agir de acordo com eles. O rei Xerxes teve os avisos de que precisava. Xerxes simplesmente os ignorou pelos mesmos motivos comuns a todos nós quando nos deparamos com informações que não queremos ouvir – informações que conhecemos, mas nos recusamos a aceitar.

"A informação estava disponível para Xerxes a partir dos conselheiros gregos que poderiam ter tornado a invasão da Grécia muito mais bem-sucedida do que foi, mas, insuflado por mensageiros ambiciosos e por suas próprias suposições, Xerxes não tirou proveito disso", Carolyn Dewald sabiamente escreve em suas notas para a tradução de 1998 da obra clássica de Heródoto, *História*. Ela observa a tendência de homens poderosos em seus relatos – Creso, Ciro e Xerxes – "de ignorar as limitações que o mundo impôs ao seu poder e, em particular, de deixar de ouvir informações que seriam úteis, mas que não estão de acordo com a visão que possuem de seu controle pessoal sobre os eventos".

Vimos anteriormente que os humanos tendem a supervalorizar as surpresas positivas e subestimar as negativas. Isso ajuda a explicar por que Xerxes resistiu ao cenário mais realista oferecido por Artabano e Demarato. Os persas tiveram um exemplo que deveria ter influenciado em sua decisão: a derrota em 490 a.C. Mas foi um exemplo negativo, então não recebeu o peso que deveria.

Xerxes pesou duas opiniões opostas, mas no final das contas optou por ouvir o conselheiro que mais se parecia com ele: seu cunhado, que compartilhava de suas ambições exageradas para o legado da família. Os persas perderam porque o rei Xerxes continuou negando as ameaças ao seu plano grandioso e ignorou vários sinais e avisos. Infelizmente, parece que Xerxes não aprendeu muito com sua campanha fracassada na Grécia: após seu retorno à Pérsia, ele encomendou muitos projetos de construção elaborados, drenando o tesouro, sobrecarregando seu povo e, por fim, morrendo nas mãos de um ministro desleal.

EMORACIONALIDADE

O rei Xerxes cometeu erros comuns a todos nós quando deixamos de reconhecer e agir sob ameaças óbvias. Baseamos nossas decisões no que o neurocientista francês Olivier Oullier chama de "emoracionalidade": a mistura de motivações racionais e emocionais que nos movem. Oullier afirma que somos excessivamente confiantes. Nós seguimos ou imitamos outros e evitamos reconhecer perdas mesmo quando isso nos pouparia mais perdas. "Como seres humanos, sempre fazemos escolhas", escreve ele. "Essas decisões são tendenciosas e, às vezes, não são apropriadas para o contexto em que estamos evoluindo."

Esses preconceitos moldam o quanto de crédito damos às previsões e, portanto, o quão úteis elas podem ser para prevenir, ou pelo menos suavizar o golpe das crises precedidas por sinais de alerta. A atenção recente e bem-vinda de cientistas comportamentais ajudou a trazer à luz as razões pelas quais não somos melhores em reconhecer ameaças no início, mesmo quando há sinais de alerta. Ao estarmos cientes desses preconceitos e atuando para compensá-los, podemos agir mais como os antigos gregos do que como seus adversários persas.

O primeiro e mais insidioso desses preconceitos é o pensamento de grupo: a tendência dos grupos isolados em ignorar quaisquer ameaças que estejam fora de suas expectativas normais. O psicólogo Irving Janis da pesquisa inventou o termo como parte de um estudo de decisões e de comportamento do grupo em crises mal controladas. O pensamento de grupo nos impede de ver além da mentalidade convencional, que é moldada por dinâmicas humanas irracionais e nos impede de ver o que está diante de nós. Intimamente relacionado ao pensamento de grupo, o viés de confirmação torna as pessoas menos propensas a considerar e abraçar ideias alternativas que vão contra a mentalidade convencional. Quanto mais pessoas ao nosso redor acreditam na mesma coisa, maior é a probabilidade de concordarmos com elas, independentemente de suas crenças serem corretas ou não.

Outro viés que pode distorcer a maneira como percebemos as informações e reagimos às previsões é o *priming*: ou seja, a maneira como processamos as informações depende de quem as fornece. Estamos mais propensos a supervalorizar informações de "especialistas", uma falha que pode ter consequências desastrosas se simplesmente aceitarmos as recomendações sem questionar, como Noreena Hertz mostrou em seu *best-seller* de 2013, *Eyes Wide Open*. Ela citou um estudo de um grupo de adultos que foi monitorado quando solicitado a tomar uma decisão após ouvir o conselho de um especialista. Uma varredura de fMRI de sua atividade cerebral mostrou que o lobo independente de tomada de decisão basicamente desligou. "Um especialista fala, e é como se parássemos de pensar por nós mesmos. É uma ideia bastante assustadora", escreveu ela. Isso é especialmente assustador, visto que os números de muitos especialistas não são tão bons, como Hertz detalha: os médicos erram o diagnóstico de um em cada seis pacientes, os índices de mercado superam 70% dos gestores de fundos mútuos e os indivíduos são menos propensos a cometer erros nas declarações de impostos preparadas por conta própria do que quando contratam contadores.

Os efeitos contrários reforçam ainda mais o pensamento de grupo, o *priming* e o viés de confirmação. Ouvir opiniões contrárias às nossas pode sair pela culatra quando nos faz fincar o pé e nos apegar ainda mais às nossas opiniões. O homem alto e bonito no sonho de Xerxes – seu próprio ego – personificava esse efeito contrário.

O viés de disponibilidade é um atalho mental que enquadra nossas decisões de acordo com os exemplos mais imediatos que vêm à mente, especialmente se envolver vitórias que nos dão uma sensação falha de invencibilidade. Os persas haviam abafado uma revolta no Egito em 485 a.C., fato mais recentemente do que a derrota de Dario, o Grande, pelos gregos.

Todas essas tendências cognitivas se combinam para complicar nosso relacionamento com as previsões e, portanto, nossa capacidade de responder a perigos óbvios. Ainda assim, podemos aprender, e quanto melhor aprendermos a aceitar as previsões, maior será a chance de responder apropriadamente.

BOAS PREVISÕES

Estar ciente das nossas tendências e preconceitos é um passo importante. Aprendi isso participando do Projeto Good Judgment, que aplica colaboração coletiva a previsões sobre assuntos internacionais. Financiado pela Atividade de Projetos de Pesquisa Avançada de Inteligência (IARPA), o Good Judgment reuniu centenas de analistas que fizeram centenas de milhares de previsões desde o seu início. O projeto se concentrou em questões que vão da Coreia do Norte, à zona do euro; do Oriente Médio, à taxa de crescimento econômico da China e Rússia. Sua atenção ao processo de fazer previsões lança luz sobre como podemos melhorar a ideia de quão precisas são nossas previsões, o que pode mudar significativamente se decidirmos ou não agir de acordo com esses palpites.

O projeto de pesquisa de quatro anos baseado na Universidade da Pensilvânia cria equipes e lhes pede que façam previsões, com os membros julgando a probabilidade de um resultado e a confiança em seus acertos. Seu sistema calcula o que é chamado de pontuação Brier, que mede a precisão das previsões, incluindo a confiança em uma previsão para cada previsor e para cada equipe. (A definição técnica é o desvio quadrado entre julgamentos de probabilidade e realidade.) O objetivo é manter sua pontuação, que varia de 0 a 2, o mais baixo possível. Por exemplo, alguém que prediz corretamente o tempo todo obteria um zero; um macaco lançador de dardos, com média de previsões meio certas e meio erradas, provavelmente marcaria 0,5; alguém que previu uma probabilidade de 100% de algo que não ocorreu receberia 2. O sistema pune severamente o excesso de confiança e a falta de confiança.

As pessoas tendem a confiar demais em sua capacidade de previsão, tendência à qual descobri que também era suscetível quando fiz um teste de avaliação inicial. Ter alguém bastante rigoroso para julgar minhas previsões fez uma grande diferença nas probabilidades que atribuí a cada resultado. Era tentador olhar para as previsões dos meus companheiros de equipe para cada pergunta, mas me forcei a esperar até depois de fazer minha própria previsão para que o pensamento de grupo não distorcesse minhas respostas. Conforme a temporada avançava e os eventos mundiais se confirmavam (ou não), eu podia acompanhar meu progresso em relação ao grupo. Prestar atenção ao meu nível de confiança sistematicamente me fez questionar fontes e possíveis vieses que poderiam ter moldado as previsões que fiz. À medida que cada prazo terminava, determinando se uma previsão tinha acontecido ou não, eu via minha pontuação melhorar.

Os diretores do projeto, Barbara Mellers e Michael C. Horowitz, estudaram os resultados e concluíram que três fatores determinavam a precisão dos previsores. Em primeiro lugar, estavam os fatores psicológicos: "raciocínio indutivo, detecção de padrões, mente aberta e a tendência de procurar informações que vão contra os pontos de vista conhecidos, especialmente combinados com conhecimento político". Em segundo lugar estava o ambiente de previsão, incluindo treinamento em raciocínio probabilístico e discussão de fundamentos em equipe. Por fim, não surpreendentemente, o esforço fez a diferença. Quanto mais tempo os previsores gastavam deliberando sobre suas previsões, melhor eles se saíam.

O projeto Good Judgment mostrou que as pessoas podem aprender a fazer previsões melhores, sabendo quando têm maior probabilidade de estar excessivamente confiantes ou inseguros. "Se eu fosse o presidente Obama ou John Kerry, gostaria de ter as previsões de Penn/Berkeley na minha mesa", escreveu David Brooks sobre o projeto em sua coluna no *New York Times*. "As comunidades científicas podem odiá-lo. Veteranos de alto nível não têm nada a ganhar e muito a perder tendo suas análises comparadas com um grupo de forasteiros. Mas esse tipo de trabalho provavelmente poderia ajudar os formuladores de políticas a antecipar melhor o que está por vir. Isso pode induzi-los a pensar de forma mais probabilística."

À medida que nossa capacidade de medir e predizer melhora, será que passaremos a dar ouvidos ao que os oráculos modernos nos dizem? Estar cientes de nossos preconceitos e deficiências nos permite corrigir pelo menos alguns deles e ser mais rápidos na antecipação do que pode estar vindo em nossa direção. No entanto, isso é apenas parte do problema. Às vezes, falhamos em evitar crises porque nossas lentes cor-de-rosa ou outros preconceitos nos impedem de vê-los chegando.

No entanto, às vezes o problema não está na qualidade dos sistemas de alarme ou com nossa capacidade de previsão. Como veremos em breve, às vezes nossos preconceitos e sistemas de tomada de decisão acabam levando a melhor. E às vezes o problema está na negação deliberada.

Aprendizados do capítulo 2

- Não tenha medo de estar errado. A maioria das previsões está errada. Estamos particularmente propensos a cometer erros quando olhamos para aqueles ao nosso redor para moldar nossas visões, o que, dada a natureza humana, é muito mais frequente do que imaginamos. As previsões contrárias ao senso comum são cruciais para contrariar o rebanho e ver coisas que são óbvias, mas não reconhecidas.
- Controle o seu entusiasmo. Os humanos são mais propensos a acreditar em uma previsão otimista do que negativa. Portanto, se você estiver usando lentes cor-de-rosa, experimente outro filtro e veja se ele se encaixa melhor.

- Previsões são complicadas. Nossa relação com as previsões pode atrapalhar o reconhecimento de eventos altamente prováveis.
- Busque a sabedoria das multidões. Reunir previsões de fontes independentes cria uma imagem mais precisa da realidade.
- Nós podemos aprender. A prática leva à perfeição: aplicar o que sabemos sobre nossos preconceitos pode nos ajudar a fazer melhores previsões.

3

Negação:

Por que não vemos os rinocerontes e não saímos de seu caminho

Thor Bjorgolfsson já foi o 249º homem mais rico da Terra e o primeiro bilionário da Islândia. Ele havia ganhado quase US$ 4 bilhões antes dos quarenta anos, investindo em uma cervejaria russa, depois em indústrias de produtos farmacêuticos, telecomunicações nos mercados de fronteira da Europa Oriental, financiando grandes quantias em cada negócio. Para seu quadragésimo aniversário, em 2007, Bjorgolfsson alugou um Boeing 767 equipado com poltronas executivas e levou 120 amigos em uma viagem surpresa para a Jamaica, onde 50 Cent e o filho de Bob Marley Ky-Mani se apresentaram. Ele continuou investindo negócio após negócio, cada vez mais ciente de que estava seguindo o que agora reconhece como um canto da sereia. "Todos nós sabemos que as bolhas estouram, mas que oportunidade temos aí antes que isso inevitavelmente aconteça!", comentou mais tarde.

Naquele mesmo ano, Bjorgolfsson se tornou o maior acionista da Actavis, uma empresa de medicamentos genéricos que passou de US$ 50 milhões em receita em 2002 para US$ 7,3 bilhões em 2008, impulsionada por fusões e aquisições. Em 2007, quando Bjorgolfsson pediu dinheiro emprestado para assumir o controle da empresa, ele se lembra de pedir aos banqueiros que considerassem trazer outros sócios para diversificar o risco dos US$ 4 bilhões que estavam assumindo, mas sua sugestão não foi ouvida. Eles queriam lucrar com as taxas sozinhos e contavam com a possibilidade de sindicalizar o empréstimo de forma que ficasse apenas por um curto período na contabilidade.

Problemas semelhantes rondavam seus ativos bancários. Durante o *boom* de 2002 a 2008, estrangeiros (principalmente europeus) estavam depositando bilhões de dólares nos bancos da Islândia, que pagavam uma taxa melhor do que em seus países de origem. Bjorgolfsson e seu pai eram os maiores acionistas do Landsbanki, o segundo maior banco da Islândia, cujo valor aumentou dez vezes durante aquele período. Mas ninguém parecia notar que a quantidade de dinheiro nos três maiores bancos da Islândia era onze vezes o tamanho de toda a economia do país, ou que havia mais dólares da Disney em circulação do que o *krónur* islandês.

"Eu tinha criticado o *boom* islandês, mas, quando tentei fazer algo a respeito em 2006 e 2007, me enganei. Olhei os números e pensei que o mercado iria quebrar, mas nada aconteceu", me disse anos mais tarde, depois de ter falido – de bilionário à falência, como ele gostava de dizer – e voltado novamente. "Confiei em informações que confirmaram que tudo daria certo e rejeitei os fatos que minaram minhas crenças", disse ele. Portanto, embora as coisas estivessem piorando, ele deixou de lado suas antigas convicções. Ainda assim, jamais imaginou que a Islândia pudesse levar a uma quebra de mercado em escala global.

Como investidor cujos maiores sucessos vieram de explorar terrenos onde os outros temiam pisar, Bjorgolfsson não imaginou que deixaria de confiar no que considerava uma parte importante de sua personalidade, algo que o havia ajudado a evitar erros grosseiros. "Sempre fui alguém mais solitário e opositor, então, seguir o rebanho não era natural para mim e provou ser muito caro e perigoso."

Em 2008, tudo veio abaixo. A primeira peça de dominó foi a Actavis. O grande plano do Deutsche Bank de sindicalizar o empréstimo fracassou quando os mercados financeiros pararam, exatamente quando a própria empresa estava lidando com problemas regulatórios e uma mudança na gestão: uma espécie de tempestade perfeita. Conforme o valor da Actavis despencou, seu patrimônio líquido evaporou, levando o Deutsche Bank a exercer seu direito de exigir que os acionistas desembolsassem mais dinheiro se quisessem manter suas participações na empresa. Em um movimento polêmico, Bjorgolfsson pediu dinheiro emprestado ao Landsbanki, mantendo a Actavis ativa, mas aumentando a exposição do banco a empresas nas quais ele era investidor e, muitos observadores acreditavam, enfraquecendo-o em um momento catastrófico.

Quando o Landsbanki entrou em colapso, em 2008, levando consigo o sistema bancário e a economia da Islândia, Bjorgolfsson se tornou um dos homens mais odiados da Islândia. Em questão de meses, seu patrimônio líquido passou de US$ 4 bilhões para uma dívida de US$ 1 bilhão. Ele perdeu suas participações em muitas das empresas em que investira. Seu carro e casa foram vandalizados.

"Não houve um momento eureca em que vi como tudo iria se desenrolar. Foi como um quebra-cabeça. Nos últimos dias antes da queda dos bancos islandeses, todas as peças começaram a se encaixar em um ritmo cada vez maior, até que a imagem ficou clara o suficiente para me dar calafrios na espinha", disse ele.

Após a ruína, Bjorgolfsson ficou obcecado por pagar suas dívidas, reconstruir-se e compartilhar o que havia aprendido, na esperança de que outros não cometam os mesmos erros.

Ele começou fazendo um pedido público de desculpas, que apareceu na primeira página dos jornais. Bjorgolfsson reconheceu o papel que havia desempenhado na bolha do mercado que levou ao colapso do sistema bancário do país. "Peço desculpas a todos vocês pela inação diante das bandeiras vermelhas que estavam subindo de todos os lados. Peço desculpas por não ter seguido meus instintos quando me dei conta dos riscos. Peço desculpas a todos vocês."

Ele liquidou muitos de seus ativos. A Actavis havia se recuperado da crise de 2008 e atraiu o interesse do fabricante de medicamentos genéricos dos Estados Unidos Watson Pharmaceuticals, que a adquiriu por US$ 6 bilhões em outubro de 2012. O negócio colocou Bjorgolfsson firmemente no caminho para saldar o restante de suas dívidas, o que fez em outubro de 2014. Em 2015, ele voltou à lista dos bilionários da Forbes.

Com seu cabelo e barba ruivos brilhantes agora temperados com sal e pimenta, Bjorgolfsson repassou várias vezes em sua cabeça como poderia ter agido de forma diferente se soubesse antes da crise o que sabe agora: se ao menos ele não tivesse ignorado conscientemente os avisos! "Tentei imaginar o que teria feito, se soubesse: o que poderia ter sido feito, quando eu deveria ter feito, e assim por diante. Claro, houve momentos em que me amaldiçoei por entrar em situações de alto risco que ameaçaram tudo", ele me disse.

"Todo mundo que está em uma situação perigosa vai dizer que, depois do fato consumado, eles deveriam ter saído enquanto podiam. Em muitos casos, eles têm a opção de sair, mas simplesmente não acreditam que tudo vai acabar mal. As pessoas que têm muito a perder geralmente são aquelas que não desistem facilmente. Elas resistiram a muitas tempestades e acreditam que também resistirão a mais essa. Então, na maioria das vezes, as pessoas não saem a tempo. É inevitável. Isso se deve também a inércia, preguiça e uma aversão a tomar decisões difíceis".

"Deveria ter prestado mais atenção ao que sabia, e não ao que queria. Essas duas coisas não estavam de acordo", disse Bjorgolfsson. "Tive um sucesso inacreditável, mas tive a educação e a experiência para saber que o sistema não era sustentável. O pensamento positivo é uma coisa perigosa." Ele citou a atriz americana Mary Martin: "Abandone o hábito de ter desejos positivos e tenha o hábito dos desejos conscientes". Bjorgolfsson mantém as palavras dela em mente. "Eu deveria estar ciente, e eu sabia, mas em um nível quase subconsciente eu queria acreditar. Todos nós queríamos acreditar, éramos uma seita, e nossa religião era o ópio que nos mantinha felizes. Não faço mais parte desse culto. Hoje confio no meu conhecimento, não em pensamentos ilusórios."

A NEGAÇÃO NÃO É APENAS UM RIO NO EGITO

Bjorgolfsson não estava sozinho ao ignorar os avisos, embora tenha se exposto se desculpando publicamente. Os sinais que antecederam ao ano de 2008 estavam lá, não apenas na Islândia, mas também nos Estados Unidos e em toda a Europa, porém as pessoas com poder para fazer algo diferente não agiram porque se recusaram a reconhecer que esses sinais eram reais.

Por quê? As razões variam de preconceitos inconscientes a pensamentos ilusórios, erros de cálculo e motivações muito mais sinistras: interesse próprio e incentivos perversos que alimentam a negação intencional e, às vezes, a falácia destinada a impedir que as pessoas vejam o óbvio e ajam de acordo. Como vimos no Capítulo 2, as previsões nem sempre se concretizam, e, se pudermos, escolheremos acreditar no resultado mais otimista.

A negação é um mecanismo de defesa profundamente enraizado na natureza humana; é a primeira fase de uma resposta típica a uma ameaça. Ela entra em ação para nos permitir lidar com choques sem desligar. A negação pode nos proteger, no sentido de que nos impede de ficarmos tão sobrecarregados pelos problemas assustadores que acabamos perdendo a energia e a motivação necessárias para lidar com eles. Em alguns casos, a negação pode ajudar a nos concentrar em resolver os problemas, desde que tenhamos tempo suficiente para nos adaptar à nova realidade desagradável, ajustar nosso comportamento e começar a corrigi-lo.

É uma bênção e uma maldição que os humanos sejam os únicos animais que podem prever ameaças com antecedência. Temos a oportunidade de minimizar os danos se agirmos a tempo, mas, se estivermos constantemente acelerados na expectativa de uma ameaça, vamos acabar ficando exauridos. "Visto da perspectiva da evolução do reino animal, o estresse psicológico constante é uma invenção recente, principalmente limitada a humanos e outros primatas sociais", escreveu o neuroendocrinologista Robert M. Sapolsky. "Às vezes, somos inteligentes o suficiente para antever uma situação chegando e, com base apenas na antecipação, podemos ativar uma resposta ao estresse tão robusta como se o evento realmente tivesse ocorrido." Esse é o cenário ideal se você tiver a capacidade de se antecipar e agir. Mas, se uma crise se prolongar, essa antecipação cobra um forte preço físico e emocional.

Quando um problema é aparentemente grande demais para entender, ou a ideia de organizar os recursos necessários parece impossível, ou quando parece haver muitas ameaças ao mesmo tempo, compensamos isso ignorando os problemas por muito tempo, seguindo o exemplo do primo do Rinoceronte Cinza, o avestruz com a cabeça na areia.

A negação deve ser temporária, conforme descrito por Elisabeth Kübler-Ross em *On Death and Dying* (Sobre a morte e o morrer), seu importante trabalho sobre o luto. "A negação funciona como um amortecedor após notícias chocantes e inesperadas, permite ao paciente se recompor e, com o tempo, mobilizar outras defesas menos radicais", escreveu ela. "A negação é geralmente uma defesa temporária e em breve será substituída pela aceitação parcial." Mais tarde, ela diz, a negação vem e vai. Os estágios finais da negação coincidem com o início da raiva e, mais importante, da esperança. Esses dois últimos elementos são fundamentais se extrapolarmos sua estrutura para todos os tipos de choques e ameaças enfrentados pelos humanos. Ela recomenda que os pacientes possam vivenciar a negação, já que poucos são aqueles que não conseguem superar essa fase. Eu me pergunto se a esperança e a raiva são as causas ou os efeitos da passagem da negação à realidade para pacientes em estado terminal e suas famílias. Em ambos os casos, são motivações essenciais para que os líderes abandonem a negação em outros tipos de crise ou choque.

É surpreendente ver as estratégias complexas que os humanos desenvolveram para evitar aceitar informações que poderiam reduzir os custos de uma provável ameaça – ou mesmo criar uma oportunidade. Algumas dessas estratégias são produtos do inconsciente, mecanismos de defesa ativados em piloto automático como identificados por Kübler-Ross. A maioria de nós não tem consciência disso. Quando reconhecemos sua existência, podemos usar algumas estratégias para neutralizar seus efeitos, a fim de superar a negação no sentido de encontrar e implementar respostas adequadas. Ter consciência desses aspectos de nossa natureza pode nos tornar menos vulneráveis a não ouvir sinais de alerta ou sermos enganados por outras pessoas que têm interesse em nos impedir de reconhecer perigos óbvios. Deixar de compensar nossos preconceitos, uma vez que estamos cientes de sua existência, é uma forma de negação: ignorância intencional.

IMPREVISTO, ENTRE ASPAS

Pegue o jornal qualquer dia e você encontrará exemplos de avisos que foram repetidamente ignorados. Veja o caso do site *Affordable Care Act*, que travou horas depois de ser lançado, em 1º de outubro de 2013.

Dias antes, durante o teste, o sistema estava apresentando problemas com a demanda de apenas quinhentos usuários. Os membros da equipe minimizaram os problemas, como sempre, apesar do fato de haver evidências significativas sugerindo que adiar o lançamento teria sido o caminho mais prudente.

A fuga de dois assassinos condenados de uma prisão de Nova York em junho de 2015 ocorreu de forma semelhante após anos de advertências não ouvidas. "Nenhum lapso ou erro de segurança justifica que os dois homens fugissem do Centro Correcional Clinton, há muito considerado uma das prisões mais seguras do país. Mas agora parece que uma série de descuidos, por anos seguidos, preparou o cenário para a fuga da prisão há pouco mais de duas semanas e para a caçada que se seguiu", relatou o *New York Times*.

Quando surgiram notícias de que dois passageiros embarcaram no condenado voo 370 da Malaysian Airlines com passaportes roubados, agentes da Interpol disseram que apenas três países checavam regularmente seu banco de dados de mais de quarenta milhões de passaportes perdidos e roubados. Ainda assim, a Interpol e muitos diplomatas alertaram repetidamente os países-membros sobre o perigo representado pelos documentos de viagem falsos. Embora provavelmente nunca se saiba se os passaportes roubados tiveram alguma relação com o desaparecimento do avião, a tragédia deve ser um sinal de alerta para os muitos países e companhias aéreas que não usam o banco de dados.

Após o mês de março mais chuvoso da história do estado de Washington, sete milhões de metros cúbicos de lama se soltaram de uma montanha, em 2014, derrubando centenas de árvores de uma vez, cruzando o rio Stillaguamish e soterrando a cidade de Oso, Washington, cerca de cinquentas milhas ao norte de Seattle. Esse é outro exemplo de problema negado ou ignorado. "Não me diga, por favor, que ninguém anteviu um dos deslizamentos de terra mais mortíferos da história americana", escreveu o colunista Tim Egan no *New York Times* depois que o número de mortos atingiu 25, enquanto as equipes de emergência continuavam a procurar noventa pessoas desaparecidas. "Inesperado – exceto por sessenta anos de avisos, mais notavelmente um relatório de 1999 que delineou 'o potencial para uma grande tragédia' na mesma encosta que acabou de sofrer uma grande tragédia", continuou Egan. "É parte da natureza humana, se não do jeito americano, encarar um desastre potencial e preferir ver uma mentira descarada." Apesar dos avisos e da ocorrência de grandes deslizamentos de terra no vale, aproximadamente um a cada década – o mais recente, oito anos antes –, as pessoas continuaram construindo na colina. A extração madeireira, realizada de forma mais agressiva do que o permitido por leis criadas exatamente para evitar tal catástrofe, havia retirado da colina muitas das árvores cujas raízes mantinham a terra no lugar. E os funcionários públicos encarregados da gestão de emergências continuaram afirmando que ninguém previra esse desastre.

Qual parte dessas falhas resultou da negação deliberada e quanto foi resultado da natureza humana e de decisões burocráticas e obstáculos políticos? Poderíamos debater isso por muito tempo. Mas o padrão é (por assim dizer) inegável: aqueles que poderiam ter feito algo negaram a existência ou a importância dos sinais de alerta.

O teórico organizacional Ian Mitroff argumenta que é essencial que as organizações calibrem seus detectores de sinal para reconhecer a diferença entre os sinais normais e os avisos de condições potencialmente perigosas, e para garantir que esses sinais cheguem aos ouvidos das pessoas que têm a capacidade de fazer algo sobre eles. Mitroff cita uma pesquisa de Judith Clair, do Boston College, que identificou várias formas típicas nas quais as organizações falham em detectar sinais importantes. "Embora muitas dessas formas sejam óbvias, todas são importantes. Na verdade, o fato de serem óbvias pode nos impedir de compreender sua verdadeira importância", observou Mitroff. É disso que trata o pensamento do Rinoceronte Cinza: entender por que não reconhecemos o óbvio. Segundo Clair, o primeiro ponto é: você precisa ter um mecanismo para detectar sinais. "Por mais óbvio que possa ser, aparentemente não é óbvio o suficiente, uma vez que a maioria das organizações não tem mecanismos de detecção de sinais", escreveu Mitroff. Mesmo quando têm detectores de sinal, nem sempre dão a devida atenção a eles. Em um exemplo relatado por Mitroff, uma queda de energia iniciou uma reação em cadeia que desativou os sistemas que forneciam informações para o controle de tráfego aéreo do aeroporto em LaGuardia e Kennedy. A queda de energia acionou um gerador reserva, que falhou, que por sua vez acionou uma bateria e soou um alarme. Mas ninguém ouviu, porque, ironicamente, todos os operadores estavam fora em uma sessão do treinamento para um novo sistema de *backup*. (Isso traz à mente o seguinte questionamento: "Se uma árvore cair em uma floresta e ninguém estiver por perto para ouvi-la, a queda gera um som?") As pessoas precisam saber como responder aos sinais de forma eficaz, o que inclui estar ciente de quem tem autoridade para agir e de quais maneiras. Por fim, os sistemas de sinalização precisam ser capazes de conectar sinais de várias partes do sistema.

Conforme discutido no Capítulo 2, estamos melhorando na criação dos sinais de alerta de que tanto precisamos. Mas muito mais complicado é aprimorar a nossa capacidade de ouvi-los. Mitroff descreve um conjunto de mecanismos de defesa que nos torna propensos a intencionalmente ignorar os sinais, jogando com uma falsa sensação de invulnerabilidade: negação (minimizar o provável impacto), idealização (isso não pode acontecer conosco), grandiosidade (uma noção exagerada do nosso poder de evitar crises), projeção (culpar os outros pela crise), intelectualização (minimizar probabilidades), compartimentação (imaginar impacto limitado). Ao identificar os mecanismos de defesa que as organizações utilizam ao reagir às informações indesejadas, podemos testar mais facilmente nossas reações e neutralizar com maior eficácia essas ferramentas de negação intencional.

A Universidade Johns Hopkins desenvolveu um sistema simples e difícil de ser ignorado, projetado para soar o alarme e acionar uma reação imediata: uma lista de verificação de cinco etapas destinada a evitar que infecções hospitalares se infiltrem nos cateteres centrais. Essas infecções custam US$ 3 bilhões aos cofres públicos e matam até sessenta mil pacientes a cada ano. A lista de verificação é simples: lave as mãos, limpe a pele do paciente, use roupas esterilizadas e uma cortina esterilizada, evite a região da virilha, e remova o cateter o mais rápido possível, seja qual for a sua localização. Teoricamente, a lista de verificação também exige que as equipes parem de trabalhar se o procedimento não for seguido à risca. Nos testes iniciais, o protocolo praticamente eliminou as infecções. Três meses depois de ter sido implantado em mais de cem unidades de terapia intensiva no sistema hospitalar de Michigan, as infecções em corrente sanguínea, que estavam acima da média nacional, chegaram a zero. Três anos depois, os resultados continuaram. O cirurgião e escritor Atul Gawande escreveu sobre o poder das listas de verificação para tudo, desde cabines de aviões até canteiros de obras de arranha-céus e salas de cirurgia. Nesses ambientes de alto risco, onde omitir ou ignorar indicações importantes pode ser fatal, as listas de verificação são uma ferramenta essencial para sinalizar problemas e dar a toda a equipe a autoridade para intervir se parecer que algo importante não está recebendo a atenção que merece. Quando uma organização enfrenta uma crise iminente, seja uma ameaça de curto, seja de longo prazo, a utilização de um sistema semelhante pode tornar mais difícil negar a urgência de agir.

Um fluxo constante de indicadores econômicos impulsiona os movimentos nos mercados financeiros e, por sua vez, as decisões dos bancos centrais e líderes com poder de decisão econômica. Pode-se pensar que esses indicadores fornecem uma lista de verificação semelhante para ajudar a identificar problemas e suscitar decisões corretivas. De fato, os programas de negociação automatizados usam sinais nos preços dos títulos para acionar a compra ou venda. Pode-se pensar que esses indicadores fornecem uma lista de verificação semelhante para ajudar a sinalizar problemas e provocar decisões corretivas; de fato, os programas de negociação automatizados usam sinais nos preços dos títulos para acionar a compra ou venda. No entanto, quando se trata das escolhas que os banqueiros e formuladores de políticas precisam fazer, temos muito menos sucesso em transformar alarmes em ação. Os sinais estão lá, mas provamos que somos muito lentos em reconhecê-los.

SE TIVESSE SIDO LEHMAN SISTERS

Quando sinais aparentemente óbvios passam despercebidos, há dois motivos: existe algo errado com o sistema de sinais ou com nossa capacidade de ouvi-los e responder a eles.

Alan Greenspan, em um ensaio de 2013 na *Foreign Affairs* explicando por que "ninguém previra" os acontecimentos de 2008, sugeriu que o problema estava nos sinais de alerta muito fracos. Greenspan argumentou que a solução são modelos de previsão mais avançados que possam incorporar aspectos da natureza humana como aversão ao risco, preferência temporal e comportamento de rebanho. Mas em 2008 a questão não foram os sinais fracos. A questão foi a ausência de interesse em reconhecê-los e agir a respeito. Isso sugere que precisamos muito mais do que um sistema de sinalização mais eficiente. Precisamos de uma maneira melhor de traduzir sinais em respostas. O primeiro passo nesse sentido é encontrar uma maneira de derrotar a negação. Nossa capacidade de compreender a seriedade de uma ameaça depende tanto de nossa disposição de vê-la – uma cultura de abertura – quanto da qualidade dos sinais.

As transcrições dos debates de 2008 do Conselho do *Federal Reserve* sobre como lidar com a desaceleração da economia e o eventual colapso do Lehman Brothers mostram uma tempestade perfeita de viés de confirmação, *priming* e efeitos contrários enquanto as autoridades dos Estados Unidos tentavam enfrentar a intensificação da crise financeira daquele ano.

Em uma reunião de emergência incomum no dia 9 de janeiro de 2008, motivada por um aumento acentuado na taxa de desemprego, Ben Bernanke, o presidente do *Federal Reserve*, e Janet Yellen, a vice-presidente, que mais tarde se tornaria presidente, falavam de maneira pessimista, alertando que era muito provável que o país enfrentasse uma desaceleração econômica muito mais acentuada. Bernanke citou a queda dos preços das ações, o crescimento mais lento da produção, o aumento dos custos de empréstimos, o rápido aumento do desemprego, o crescimento lento consistente do PIB e – um indicador instável, mas crítico – a taxa de fundos federais (a taxa segundo a qual os bancos mais solventes emprestam uns aos outros por meio do *Federal Reserve*) estando muito acima das taxas de juros de dois anos. Argumentando que as chances de uma recessão potencialmente muito danosa haviam aumentado, Yellen recomendou que o banco reduzisse as taxas de juros naquele dia. "A severa e prolongada crise imobiliária e o choque financeiro colocaram a economia, se não além, à beira da recessão", disse ela.

"Nenhum dos trinta CEOs com quem conversei, fora os do setor imobiliário, veem a economia caminhando para um território negativo", disse Richard Fisher, do Fed de Dallas. "Alguns veem um crescimento muito mais lento. Nenhum deles neste momento – apesar da capa da

Newsweek, que publicaria naquela mesma época uma edição com o título 'O caminho para a recessão' – nos vê passando por uma recessão."

Quando o *Federal Reserve* divulgou as transcrições das reuniões de 2008, os veículos de mídia caracterizaram os registros como dignos de uma pessoa perdida em profunda negação. "O Fed não entendeu a crise em 2008", dizia uma manchete do *New York Times*.

Em janeiro 2008, o Fed agiu. Em 21 de janeiro, em um movimento dramático, que surpreendeu a todos, ocorrido fora do calendário programado de suas reuniões, o Fed cortou sua taxa-base em 75 pontos, a maior quantia em mais de vinte anos. No dia 30 de janeiro, reduziu outros cinquenta pontos-base. No entanto, durante o resto do ano, houve dúvidas sobre a capacidade do Fed de afetar a economia, a gravidade da crise e as possíveis consequências não intencionais de uma ação mais agressiva.

A situação piorou em setembro, depois da falência do Lehman Brothers, quando o banco central parecia perdido e aparentemente relutante em tomar qualquer atitude. Naquele mês de 2008, funcionários do *Federal Reserve* disseram a palavra crise treze vezes, mas mencionaram inflação 129 vezes. Eles estavam prestando atenção na inflação, então não viram uma recessão.

Eric Rosengren, do Fed de Boston, apontou que a taxa de desemprego aumentou 1,1 ponto em apenas cinco meses. Esse foi um grande sinal de alarme, junto com a falência de um grande banco de investimento, a fusão forçada de outro, um maior comedimento e hesitação das seguradoras e o colapso das instituições federais de financiamento habitacional Freddie Mac e Fannie Mae. "O grau de dificuldade financeira aumentou acentuadamente", alertou. Rosengren era um dos onze presidentes do *Reserve Bank* – quatro tinham direito de votar e eram alternados por ano. Ainda que todos comparecessem às reuniões, nem todos tinham direito de voto. Portanto, ele não poderia afetar diretamente o resultado. Ignorando a preocupação de Rosengren, os doze diretores do Fed votaram unanimemente contra o corte nas taxas naquele setembro, embora houvesse sinais claros de alarme.

A realidade não se definiu até outubro. "A trajetória de queda dos dados econômicos tem sido de arrepiar", disse Yellen na reunião de 28 a 29 de outubro. "Está ficando evidente que estamos no meio de um colapso global muito sério." Notavelmente, Yellen estava entre as vozes mais ativas em apoio a uma ação mais forte do Fed no sentido de evitar uma recessão.

O caos desencadeado pelo colapso do banco Lehman Brothers finalmente afastou o Fed do gradualismo, colocando-o em uma postura agressiva. O presidente do Fed Ben Bernanke, especialista sobre a Grande Depressão, colocou a crise no contexto de que o banco central dos Estados Unidos precisava fazer tudo ao seu alcance para estabilizar os mercados. Até o final do ano, o Fed cortaria as taxas para zero, em um total de oito reduções desde janeiro. Mesmo assim, ainda havia dúvidas dentro do Fed sobre a natureza da situação. No final de 2008, o presidente do Fed de Richmond, Jeffrey Lacker, ainda caracterizava a situação como uma "recessão de tamanho moderado".

Por que o Fed demorou tanto a agir? E por que alguns de seus membros foram tão relutantes em reconhecer a importância do que havia acontecido? Parte da explicação está na familiaridade dos membros com os problemas mais recentes, decorrentes de uma política monetária frouxa. O ex-presidente Alan Greenspan respondeu à turbulência financeira da década de 1990 mantendo as taxas de juros extremamente baixas. Por um bom tempo, ele foi praticamente reverenciado por estar no comando em um período de prosperidade, em especial por qualquer pessoa com dinheiro investido nos mercados. No entanto, quando a crise de 2007–08 chegou, Greenspan foi acusado de ter criado as bolhas de ativos financeiros que levaram aos problemas no *subprime* e em outros mercados. Muitos dos membros ainda estavam olhando para o problema no espelho retrovisor, e não para o que estava diante deles. Isso tornou mais difícil assimilar novas informações e atrasou a resposta para um problema muito maior do que aquele que ainda ocupava suas mentes.

QUANTO MAIS COISAS ACONTECEM

Nossa habilidade de reconhecer sinais de advertência e de responder com eficácia no presente depende, em parte, de nossa história com perigos passados.

Os analistas de política e acadêmicos Carolyn Kousky, John Pratt e Richard Zeckhauser afirmam que as pessoas não são tão racionais quanto gostaríamos que fossem. Em sua análise, indivíduos que vivenciam um "risco virgem", como um carro invadindo sua sala de estar, provavelmente vão superestimar a possibilidade de que isso aconteça novamente. Quanto mais emocionalmente impactante for um cenário, mais você estará inclinado a superestimar a probabilidade de isso acontecer. Como consequência, aqueles que enfrentam um "risco já experimentado" – isto é, algo que pensaram ou previram antes, como um pequeno acidente ou um *bug* de computador – provavelmente vão subestimar a probabilidade de que isso se repita.

Embora as chances de você morrer em um acidente de carro sejam muito maiores do que em um acidente aéreo, as dramáticas coberturas dos desastres de aviões nos deixaram com a impressão de que viajar em uma aeronave é mais perigoso, o que leva muitas pessoas a ter medo de voar. Foi assim que a tentativa do "sapato-bomba" para derrubar um avião, em 2001, combinada com os impactos emocionais do terrorismo e o medo de voar, criou o protocolo amplamente requisitado e odiado de tirarmos os sapatos no aeroporto.

O fenômeno do risco virgem também explica por que o conceito da crise do Cisne Negro recebeu tanta atenção. É algo que desperta a curiosidade e a imaginação. Gastamos muito tempo com riscos emocionalmente impactantes que são menos prováveis de acontecer conosco e, portanto, ficamos cegos para os perigos de fato prováveis aos quais deveríamos estar reagindo. Procuramos o que queremos ver, por isso, muitas vezes, deixamos de ver coisas importantes. Se estivermos procurando apenas cisnes negros, não veremos um Rinoceronte Cinza.

As crises financeiras são um exemplo de riscos experimentados, como os historiadores econômicos Carmen Reinhart e Kenneth Rogoff demonstraram claramente: não importa quantas crises aconteçam, sempre há um coro de pessoas dizendo que "desta vez é diferente" – um exemplo clássico de negação. Longos períodos sem um tipo específico de crise – como a euforia financeira dos anos 1920, final dos anos 1990 e início dos anos 2000 – deveriam ser sinais de alerta. As crises bancárias e de dívida no México, na Rússia e na Ásia na década de 1990 podem, paradoxalmente, ter feito com que os países desenvolvidos ficassem menos cientes de que poderiam enfrentar os mesmos problemas. Os cisnes não podem ser pretos, certo? É mais ou menos esse o pensamento de quem acha que crises do débito não podem atingir países ricos.

VENDO UM RINOCERONTE PELO QUE ELE É

O que a diretoria do *Federal Reserve* poderia ter feito de diferente em 2008? Sua omissão em tomar uma atitude foi algo pensado, e desde então tem sido elogiada por ter fornecido a liquidez de que os mercados precisavam. (Sendo justa, acabou atraindo seu quinhão de críticas, também, pelos efeitos colaterais não intencionais de suas políticas de baixas taxas de juros e compra agressiva de títulos, conhecida como "flexibilização quantitativa".) A questão é: por que não reconheceram as evidências importantes mais cedo, especialmente quando alguns membros do Fed expressaram suas preocupações? Um ponto de fragilidade reside em sua estrutura de tomada de decisão: trata-se de um grupo de pessoas muito semelhantes entre si.

O conselho do Lehman Brothers era composto por nove homens e apenas uma mulher. Os membros do Fed que tomavam decisões eram em sua maioria homens. Os dois únicos membros do grupo que tiveram uma atitude mais clara em relação aos riscos que a economia enfrentava foram o presidente Ben Bernanke (um acadêmico, não um banqueiro de carreira) e uma mulher, a chefe do Fed de São Francisco, Janet Yellen. Christine Lagarde, a ministra das finanças da França na época, disse a famosa frase: "Se o Lehman Brothers fosse um pouco mais Lehman Sisters, não teríamos tamanho grau de tragédia como resultado".

Na Islândia, em 2007, um ano antes do colapso, duas mulheres, Halla Tomasdottir e Kristin Petursdottir, formaram sua própria companhia financeira, Audur Capital. Foi a única empresa financeira da Islândia a resistir à crise financeira sem perdas diretas para seus clientes. Isso pode ter acontecido porque ainda era pequena e não tinha acumulado os enormes depósitos estrangeiros como os outros bancos tinham. Mas também porque seus serviços – gestão de patrimônio, *private equity* e serviços de consultoria corporativa – não eram baseados em capital intensivo nem especulativo. No entanto, as fundadoras da empresa têm uma perspectiva interessante sobre esses apetites vorazes por risco que levaram à crise. Tomasdottir, que gosta de repetir o gracejo "Lehman Sisters" de Lagarde, não acredita ter sido uma coincidência que uma empresa com proprietárias mulheres, fundada em princípios diferentes, se diferenciou dos bancos em dificuldades da Islândia. Ela e Petursdottir estavam "oprimidas por tanta testosterona", disse. É como ela abrevia o comportamento altamente arriscado e com objetivos de investimento de curto prazo. Ela citou os valores fundamentais da empresa – consciência de risco, conversa franca, capital emocional, lucro com princípios e independência – como antídotos contra a mentalidade e as ações que levaram à crise. Quando a ouvi em uma conferência para mulheres diretoras de conselhos corporativos em Nova York, ela atribuiu grande parte da culpa pelo desastre islandês à falta de diversidade entre os tomadores de decisão.

E, de fato, quanto mais diversificado for um conselho corporativo, melhor será o desempenho da empresa. Um relatório de 2007 da organização sem fins lucrativos Catalyst descobriu que as empresas com uma maior porcentagem de mulheres no conselho superaram as com menor presença feminina em 53%. Um estudo da Thomson Reuters de 2013 descobriu que as empresas sem mulheres nos conselhos tiveram desempenho pior do que as com conselhos de gênero diversificado. Ainda assim, apenas 17% das empresas analisadas relatam ter um conselho composto por 20% ou mais de mulheres.

As mulheres costumam ser as vozes disruptivas, dispostas a dizer o que os outros não dirão: Sheila Bair, presidente da Federal Deposit Insurance Corporation, que desafiou o conceito de "grande demais para falir"; Meg Whitman, que acendeu o alarme sobre os títulos municipais; Erin Brockovich, que se recusou a ignorar a contaminação das águas subterrâneas; Cynthia Cooper, que descobriu uma fraude de US$ 3,8 bilhões na WorldCom; Elizabeth Warren, sobre os direitos do consumidor. E não vamos nos esquecer de Cassandra e Joana d'Arc. Muitos dos jornalistas que previram elementos da crise financeira de 2008 eram mulheres: Gretchen Morgenson e Diana Henriques, do *New York Times*, Gillian Tett, do *Financial Times*, e Bethany McLean, da *Fortune*.

Mas as mulheres raramente são a única fonte de ideias distintas. Se os membros do Lehman Brothers ou do Federal Reserve tivessem procurado mais atentamente por opiniões diversas – seja de gênero, diversidade étnica ou etária, seja de disciplinas mais amplas –, eles poderiam ter visto o óbvio antes. Isso vale para qualquer organização. Uma das primeiras perguntas que a liderança deve fazer é se a organização estabeleceu uma estrutura que valoriza uma mistura de perspectivas e dá espaço para opiniões que desafiam o *status quo*. A empresa tem uma combinação das especialidades necessárias? Ela está disposta a considerar a possibilidade de ser surpreendida negativamente? Está disposta a prevenir antes de remediar?

ABAIXO O PENSAMENTO DE GRUPO

O pensamento de grupo e a conformidade são generalizados. Em uma série de experimentos conduzidos na década de 1950, Solomon Asch descobriu que porcentagens significativas de indivíduos nos grupos concordavam com as opiniões da maioria, mesmo quando a maioria estava visivelmente errada. (Paradoxalmente, diante de tantas mulheres que colocaram a boca no trombone sobre crises financeiras e fraudes, os estudos mostraram que as mulheres se conformam mais do que os homens.) Outros pesquisadores, notadamente Stanley Milgram, adotaram uma abordagem semelhante em outros países, onde encontraram algumas diferenças além das fronteiras nacionais (os noruegueses se conformam mais que os franceses, por exemplo, e os asiáticos mais do que os americanos). No entanto, Milgram permaneceu cético sobre exatamente qual foi o papel desempenhado pela cultura nessas diferenças. "Pode-se perguntar se as fronteiras nacionais realmente fornecem ou não limites legítimos para o estudo das diferenças de comportamento", escreveu ele. "Meu sentimento é que os limites são úteis somente na medida em que coincidem com as divisões culturais, ambientais ou biológicas. Em muitos casos, as próprias fronteiras são um reconhecimento histórico da prática cultural comum."

Perguntei a Frank Brown, da General Atlantic, ex-reitor da escola internacional de negócios INSEAD, que papel a cultura desempenha na maneira como as empresas em diferentes países reconhecem ameaças óbvias e respondem a elas. Será que diferentes países ou regiões estariam mais ou menos propensos a negar a existência de ameaças porque barreiras culturais entravam em jogo? Sua resposta foi intrigante: a questão principal não é a cultura em si, mas como a cultura afeta a combinação de pessoas na sala quando as decisões são tomadas. "Grupos diversos tomam decisões melhores e se divertem mais", disse. É improvável que uma sociedade altamente homogênea e hierárquica seja capaz de lidar com desafios ou oportunidades tão bem quanto outras. "Cerque-se de indivíduos de diferentes origens, que pareçam, pensem, falem e ajam de forma diferente", disse ele. "Se colocar seis pessoas em uma sala, se elas forem de países diferentes, você terá uma chance maior de chegar a uma solução mais satisfatória do que se fossem todas iguais."

Steve Day, CEO da Wowprime, uma das maiores cadeias de restaurantes de Taiwan, com marcas que incluem Wang Steak, ficou famoso por inovar e pensar fora da caixa – não necessariamente o que você imaginaria de uma empresa do setor de serviços de Taiwan. O valor de mercado da empresa, fundada em 1993, havia subido acima de US$ 1 bilhão em 2013 e fez com que Day fosse incluído na lista da revista *Forbes* dos vinte maiores empresários taiwaneses a serem observados. Day credita seu sucesso em parte à ênfase do confucionismo na humanidade e ao princípio do taoísmo de não ação do lado dos governantes, que incorporou aos estilos de gerenciamento coletivo e "gerenciamento orientado para as pessoas". Ele ganhou a reputação de ser um CEO atípico não apenas porque uma vez se fantasiou de Lady Gaga em uma festa de fim de ano da empresa, mas também por causa de um estilo de gerenciamento inclusivo que busca escutar opiniões diversas.

A equipe de gerenciamento da empresa com 25 chefes de divisões solicita ideias mensalmente a mais de duzentos pontos de venda, contando com perspectivas diferentes para ajudá-la a identificar oportunidades e ameaças. Essas ideias incluem tudo, desde não usar *hashis* descartáveis, um dos principais responsáveis pelo desmatamento na Ásia, até incluir "nenhuma superstição" e "nenhum uso de espécies ameaçadas de extinção" entre seus mandatos. O processo de tomada de decisão da Wowprime é projetado para encorajar novas ideias e desencorajar o pensamento de grupo. Especialistas de diversos campos, do universo acadêmico a medicina, tecnologia e moda, são convidados a opinar. Esse processo permite que os membros da equipe de gestão vetem propostas anonimamente, uma prática que a empresa não tem medo de seguir. Raramente Day recorre ao privilégio de ditar 5% das políticas, o que lhe permite reverter vetos com moderação.

Os melhores líderes empresariais estão bem cientes do pensamento de grupo e seus semelhantes: viés de confirmação, *priming* e efeitos contrários. Eles reconhecem e confrontam os vieses cognitivos que nos impedem de reconhecer os problemas e respondem trazendo novas vozes para o processo de tomada de decisão.

"Inúmeros estudos e experimentos descobriram que, quando os membros do grupo são ativamente encorajados a expressar abertamente opiniões divergentes, eles não apenas compartilham mais informações, mas também o fazem de maneira mais constante, equilibrada e imparcial", escreveu Noreena Hertz. Ela cita um executivo que vê uma de suas principais funções ser uma espécie de "desafiador-chefe". Que conceito poderoso para se livrar dos preconceitos inerentes à tomada de decisão em grupo. Ela pergunta: "Quem, no trabalho ou em casa, pode servir como desafiador-chefe para você?".

Embora o desempenho mais forte da empresa esteja relacionado a conselhos mais diversos, existe uma importante questão do tipo galinha e ovo. "Não é como se as empresas, de repente, fossem esclarecidas e adicionassem mulheres a seus conselhos e, então, o desempenho melhorasse", disse-me Irene Natividad, presidente da Corporate Women Directors International. Muitas vezes, acontece o inverso: as empresas reconhecem seu mercado e, em seguida, adicionam mulheres ao conselho porque sabem que precisam de perspectivas de gênero diversas, e, assim, criam um círculo virtuoso.

À medida que as empresas japonesas abriram seus conselhos para diretores independentes, a porcentagem de mulheres em conselhos corporativos no Japão aumentou para 3,1%, de 1,4% em 2009, mais do que dobrando em cinco anos, mas a partir de uma base muito baixa. Em 2014, o primeiro-ministro Shinzō Abe se comprometeu a criar 250 mil vagas em creches, oferecer incentivos fiscais às empresas para aumentar o número de mulheres em cargos executivos e de diretoria e estender as licenças familiares. Ainda temos um longo caminho a percorrer, mas já é um começo.

Ter os sistemas certos em funcionamento é crucial para reconhecer o óbvio. Ter perspectivas diversas em torno da mesa pode neutralizar o viés de confirmação. Trazer para a sala de reunião uma gama de sensibilidades a diferentes riscos pode ajudar a superar o viés de disponibilidade. Essas atitudes são especialmente importantes quando não estamos apenas confrontando nossa tendência natural de ver o que não queremos ver. Em alguns casos, temos que lutar contra esforços que buscam deliberadamente nos impedir de ver o que é importante.

Negação fabricada

A linha entre as simples falhas da natureza humana e a negação intencional pode ser tênue. Veja o exemplo do desastre nuclear de Fukushima, no Japão, um exemplo clássico de ignorar o óbvio. Não muito longe de Fukushima Daiichi (Grande), a usina que derreteu porque seu gerador reserva foi inundado, havia outra usina nuclear. Daiini (Grande dois) estava somente onze quilômetros ao sul. A Daiichi foi construída dez metros acima do nível do mar; Daiini estava apenas três metros acima. Daiini também foi atingida pelo tsunami, mas havia uma diferença fundamental: ao contrário de Daiichi, o sistema de energia reserva de Daiini estava localizado alto o suficiente para que as águas não o danificassem. Não se tratava de um caso de sinal de alerta fraco: Daiichi e Daiini eram usinas muito parecidas e tinham acesso às mesmas informações. Mesmo assim, os operadores da Daiini tomaram uma medida preventiva que os da Daiichi não tomaram.

William Saito, que participou da comissão do governo japonês responsável pela investigação do incidente, considera isso uma falha intencional de percepção. Assim como na omissão do Fed em reconhecer a crise financeira do *subprime* e reagir prontamente a ela, poderíamos argumentar infinitamente sobre as várias razões que levaram a isso. Em ambos os casos, as principais lições incluem o fato de que aqueles com o poder de mudar as coisas teriam se beneficiado de diferentes estruturas de tomada de decisão e também de tornar a prevenção de crises uma prioridade. No entanto, há casos de negação deliberada que vão muito além dos preconceitos e pontos cegos inerentes ao pensamento de grupo e a um projeto organizacional deficiente.

Esses casos envolvem pessoas que se aproveitam do fato de a negação ser uma parte fundamental da natureza humana. Trabalham ativamente para impedir que outros reconheçam problemas, isto é, fabricando a negação.

O professor de Stanford Robert N. Proctor e o linguista Iain Boal cunharam um termo – "agnotologia" – para descrever o estudo da produção cultural da ignorância. "A ignorância tem muitos amigos e inimigos, e está em tudo, desde propaganda de associações comerciais até operações militares e *slogans* entoados para as crianças", escreveu Proctor. Ele detalhou os esforços da indústria do tabaco para persuadir as pessoas a duvidar dos perigos do fumo, a partir de campanhas da década de 1950 argumentando que os perigos do fumo ainda não haviam sido comprovados, e com esforços posteriores que sugeriam outras causas para o câncer de pulmão. O ponto forte de seu argumento era que correlação não implica causalidade. Por um tempo, funcionou: em 1966, nem mesmo a metade dos entrevistados em uma pesquisa da Harris achava que fumar era uma das principais causas de câncer de pulmão.

Da indústria do tabaco à chuva ácida, ao amianto e à mudança climática, aqueles com interesses em preservar o *status quo* têm se aproveitado de nossa suscetibilidade à negação. Eles aliciam especialistas e figuras de autoridade, que muitas vezes têm seus próprios interesses conflitantes, para encorajar outros a duvidar de verdades inconvenientes.

Naomi Oreskes e Erik Conway detalharam muitas dessas campanhas no livro *Merchants of Doubt*, que mais tarde se tornou um documentário. "A indústria percebeu que poderia criar a impressão de controvérsia simplesmente fazendo perguntas, mesmo se as respostas fossem de fato conhecidas e elas não ajudassem no caso", escreveram eles. "E assim a indústria começou a transformar o consenso científico emergente em um 'debate' científico violento."

Na década de 1950, relataram Oreskes e Conway, a indústria do tabaco já conhecia os perigos do fumo. Em 1964 o relatório de um cirurgião geral destilou os resultados de mais de sete mil estudos científicos para anunciar que o câncer de pulmão havia atingido taxas de epidemia e que a causa estava claramente relacionada aos cigarros. Oreskes e Conway apontaram que o cirurgião geral estava desafiando os interesses do governo federal, que subsidiava a produção de tabaco e obtinha ganhos fiscais significativos com isso. "Argumentar que o tabaco matava pessoas era sugerir que nosso próprio governo sancionara e lucrara com a venda de um produto letal", observaram. Passaram-se décadas, em um processo que levou a um acordo de mais de US$ 200 bilhões com as quatro maiores empresas de tabaco para reembolsar os estados por custos de saúde relacionados ao fumo, inúmeras outras mortes e esforços de muitos ativistas antitabagismo para reduzir as taxas de consumo para um terço dos níveis anteriores.

Da mesma forma, sobre a mudança climática, Oreskes e Conway fazem um retrato sombrio, desde as primeiras evidências científicas emergentes na década de 1960 até as repetidas recentes afirmações do Painel Intergovernamental sobre Mudanças Climáticas de que as atividades humanas estão afetando o clima mundial. Em um exemplo, os autores descrevem as deliberações do Conselho de Pesquisa Climática da Academia Nacional de Ciências que levaram ao relatório da Academia Nacional apresentado em 1980, que se concentrava nas incertezas em vez de no corpo acumulado de evidências científicas. "Em vez de enfrentar a própria advertência de que as mudanças podem acontecer muito mais cedo do que seu modelo previa – e, portanto, ser muito mais caras do que a prevenção –, os economistas presumiram que mudanças sérias estavam tão distantes a ponto de serem essencialmente irrelevantes", escreveram eles. Aqui está um exemplo clássico da colisão do viés do otimismo com nossa tendência de desconsiderar o futuro, levando até cientistas a minimizar as possibilidades mais terríveis.

Se no início o debate sobre as mudanças climáticas revelou a influência de vieses cognitivos que nos levam a negar o óbvio, com o passar do tempo, uma campanha consciente emergiu para minimizar as evidências. As principais empresas de combustíveis fósseis gastaram centenas de milhões de dólares, alguns deles por meio de lavagem de dinheiro, para financiar a negação das mudanças climáticas.

As atitudes em relação às mudanças climáticas variam muito em todo o mundo. Uma pesquisa da Pew Research de 2013 mostrou que apenas quatro em cada dez americanos acreditavam que a mudança climática era uma grande ameaça para eles, a mais baixa entre os 39 países pesquisados e significativamente inferior à média global de 54%. Embora o estudo não correlacione as opiniões com os gastos para afetar a opinião pública de uma forma ou de outra, ele deixa claro que existem relações amplamente variadas entre o consenso científico e a opinião pública.

Outra técnica para fabricar a negação é manipular dados. Os investidores há muito tempo são céticos em relação aos indicadores econômicos nacionais da China, que veem como amplas aproximações. Os problemas financeiros da Grécia se agravaram quando o mundo soube, em 2010, que o país estava mascarando o verdadeiro tamanho de sua dívida, com a ajuda do Goldman Sachs.

Quando escrevi sobre as economias latino-americanas no início da década de 1990, era difícil obter dados econômicos de muitos países. À medida que os governos arrecadavam mais e mais dinheiro nos mercados de títulos internacionais, aprendiam que melhores dados significavam melhor acesso ao mercado. Na maioria dos países, há muito mais dados e de melhor qualidade do que duas décadas atrás. Contudo, há exceções, e as razões são óbvias. Nos últimos anos, a Argentina retrocedeu. Buscando camuflar os problemas econômicos que se seguiram ao déficit de 2001, o governo passou a manipular os dados econômicos e, de forma alarmante, ameaçar multar ou processar economistas independentes que publicassem estatísticas próprias. A situação ficou tão ruim que, em fevereiro de 2012, a *The Economist* anunciou que não incluiria mais os dados do outrora respeitado escritório de estatísticas oficial da Argentina em suas tabelas de indicadores. O governo reconheceu que os dados podem ser uma ferramenta poderosa para a mudança – nesse caso, mudança que dificilmente beneficiará o governo argentino.

Parte importante de ter sistemas eficientes para disparar alarmes quando algo dá errado é estabelecer incentivos para que as pessoas percebam os avisos. Agora sabemos como os incentivos financeiros e os conflitos de interesse diversos impediram os auditores de olharem com toda a atenção que deveriam para a Enron e a WorldCom.

"De acordo com a lei atual, as empresas de auditoria têm incentivos financeiros para evitar serem demitidas e recontratadas por seus clientes", escreveu o professor da Universidade de Harvard Max Bazerman no livro *The Power of Noticing: What the Best Leaders See* (O poder de perceber: o que os melhores líderes veem), de 2014. Além de os auditores perderem negócios se não aprovarem a contabilidade de seus clientes, eles lucram com a venda de outros serviços de consultoria que aumentam os conflitos de interesse. Muitos auditores e empresas clientes trabalham com a mesma dinâmica de porta giratória que os políticos e lobistas de Washington. "Todas essas condições que atuam contra a independência do auditor estavam em vigor entre a Arthur Andersen e a Enron. Novamente, considere este fato simples: a Arthur Andersen conseguiu manter a Enron como cliente desde 1986, logo após a fundação da empresa de energia, até a morte de ambas as organizações", acrescentou Bazerman.

Em estudos elaborados para testar o impacto dos conflitos de interesse dos auditores, Bazerman e seus colegas descobriram que tanto participantes que desempenhavam papéis na análise de uma empresa fictícia quanto os auditores reais agiam de forma semelhante: "O simples fato de estar em um relacionamento puramente hipotético com um cliente distorceu o julgamento daqueles que desempenham o papel de auditor". Bazerman culpa a longa negação feita pelo setor contábil dos problemas decorrentes de conflitos de interesse por sua relutância em assumir os custos inevitáveis da mudança. Ainda assim, no caso da Enron, um exemplo clássico de incentivos perversos combinados com pensamento de curto prazo, esses conflitos de interesse juntos destruíram os interesses de longo prazo tanto do auditor quanto do auditado. O mesmo pode ser dito sobre a crise financeira de 2008. Esses exemplos do mundo real – instâncias do que Bazerman chamou de "surpresas previsíveis" – talvez tenham desempenhado um papel no reconhecimento crescente da importância desses *insights*. "Só recentemente os acadêmicos de contabilidade ficaram mais confiantes em relação à necessidade do nosso trabalho", escreveu Bazerman.

Bazerman faz uma série de recomendações sensatas: contratar auditores por meio de contratos fixos que não permitam demissão durante o prazo de vigência nem a recontratação depois; proibir os funcionários de se mudar para uma nova empresa quando um cliente muda de auditores e de mudar para o emprego do cliente; e proibir os auditores de quaisquer serviços que não sejam de auditoria.

Outros pesquisadores também revelaram maneiras pelas quais os sistemas atrapalham o reconhecimento do óbvio e promovem a negação. Uma equipe de investigadores, incluindo Esther Duflo e Michael Greenstone, do Instituto de Tecnologia de Massachusetts, e Rohini Pande e Nicholas Ryan, da Universidade de Harvard, testou novas regras de auditoria de poluição no estado de Gujarat, na Índia. O grupo de controle permaneceu no sistema tradicional, segundo o qual as fábricas auditadas escolhem e pagam os auditores. Para o grupo de teste, por outro lado, os auditores receberam pagamento de um fundo de terceiros. Alguns dos auditores tiveram seu trabalho reexaminado e receberam bônus por relatórios precisos. As diferenças são impressionantes. Os auditores que usaram o novo sistema tiveram 80% menos probabilidade de fazer relatórios falsos de que as leituras de níveis poluentes estavam em conformidade. Suas leituras de poluição eram de 50% a 70% mais altas do que no sistema antigo.

Quando aqueles que deveriam estar detectando problemas têm interesses conflitantes, é muito mais fácil negar a existência dos problemas. Se os auditores garantiram que não há problema, é muito mais fácil evitar cavar fundo para descobrir um.

A lição? Se você não tem certeza se deve levar a sério uma informação, considere a fonte.

DA NEGAÇÃO À ACEITAÇÃO

Como nos movemos da negação para a aceitação? Kübler-Ross, por meio de suas conversas com pacientes terminais e suas famílias, passou a acreditar que essa transição era mais bem administrada quando acontece naturalmente, em vez de forçada.

"A derrota pode servir, assim como a vitória, para abalar a alma e deixar a glória escapar", escreveu o poeta americano Edwin Markham. Na verdade, o choque pode despertar percepções adormecidas e nos motivar a agir, como aconteceu com Al Gore e seu ativismo a respeito da mudança climática. O ex-vice-presidente costuma contar a história de como quase perder seu filho de seis anos após um acidente de carro o despertou para a urgência de agir para proteger o que é mais importante. Ao forçá-lo a imaginar algo inimaginável – a possível morte de seu filho –, a dureza dessa experiência abriu seus olhos para a possibilidade de perder outras coisas que lhe eram caras. Tal experiência o levou a reconhecer a beleza e majestade da Terra e experimentar o que antes não podia: o medo de perder o planeta onde vivemos. "Foi por causa do acidente do meu filho e da maneira como ele interrompeu o fluxo dos meus dias e horas que comecei a repensar tudo, especialmente quais eram as minhas prioridades", escreveu ele no livro *Uma verdade inconveniente*, de 2006. "Quando você vê seu reflexo no olhar vazio de um menino esperando por um segundo suspiro de vida, você percebe que não fomos colocados aqui na Terra para cuidar sozinhos de nossas necessidades. Fazemos parte de algo muito maior do que nós mesmos", disse Gore sobre a experiência durante discurso na Convenção Nacional Democrata de 1992. Seu despertar para a urgência do combate às mudanças climáticas o levou à busca pela conscientização e lhe rendeu o Prêmio Nobel da Paz.

Qual é a diferença entre os líderes que enfrentam um rinoceronte com sucesso, os que são pisoteados e caem e os que são pisoteados, mas se levantam novamente? A diferença está na velocidade com que reconhecem e agem frente à ameaça, sua capacidade de olhar para a frente e sua convicção de se diferenciar dos outros.

Pessoas que pensam sobre como resolver problemas tendem a ser intransigentes, detalhistas e, francamente, muitas vezes são consideradas chatas quando tentam convencer os outros. Eles lidam com fatos e números, classificando as coisas de forma racional. A política é o domínio da lógica, não da emoção. Mas superar a negação, seja ela intencional ou não, é um processo que envolve emoções. É sobre superar nossa tendência de nos apegarmos demais ao que sabemos ou desejamos e continuar usando aquelas lentes cor-de-rosa.

Uma vez que estejamos cientes dos motivos que nos levam a deixar de reconhecer os rinocerontes cinza, podemos começar a superar a negação e avançar em direção à ação. Precisamos superar nosso viés cognitivo, começando com o pensamento de grupo. Estamos progredindo na melhoria dos mecanismos de alarme e podemos fazer ainda melhor.

As empresas, os governos e as organizações que sobrevivem são aqueles que estão dispostos a ouvir vozes que não são as mesmas de sempre dizendo o que todos esperam ouvir. Ao estar ciente de nossos pontos cegos, questionar nosso pensamento e construir sistemas para soar alarmes difíceis de ignorar e que até mesmo coloquem em ação respostas que nosso reflexo de negação nos impediria, poderemos ver os rinocerontes a tempo, priorizá-los, e agir não apenas para evitar sermos pisoteados, mas também, muitas vezes, de forma a usar a situação como uma oportunidade para alcançar uma melhor posição.

Os economistas comportamentais de Harvard geraram percepções que formaram autores de Malcolm Gladwell a Daniel Kahneman e Ori e Rom Brafman, assim como influenciaram esforços governamentais e empresariais para empregar psicologia social e economia comportamental para melhorar políticas. Ouvir Max Bazerman, Mahzarin Banaji, Iris Bohnet, Dutch Leonard e seus colegas em um curso da Harvard Kennedy School sobre liderança global e políticas públicas me ajudou a estruturar meu pensamento sobre o que faz a diferença entre líderes que reconhecem e agem frente às ameaças óbvias e aqueles que não o fazem.

Em uma sessão, Banaji fez nossa classe assistir a um vídeo de pessoas jogando *dodgeball* e contando o número de bolas brancas e pretas. Quando o vídeo acabou, nos foi perguntado se havíamos notado algo de estranho. Apenas alguns colegas perceberam uma mulher com um guarda-chuva cruzando a tela. Quando assistimos ao *replay*, todos vimos a mulher sem nenhum problema. Essa era, naturalmente, uma variação do famoso experimento "Gorila Invisível", desenvolvido por Christopher Chabris e Daniel Simons, que se tornou um estudo clássico amplamente ensinado em aulas de psicologia e negócios em todo o mundo.

Na maioria dos casos, como Chabris e Simons corretamente apontam, não detectar o inesperado traz pouca ou nenhuma consequência. Mas quando o Federal Reserve, atento apenas à inflação, não conseguiu ver o desastre que se aproximava, as empresas entraram em colapso, a economia despencou e as pessoas perderam seus empregos. Quando os políticos cinicamente incitam a fúria contra os imigrantes ou questões sociais sobre as quais pessoas razoáveis podem discordar, ou sobre adversários políticos, você deve perguntar: o que é que eles não querem que você veja?

No caso dos rinocerontes cinza, quando sabemos o que procurar, mas negamos sua existência, nossa incapacidade de ver pode ser catastrófica. É o oposto do jogo do elefante. Se alguém disser para não pensar na palavra elefante, você terá muita dificuldade: essa palavra desagradável continuará surgindo em sua cabeça. Já no caso de informações importantes nas quais você sabe que deve prestar atenção, mas as quais não quer ouvir, é muito fácil tirar o assunto da cabeça.

Aprendizados do capítulo 3

- Procure em novos lugares por sinais de alerta. Novas tecnologias e fluxos de dados nos fornecem novas habilidades para prever e identificar padrões.
- Questione o conhecimento tradicional. Reconheça como todos somos suscetíveis ao pensamento de grupo e reaja desafiando-se sistematicamente a ouvir opiniões alternativas. Ao estarmos cientes dos vieses cognitivos e pontos cegos coletivos, questionando se estamos pensando com clareza, podemos ver os rinocerontes cinza a tempo, priorizá-los, e evitar sermos atropelados.
- Acabe com o pensamento de grupo. Cultive uma cultura aberta ao reconhecimento de sinais de alerta. Certifique-se de que os

tomadores de decisão incluam diversas vozes com menor probabilidade de aceitar o conhecimento convencional e de serem condescendentes diante de ameaças. Dentro de um governo, empresa ou organização, certifique-se de que existam sistemas em vigor para fazer com que as pessoas reconheçam sinais de perigo, respondam a eles e, por fim, ajam diante desses sinais.

- Fique atento com a negação fabricada. Às vezes, nossa própria natureza nos engana sem querer. Em outras ocasiões, pessoas que buscam seus próprios interesses o fazem intencionalmente. Saiba reconhecer a diferença.

4

Hesitação:

Por que não agimos mesmo quando vemos o rinoceronte

"Nossa vida é definida não apenas pelo que acontece, mas também pela forma como agimos diante dela, não apenas pelo que a vida nos traz, mas também pelo que trazemos à vida. Ações altruístas e compaixão acabam criando uma comunidade unida a partir de eventos trágicos." Essas palavras estão entalhadas em letras claras contra um fundo de granito preto polido no Bridge Remembrance Garden I-35W, em Minneapolis. Em frente à parede de granito, treze vigas de aço ficam de sentinela, uma para cada pessoa que morreu quando a ponte 35W caiu 18 metros no rio Mississippi durante a hora do rush, às 18h05, no dia 1º de agosto de 2007. As vigas são adornadas com poemas e memórias, muitos se referindo a estradas e rodovias: um menino com síndrome de Down e sua mãe amorosa, um imigrante mexicano, uma mulher correndo para dar uma aula de dança em sua igreja ortodoxa grega, uma índia americana do Clã Thunder da tribo Winnebago, um pai de quatro filhos, um fã dos Vikings e Twins de Minnesota, um refugiado do Khmer Rouge. O memorial é dedicado "àqueles que perdemos, àqueles que sobreviveram, e àqueles que responderam".

No verão, uma sólida lâmina de água cai na inscrição do memorial sobre os nomes dos 171 sobreviventes gravados nos blocos de granito escuro que formam a parede. Eu estava lá em um dia frio quando Minneapolis estava começando a descongelar do pior inverno em cinquenta anos. Três linhas de água pingavam de um pedaço de gelo que derretia no topo do monumento – uma fonte improvisada – até o chão, onde folhas de outono não varridas ainda deslizavam. No dia em que visitei o memorial, o rio Mississippi atrás e abaixo do monumento estava coberto de gelo, exceto por um pequeno estreito de água corrente perto do sopé da ponte. Plumas saíram do topo de quatro chaminés rumo a um céu azul nítido sobre um imponente edifício de tijolos vermelhos do outro lado do rio.

À esquerda há duas pontes, incluindo uma velha ponte ferroviária de pedra para transportar grãos dos moinhos. À direita, atrás de um grupo de árvores, pode-se ver a nova ponte erguida no local onde a antiga desabou. A velha ponte foi vítima de avisos não atendidos e de uma decisão de adiar por anos os reparos necessários: uma decisão que poderia não ter terminado em tragédia se não fosse por uma falha não detectada no projeto nas placas de reforço que conectavam as vigas de aço. No entanto, mesmo se a falha de projeto não existisse, o cronograma de substituição da ponte estava incrivelmente lento. Desde 1990, a cada inspeção do Departamento de Transporte dos Estados Unidos, a ponte I-35 foi classificada como "estruturalmente deficiente". Em 2006 os inspetores notaram rachaduras e fadiga: um desastre pronto para acontecer a qualquer momento com os mais de 140 mil veículos que cruzavam a ponte todos os dias. Ainda assim, não foi candidata para substituição até 2020. A nova ponte foi construída com uma rapidez surpreendente, como se para compensar a falta de ação que poderia ter evitado a tragédia. Foi inaugurada em 18 de setembro de 2008, pouco mais de um ano após o colapso. A cidade ilumina a nova ponte à noite em cores diferentes dependendo da ocasião, assim como o Empire State Building.

Visitei o memorial da ponte para refletir sobre o custo de escolher não agir mesmo quando as pessoas com poder de decisão haviam superado a negação inicial de que existia um problema. Eles reconheceram o problema, contudo, decidiram não fazer nada. As decisões que levaram à falha da ponte eram típicas da segunda fase de um Rinoceronte Cinza: a hesitação, quando estamos cientes da natureza de um problema, mas não podemos ou não iremos enfrentá-lo.

O que me intrigou foi a localização do memorial, na mesma rua do estranho Mill City Museum, construído entre as ruínas do que já foi o maior moinho do mundo até ser fechado, em 1965, e quase destruído por um incêndio em 1991. Era apropriado que o memorial da ponte ficasse no antigo bairro do moinho da cidade, cuja própria arquitetura e história falavam de uma indústria que da mesma forma havia enfrentado uma ameaça e praticamente desaparecera na cidade, mas sobreviveu de uma nova forma em outro lugar. Os moinhos, movidos pela água das cachoeiras Saint Anthony, ajudaram a transformar Minneapolis em uma cidade próspera. O próprio Washburn Mill foi o local de uma grande tragédia em sua época. Em 2 de maio de 1878, as partículas de farinha suspensas no ar explodiram, matando dezoito trabalhadores e destruindo o Washburn A Mill e quatro outras fábricas, no que ficou conhecido como o Grande Desastre do Moinho. Como sempre acontece após um desastre, esse impulsionou grandes reformas para melhorar a segurança.

Quando os moinhos movidos a combustível se popularizaram após a Primeira Guerra Mundial, a indústria como era feita em Minneapolis desapareceu. A moagem migrou para outras cidades, e Minnesota voltou-se para o processamento de alimentos de alto valor – e o distrito dos moinhos praticamente fechou. O colapso da ponte e o declínio da indústria de moagem foram parte de uma história maior não apenas de uma cidade, mas também de todas as cidades que precisam enfrentar escolhas rígidas para lidar com grandes mudanças. O declínio das fábricas e sua substituição por outras indústrias é chamado de destruição criadora: o processo pelo qual novas ideias e tecnologias destroem as mais antigas e, com isso, criam riqueza. A destruição criadora tem sucesso quando tomamos decisões sábias sobre o que manter e reforçar, o que reparar e o que deixar ir para que algo melhor possa tomar o lugar. Quando uma opção melhor está a caminho, permitir que o colapso aconteça envolve pensar tanto no futuro quanto no passado.

Decisões sobre infraestrutura às vezes envolvem destruição criadora. As linhas de bonde abandonadas perto do meu hotel e o congestionamento nas rodovias, mesmo nas noites de sábado, resumem a luta de todas as cidades para encontrar uma maneira de transportar a população em distâncias variadas até o centro das atividades comerciais e sociais. Na verdade, a própria ponte I-35 e os veículos que a cruzavam diariamente representavam parte de uma evolução das opções de transporte, desde cavalos e charretes até carros puxados por cavalos que viajam sobre trilhos, bondes, ônibus e automóveis.

O congestionamento do tráfego custa aos americanos US$ 101 bilhões a cada ano em tempo e combustível desperdiçado, de acordo com o McKinsey Global Institute. Isso tende a aumentar, não somente nos Estados Unidos, mas também em todo o mundo, enquanto continuarmos nos mudando para as cidades. Hoje pouco mais da metade da população mundial, ou 3,9 bilhões de pessoas, vive em cidades, de acordo com as Nações Unidas. Em 2050, estima-se que 66% das pessoas viverão em cidades, totalizando 6 bilhões de habitantes, já que teremos mais 2,5 bilhões de indivíduos na população mundial.

Mesmo que os americanos adotassem uma mudança mais radical para o transporte público, isso não eliminaria a necessidade de grande parte da infraestrutura que foi construída até agora, nem de manutenção e atualizações. Apesar das mudanças que ocorreram ao longo dos séculos, a maior parte de nossa infraestrutura – estradas, pontes, portos, trilhos ferroviários e sistemas de esgoto – provavelmente não sucumbirá tão cedo à destruição criadora que a tornará obsoleta. Haverá a exigência de grandes investimentos apenas para continuar fazendo o que se vem fazendo e muito mais para poder atender às demandas das populações urbanas em rápido crescimento.

O McKinsey estima que manter e construir o sistema de transporte do mundo e a infraestrutura de energia a partir de 2020 custará algo em torno de US$ 57 trilhões, mais do que o valor dos sistemas atuais. O preço é alto, mas o McKinsey argumenta que, com planejamento estratégico, atualização da infraestrutura existente a tempo, avaliação e escolha de projetos com base em como se encaixam em um plano mais amplo, pode-se economizar 40% do valor, ou US$ 1 trilhão a cada ano. Sem investir em estradas, portos, linhas de telecomunicações e outras infraestruturas, teremos que pagar um preço ainda mais alto em desastres e dificuldades de crescimento devido à obstrução, falta de energia, falta de água e colapsos repentinos.

As Nações Unidas estimam que o número de megacidades com 10 milhões ou mais de habitantes passará de 28 atualmente para 41 em 2030. Essas cidades precisam pensar e investir em infraestrutura de transporte agora, enquanto ainda há tempo para reservar espaço e lançar as bases para as ferrovias que podem se expandir e transportar milhões e milhões de pessoas de suas casas para o trabalho.

Além dos desafios, existe uma tremenda oportunidade para aumentar a produtividade e expandir economias. O McKinsey calcula que investir apenas 1% do PIB a mais em infraestrutura criaria 3,4 milhões de novos empregos na Índia, 1,5 milhão nos Estados Unidos e 1,3 milhão no Brasil.

Os custos de não investir em infraestrutura podem vir na forma de produtividade reduzida, que costumamos ignorar, porque acontece de forma incremental. São oportunidades perdidas que não perdemos ativamente, já que não podemos medir o que não aconteceu, ou falhas catastróficas que têm grande impacto em vidas humanas e custos econômicos, como o colapso da ponte I-35W. Os custos são bem documentados e óbvios. Então, por que não agimos de forma mais agressiva no que sabemos que é preciso ser feito?

POR QUE HESITAMOS?

A infraestrutura, especialmente nas cidades, é um exemplo revelador do terceiro estágio de um Rinoceronte Cinza: a hesitação, ou as maneiras pelas quais você evita lidar com um problema que sabe que tem. Também conhecido como chutar o balde, não agir é a saída mais fácil. Geralmente vem com desculpas de algum tipo: não temos orçamento, não é politicamente viável, não importa o que façamos, porque estamos condenados de qualquer maneira. A lista é longa. É algo comum em negócios, governos, vida pessoal e finanças. Isso desempenhou um papel importante na crise financeira de 2008. Na clássica desculpa para a inação dada por Charles Prince, ex-chefe do Citigroup, "Enquanto a música estiver tocando, você tem que se levantar e dançar. Nós ainda estamos dançando".

Mesmo quando os tomadores de decisão superam a negação, eles tendem a se esforçar para fazer alguma coisa, exceto agir de forma decisiva. Para cada exemplo de líder que agiu a tempo para evitar uma crise, há dezenas de outros que ficaram parados. Permanecemos inertes devido a sistemas mal projetados, falta de recursos, liderança fraca, dificuldade de priorizar problemas aparentemente grandes demais e falta de responsabilidade. Todos esses fatores desempenham um papel na inação. Permanecemos inertes por razões cognitivas, como percepções errôneas de risco, interpretações falhas e pouca motivação para agir com base nas informações disponíveis.

Nos atrapalhamos porque é mais fácil ignorar o custo de não agir do que ignorar os sacrifícios menores necessários para evitar consequências muito maiores: o dano da inação *versus* o dano da ação. Fazemos isso porque achamos que a dor de ferir alguns é mais significativa do que evitar uma dor maior para os outros. No famoso problema do bonde, psicólogos perguntam às pessoas se estariam dispostas a empurrar alguém na frente de um bonde desgovernado para evitar que vários indivíduos fossem mortos. A grande maioria não agirá assim, revelando um princípio fundamental da natureza humana: relutamos em sacrificar uma pessoa para salvar muitas outras. Em outras versões do experimento, os sujeitos estavam mais propensos a concordar em empurrar um gorila – crucialmente, um não humano – na frente do trem, ou acionar um interruptor: duas maneiras de afastá-los das consequências de sua ação. Quando uma solução requer escolher entre vencedores e perdedores, preferimos não agir, a menos que sejamos capazes. de desumanizar os perdedores. Se, em vez disso, pudéssemos encontrar maneiras de compensar as perdas de alguns para beneficiar muitos, iríamos adiante.

Ficamos inertes devido a uma cultura de pensamento mágico que torna muito fácil imaginar que uma solução aparecerá do nada. Nos filmes de Hollywood, o herói escapa de apuros por uma destas três maneiras: Luke Skywalker e os Cavaleiros Jedi derrotam a Estrela da Morte em uma batalha épica por pura força e habilidade. Batman obtém ajuda no último minuto de uma aliada inesperada, a Mulher-Gato, que ele pensou que o havia traído. Ou surge um antídoto – em *Mars Attacks*, uma música de Slim Pickens em um rádio minúsculo por acaso faz com que os cérebros dos invasores marcianos explodam em gosma verde. Mas a vida real não é como nos filmes.

Na verdade, a própria casa de Hollywood, o estado da Califórnia, enfrenta um grande número de rinocerontes cinza: escassez de água, pobreza, escassez de moradias, caos orçamentário. *The Economist* destacou dois novos estudos reveladores afirmando que o problema da pobreza na Califórnia é ainda pior do que se pensava, apontando que a porcentagem de californianos que vivem na pobreza é de 23,8%, o nível mais alto dos Estados Unidos. No entanto, John Husing, um economista citado no artigo, reconheceu: "Todo mundo sabe que isso é um problema. Mas ninguém toca no assunto".

Atualmente, a dieta é o maior fator de risco para doenças e morte, tendo subido rapidamente para o primeiro lugar e deixando o tabagismo em um distante segundo lugar em 2010. Mais de um terço dos adultos americanos é obeso, custando a cada um deles US$ 1.429 a mais em contas médicas anuais do que para pessoas saudáveis e afetando a economia em um total de US$ 147 bilhões a cada ano. A evidência médica é clara: coma mais vegetais e frutas e você diminuirá o risco de doenças cardíacas, diminuirá a pressão arterial e o colesterol "ruim" e possivelmente até reduzirá os riscos de câncer.

Os psicólogos e consultores de liderança Robert Kegan e Lisa Lahey apontam uma pesquisa que mostra que apenas um em cada sete pacientes cardíacos dá atenção aos avisos de seus médicos de que podem morrer se não mudarem seus hábitos. Esse fenômeno, afirmam Kegan e Lahey, é fruto da "imunidade à mudança" dos seres humanos: comportamentos habituais arraigados e mentalidades que atrapalham o modo de lidar com questões tão sérias como a vida ou a morte.

Tem alguém que não saiba que uma dieta rica em doces e gorduras faz mal? Ainda assim, as taxas de obesidade em crianças triplicaram em uma geração, aumentando o risco de diabetes, asma e outros problemas de saúde. Apenas uma em cada vinte crianças consome a quantidade necessária de vegetais. De maneira geral, os americanos consomem somente metade da quantidade ideal de vegetais. Ainda não descobrimos como mudar. "As mensagens de saúde são simplesmente oprimidas, em volume e eficácia, por anúncios de *junk food* que costumam exibir celebridades ou personagens de desenhos animados com grande efeito. Podemos saber que comer frutas e vegetais é bom para nós, mas a preponderância dos sinais que recebemos – e especialmente os sinais que as crianças recebem – nos empurra na direção de *junk food*", escreveu Michael Moss em um poderoso artigo na *New York Times Magazine*. "Também é inegável que mastigar um pedaço de brócolis nunca será tão satisfatório quanto o que os cientistas da indústria alimentícia chamam de a 'sensação' de uma batata frita na boca." Moss também aponta como os incentivos vão contra os consumidores que não podem pagar por alimentos mais saudáveis e contra os agricultores para os quais o mercado de produtos frescos não é tão lucrativo quanto o de ração para gado ou quanto vender para a indústria de processamento de alimentos ou para produtores de etanol. Subsídios, seguros e dinheiro de pesquisa simplesmente não chegam até os produtores. "O sistema agrícola oferece muito pouco incentivo aos agricultores que desejam cultivar mais das safras de alimentos que seriam melhores para nós", concluiu Moss.

Incentivos perversos embutidos em nossas estruturas financeiras e políticas, ambos focados em lucros de curto prazo e ciclos eleitorais à custa de ganhos de longo prazo (e potencialmente muito maiores), encorajam a hesitação. Paradoxalmente, o sucesso na prevenção de uma crise não dá crédito a ninguém. Mantendo nossa condenação cultural de Cassandra, ajudar a prevenir uma crise chamando a atenção para ela muitas vezes é um tiro que sai pela culatra. Se um número grande de pessoas mudar de comportamento por causa de sua previsão, provavelmente você será criticado caso suas previsões não se concretizem.

Hesitamos porque achamos que nos sentiremos pior por tomar uma decisão errada do que pelas consequências de não agirmos. Nós nos lembramos dos momentos em que as pessoas fizeram a coisa errada: Herbert Hoover decidiu que a austeridade era o caminho certo para sair da Grande Depressão e piorou as coisas. Hoover foi culpado por um erro grave, mas não recebeu crédito algum pelo fato de ter agido.

As organizações são particularmente ruins em responder às ameaças. A responsabilidade desliza através das rachaduras burocráticas; as culturas organizacionais promovem uma aversão ao risco e à diluição extrema da responsabilidade pessoal. Essa aversão natural ao risco, calibrada com nosso medo de agir de forma errada, aumenta o perigo de as coisas tomarem um caminho muito ruim.

Como passamos da hesitação para a ação decisiva? Os defensores da necessidade de ação sabem muito bem que a razão e os fatos não são suficientes para levar os tomadores de decisão à mudança: eles precisam encontrar o gatilho emocional certo ou o "empurrão" correto do subconsciente. Para fazer isso, é preciso definir a crise de forma que ressoe com as pessoas que têm o poder de fazer algo a respeito. Também é preciso mudar os incentivos financeiros e políticos subjacentes que nos atrapalham a agir no momento certo. Se fosse possível contabilizar adequadamente os custos evitados, isso faria uma grande diferença.

A compensação é tão clara quanto escolher trocar o óleo do carro agora ou ter que trocar o motor por negligência: deixar de abordar ameaças óbvias por causa das despesas apenas cria custos maiores no futuro.

FRATURA CRÍTICA

A ponte de Minneapolis não está sozinha entre pontes e outras infraestruturas importantes apresentando riscos catastróficos: há 77 mil pontes classificadas como estruturalmente deficientes; pouco menos de oito mil delas são, como a I-35W, estruturalmente deficientes e passíveis de fratura, ou seja, estão em risco de colapso se até mesmo um único elemento falhar. Consertar uma ponte que está rangendo é uma coisa. Quando os estados sem dinheiro enfrentam centenas delas – até dezenas – de uma vez, a tarefa se torna um imenso desafio.

A inércia nos poupa da dor imediata, mas torna mais difícil e mais caro lidar com a ameaça mais tarde. A reconstrução após um desastre catastrófico custa significativamente mais do que construir em um cronograma planejado, e os custos em vidas humanas e em atividades econômicas perdidas podem ser devastadores.

Se fosse obrigado incluir, nos debates orçamentários federais e estaduais, avaliações regulares do custo da inação *versus* os custos de manutenção, isso seria um começo para chamar a atenção necessária para os rinocerontes cinza na infraestrutura. A nova ponte I-35W, projetada para durar um século, custou US$ 251 milhões. O colapso da ponte custou ao estado de Minnesota cerca de US$ 400 mil por dia em tempo e outras despesas causadas por desvios, totalizando US$ 17 milhões em 2007 e US$ 43 milhões em 2008.

"Espero que possamos continuar com essa tragédia em mente enquanto avançamos para o futuro", disse o representante de Minnesota Keith Ellison em uma entrevista coletiva para anunciar a inauguração da nova ponte. "Precisamos tomar esse fato como um chamado à ação para reconstruir as pontes, os diques, as estradas, os sistemas de trânsito, os sistemas de água em nossa nação, para que sejam seguros e atendam às necessidades das pessoas, e também para colocar os americanos para trabalhar."

A Sociedade Americana de Engenheiros Civis produz a cada quatro anos um boletim sobre infraestrutura dos Estados Unidos. No relatório de 2013, nas dezesseis categorias, de resíduos sólidos, portos, aviação, a rodovias e diques, o país foi classificado com um péssimo

D+. "Quarenta e dois por cento das principais rodovias urbanas dos Estados Unidos permanecem congestionados, custando à economia cerca de US$ 101 bilhões anualmente em tempo e combustível desperdiçados", alertou. A ASCE estimou que o país precisasse investir US$ 3,6 trilhões em infraestrutura até 2020 apenas para colocá-la em um nível aceitável. No entanto, no início de 2013, somente cerca de US$ 2 trilhões em gastos com infraestrutura tinham sido projetados para esse período.

O economista do Goldman Sachs Alec Phillips, em nota aos clientes em janeiro de 2015, alertou que a falta de infraestrutura nos Estados Unidos era um grande risco econômico, mas que qualquer melhoria ocorreria muito lentamente, embora esse investimento pudesse significar um grande impulso econômico.

A infraestrutura é um desafio para países no mundo todo. Quando comecei a visitar a República Dominicana, em 1988, a energia elétrica era cortada regularmente, e as pessoas costumavam brincar que as luzes se apagaram, mas o presidente não percebera, porque era cego. A parte sobre o presidente ser cego era verdade, no entanto, os circuitos de energia ao redor do Palácio Nacional e da casa do presidente jamais foram cortados. Quase três décadas depois, o país ainda não consegue produzir eletricidade suficiente para manter o fornecimento de energia 24 horas por dia.

As rodovias da Índia estão tão congestionadas que a velocidade máxima para caminhões e ônibus é de menos de quarenta quilômetros por hora. Segundo algumas estimativas, o transporte deficiente da Índia – além da infraestrutura de energia e água – custa ao país 2% do PIB a cada ano. Sempre que os investidores comparam a Índia e a China, a infraestrutura deficiente da Índia aparece no topo da lista de razões pelas quais tantas empresas preferem a China. O Banco Mundial estima que a África, onde 90% das pessoas e mercadorias se deslocam por estradas e que tem a maior taxa de fatalidades no trânsito do mundo, poderia economizar US$ 48 bilhões investindo cerca de US$ 12 bilhões em reparos nas estradas.

Para cidades em rápido crescimento, os custos da hesitação aumentam com o tempo, à medida que residências e empresas ocupam terrenos que serão mais difíceis de recuperar para uso público no futuro. Visitando a China em 2011, fiquei maravilhada com as rodovias de múltiplas pistas quase vazias que se estendiam por vastos campos, aparentemente no meio do nada, embora estivéssemos a apenas uma hora de Dalian, uma cidade com mais de 6,5 milhões de habitantes. Na época, parecia não fazer sentido, embora houvesse uma lógica por trás da construção. As estradas foram construídas como parte do esforço de infraestrutura da China para manter a economia crescendo durante a crise econômica que se seguiu ao colapso do Lehman Brothers. Portanto, em vez de simplesmente reservar a terra para acomodar o crescimento futuro, o governo estava construindo para o futuro.

No lado oposto do espectro está Chicago, para onde me mudei em 2014. Depois de morar por muitos anos na cidade de Nova York, ao lado de uma linha expressa do metrô, achei a linha vermelha do metrô de Chicago (o "El", para os habitantes de Chicago) enlouquecedora pela falta de um serviço mais eficiente. Mas é difícil imaginar como a cidade poderia expandir a linha, com prédios praticamente acompanhando os trilhos em ambos os lados, sem que fossem necessárias uma grande disputa política e imensas despesas para recuperar esses prédios. Assim, as populações sofrem com o longo deslocamento diário de trem ou de carro, aumentando o congestionamento, que já é enlouquecedor e só tende a piorar com o tempo.

COMO REMOVER OS CURATIVOS

Relembrando seus dias como adolescente em um hospital, submetido a banhos desinfetantes regulares e trocas de curativos no tratamento de queimaduras graves que sofreu durante uma explosão, o psicólogo Dan Ariely experimentou episódios rápidos de dor excruciante quando as enfermeiras arrancavam seus curativos rapidamente, em vez de fazê-lo devagar. As enfermeiras acreditavam que fazer isso reduzia a dor de maneira geral, embora não tivessem nenhuma evidência concreta. Ariely discordava, para dizer o mínimo. "As teorias delas não levavam em consideração a quantidade de medo que o paciente sentia ao antecipar o tratamento, as dificuldades de lidar com as variações da dor ao longo do tempo, a imprevisibilidade de não saber quando a dor vai começar e quando vai parar ou os benefícios de ser confortado com a possibilidade de que a dor fosse reduzida com o tempo", relembrou Ariely no livro *Previsivelmente irracional*, de 2008. Esse fato o levou a um primeiro experimento como estudante de psicologia que ajudou a inspirar uma vida inteira de pesquisas em economia comportamental. Usando voluntários e amigos para seu estudo, Ariely testou respostas a vários tipos de fontes físicas e psicológicas de dor. (Deviam ser grandes amigos, de fato, para concordar em passar por isso e permanecer amigos depois!) Ele voltou ao hospital para contar às enfermeiras e aos médicos o que havia descoberto: "As pessoas sentirão menos dor se os tratamentos (como remover curativos no banho) forem realizados com menor intensidade e maior duração do que se o mesmo objetivo for alcançado com alta intensidade e duração mais curta". Essa parecia uma metáfora apropriada e até mesmo uma explicação para as razões pelas quais tantos países se atrapalham com problemas financeiros e outros, em vez de resolvê-los rapidamente, preferem trocar menos dor por períodos mais longos de sofrimento.

Da mesma forma, Daniel Kahneman e Don Redelmeier compararam grupos de pacientes que fizeram colonoscopias antes de os anestésicos e as drogas amnésicas serem administrados de forma tão ampla como agora. Os pacientes, alguns dos quais foram submetidos a procedimentos que duraram alguns minutos e outros mais de uma hora, relataram níveis de dor em intervalos durante o procedimento, e no final estimaram a quantidade total de dor. Kahneman e Redelmeier descobriram que duas coisas importavam mais do que o tempo total: a dor no pior momento e no final do procedimento. Como resultado, alguns pacientes cuja "dor total" estava no limite quando medida por intervalos, ainda assim, relataram menos dor do que outros cuja dor total deveria ter sido muito menor. "Não podemos confiar totalmente em nossas preferências para refletir nossos interesses", concluiu Kahneman.

Esses *insights* sobre a psicologia da angústia explicam em parte por que os líderes tendem a não agir de imediato. É uma realidade central da natureza humana. No entanto, isso é apenas parte do problema. Os sistemas que configuramos tornam mais difícil do que deveria ser superar a nossa resistência natural à mudança.

INÉRCIA RAZOÁVEL?

Existem razões políticas e econômicas razoáveis para a inércia. Algumas explicações econômicas parecem fornecer evidências que apoiam nossa preferência psicológica por mudanças graduais. O economista russo Vladimir Popov argumenta que o que mais faz diferença para as perspectivas de crescimento de um país não é a velocidade com que as reformas são feitas, mas a força de seu processo de tomada de decisão. Seu estudo do gradualismo *versus* terapia de choque compara cinco países da Europa Central – Estônia, Turcomenistão, Uzbequistão, Belarus e Cazaquistão, que passaram por reformas lentamente – com as nações bálticas que se moveram rapidamente para abrir suas economias no início da década de 1990. As economias do Báltico se retraíram mais cedo, mais profundamente e por mais tempo do que as dos chamados "procrastinadores". Dois anos após o pior momento da recessão, alguns setores da economia ainda estavam de 31% a 58% abaixo de seu pico, em comparação com o Uzbequistão, que teve contração de "apenas" 18% e começou a crescer novamente em dois anos. Em outras palavras, a velocidade não é necessariamente a resposta: os pré-requisitos precisam estar presentes.

A passagem na América Latina de ditadura para democracia levou décadas e ainda não está completa. Nem suas economias cresceram tão rapidamente quanto as da Europa Oriental. Popov explica esse cenário apontando para as instituições políticas fracas da América Latina, combinadas com um rápido aumento da desigualdade, que reforçou as tensões sociais e impediu que as instituições estatais construíssem a legitimidade de que precisavam.

Popov citou o estado de direito – que ele define como instituições estatais fortes, não incluindo necessariamente o respeito pelos direitos humanos – como um pré-requisito crucial para a mudança. Popov apontou a China como um exemplo bem-sucedido de reforma gradual, não apenas desde o início do período de reforma, em 1979, mas também desde a Libertação, em 1949 (incluindo o Grande Salto para a Frente e a Revolução Cultural). O autor atribui o sucesso chinês à capacidade do país de manter a continuidade por meio de instituições estatais fortes e governo eficiente, melhorar sua infraestrutura, aumentar seu capital humano e fazer mudanças gradualmente, evitando choques econômicos.

"Uma sequência errada pode ser pior do que nenhuma reforma, porque a implementação de alguns programas pode bloquear outras reformas mais fundamentais", escreveu Weiying Zhang em *The Logic of the Market: An Insider's View of Chinese Economic Reform* (Dentro do Mercado: uma visão interna da reforma econômica chinesa). Como pesquisador do Instituto de Reforma do Sistema Econômico da China sob a Comissão Estatal de Reestruturação do Sistema Econômico, ele estava profundamente envolvido nas extensas reformas econômicas de Deng Xiaoping. Conversamos quando ele estava em Chicago como bolsista visitante da Fundação Dr. Scholl no Conselho de Assuntos Globais de Chicago.

Quando perguntei a Zhang o que possibilitou à China reformar a economia e evitar uma crise iminente, ele afirmou que o tempo desempenhou um papel importante: se Mao Zedong tivesse morrido mais cedo ou mais tarde, a dinâmica política teria sido bem diferente. A liderança de Deng, naturalmente, foi crucial nesse processo. No entanto, com frequência, até mesmo os líderes mais habilidosos precisam do ambiente certo para obter sucesso.

"Alterar o *status quo* gera tensão e produz atritos ao trazer à tona conflitos ocultos e desafiar a cultura organizacional", escreveram os teóricos da administração Ronald Heifetz e Marty Linsky. "É um impulso humano profundo e natural buscar ordem e calma, e as organizações e comunidades podem tolerar apenas certo grau de tensão antes de recuar." O modelo de "liderança adaptativa" explora formas de enfrentar o desafio de fazer as pessoas sentirem certa urgência para lidar com os obstáculos diante delas, baixando a temperatura quando necessário, para que as tensões inevitáveis possam ser administradas. "O calor deve ficar dentro de uma faixa tolerável – não tão alto que as pessoas exijam seu desligamento, e não tão baixo a ponto de deixá-las inativas."

A forma como as sociedades percebem a mudança e como os líderes compreendem as crenças de seu povo é crucial para o sucesso tanto da inércia quanto das estratégias gradualistas. Os líderes devem pesar as opções disponíveis de acordo com o custo de aplicação e segundo a capacidade de aceitação de seus eleitores e cidadãos. Esse certamente foi o caso na União Europeia e na China, apesar de os ocidentais gostarem de argumentar que as estruturas autoritárias chinesas explicam a capacidade de promover reformas importantes no país. Às vezes, o que parece ser negação ou dificuldade de enxergar a realidade pode ser apenas astúcia política. Para mim, a diferença está no fato de os líderes reconhecerem ou não a necessidade de mudanças maiores, mesmo que não as implementem imediatamente. No entanto, o sucesso de tal estratégia depende de os líderes perceberem o limite além do qual a falha em promover uma mudança pode levar os eventos a saírem de controle. Luís XVI na França, em 1789, o czar da Rússia em 1917 e o xá do Irã em 1979 cometeram esse mesmo erro, deixando de resolver problemas de longa data a tempo de evitar revoluções que saíssem do controle.

Já ouvi muito indivíduos atribuírem as mudanças dramáticas na economia chinesa nas últimas décadas ao autoritarismo do governo, mudanças que, segundo essas pessoas, uma democracia de estilo ocidental não seria capaz de implementar. Isso pode ser verdade, mas suspeito que as razões são um pouco diferentes das expressas nessas opiniões. Não é que um governo autoritário necessariamente tenha mais facilidade em promover mudanças porque tem o poder de reprimir a dissidência. Em vez disso, sua vantagem pode estar na liberdade de controlar melhor o momento das mudanças de uma forma que não seria viável em uma democracia. E há riscos em tentar silenciar os protestos: sem os sinais importantes que a liberdade de expressão fornece, os líderes podem perder pistas essenciais que podem alertá-los do rumo que devem tomar.

Por outro lado, a discordância pública pode criar um ciclo de retroalimentação que acelera a mudança à medida que mais e mais pessoas se conscientizam de até que ponto sua insatisfação é compartilhada. Na Rússia, Mikhail Gorbachev perdeu o controle do momento das mudanças que prudentemente havia iniciado com a Perestroika e a Glasnost. Seu instinto inicial de necessidade de reformas estava correto, e o ritmo de muitas das mudanças que propôs foi muito mais acelerado do que poderíamos imaginar. No entanto, assim como os líderes nas primeiras revoluções francesa, russa e iraniana, Gorbachev perdeu o momento certo de agir em parte porque interpretou mal os sinais do descontentamento que acabou levando ao colapso do regime.

GRANDE DEMAIS, LONGE DEMAIS, CEDO DEMAIS

Uma combinação da preferência por menos dor durante um período mais longo – pense nos curativos de Ariely – com a importância dos pré-requisitos ajuda a explicar por que a Europa adotou uma abordagem gradualista para resolver seus problemas econômicos. É bastante claro que, sem reformas para lidar com os desequilíbrios crescentes na zona do euro, a União Europeia enfrentará grandes fissuras internas, tanto políticas quanto econômicas. No entanto, para muitos investidores, o ritmo das mudanças tem sido absurdamente lento, prolongando a dor e mantendo a Europa sob o risco de novos problemas por muito mais tempo do que o necessário.

O Institute for New Economic Thinking reuniu dezessete economistas que emitiram uma declaração austera em julho de 2012: "A Europa caminha sonâmbula em direção a um desastre de proporções incalculáveis". Havia uma solução em mãos, mas os líderes europeus não a estavam aceitando.

Mas por quê? Era possível agir? Durante um café do lado de fora de uma sala de conferências em Davos em 2013, Katinka Barysch, uma jovem líder global do Fórum Econômico Mundial que na época era vice-diretora do Center for European Reform, disse-me que acreditava fortemente que se manter inerte era, na verdade, a única coisa que a Europa poderia fazer frente à sua crise econômica. Segundo ela, a Europa simplesmente não estava pronta para agir como uma unidade para fazer o tipo reformas necessárias – como uniões bancárias, políticas e fiscais – de que muitos analistas argumentavam que o euro precisava para sobreviver. Ao criar uma moeda comum antes que o processo de integração tivesse sido concluído para funcionar adequadamente, a Europa já havia dado um passo grande demais, longe demais, cedo demais. Agora, diante de uma crise, tinha que se recuperar tentando forjar um consenso político no momento mais difícil possível. Passos pequenos e improvisos eram as únicas opções disponíveis.

Beneficiando-nos de uma retrospectiva, Barysch e eu conversamos em outra reunião do Fórum Econômico Mundial em agosto de 2015. Ela havia assumido o cargo de diretora de relações políticas na Allianz SE, empresa alemã de serviços financeiros. Os dilemas políticos da Europa também tinham evoluído. O crescimento econômico fora retomado em toda a zona do euro. A maioria dos países que experimentaram o maior impacto da crise econômica se estabilizara. As economias da Espanha e da Irlanda estavam crescendo de forma robusta. Portugal e Itália também estavam saindo da recessão. No entanto, os legisladores gregos e europeus ainda estavam envolvidos em recriminações amargas sobre quem seria o culpado pelo agravamento da crise econômica da Grécia, e como corrigi-la.

Barysch apontou problemas que se acumularam ao longo de centenas de anos: poucas exportações (ou mesmo exportações potenciais), um sistema clientelista que criou um setor público inchado, centenas de profissões protegidas, corrupção e um setor privado com interesses arraigados que o impediam de crescer. Os salários do setor privado caíram mais e mais rapidamente do que os salários do setor público. O famoso debate sobre austeridade *versus* estímulo fiscal, ela dizia, não fazia justiça à complexidade ou extensão dos problemas da Grécia. "Você não pode resolver os problemas da Grécia de uma só vez", disse.

Ela permaneceu cética sobre a capacidade da Europa de criar as mudanças radicais que seriam necessárias para o euro funcionar em longo prazo. E sem tais reformas improváveis, mas necessárias em toda a Europa, tudo o que a União Europeia poderia fazer era trabalhar em um país de cada vez. Mesmo assim, Barysch percebeu a importância de manter em mente o objetivo final de uma reforma mais ampla. "Há muito a ser dito sobre fazer o que é viável no momento", disse ela. "No entanto, ainda precisamos que as pessoas busquem soluções mais amplas para que tenhamos um padrão de referência. O problema é que nem sempre percebemos que a grande solução é do nosso interesse. Mas, se você fizer mudanças passo a passo, pode mudar sua percepção de seus próprios interesses."

Barysch sentia que era injusto comparar a União Europeia, um grupo de Estados-nação soberanos, a uma nação unificada como os Estados Unidos. "Analistas e políticos insistiam em que a zona do euro complementasse a união monetária com uma união fiscal e política. Mas não houve acordo sobre o que isso significava", observou ela. Quando a França e os países do sul da Europa falam em união fiscal, por exemplo, eles se referem às transferências dos países mais ricos para os mais pobres. Para os alemães e outros europeus do norte, uma união fiscal significa mais poderes centrais de supervisão fiscal. Como a Alemanha era o maior credor e a economia mais forte, ela tinha uma voz desproporcionalmente mais forte em qualquer situação. "Portanto, se tivéssemos elaborado uma união fiscal e monetária no auge da crise, como muitos exigiram, ela provavelmente teria um formato rigidamente alemão e regrado", disse Barysch. "Para os outros países, isso teria sido tão inaceitável quanto teria sido para os alemães estabelecer mecanismos de transferência automática em um momento em que não havia como saber quanto dinheiro seria necessário no final." Em outras palavras, até que países com abordagens e realidades econômicas muito diferentes ampliassem suas visões sobre o que servia aos seus próprios interesses, uma solução permaneceria indefinida. No entanto, ela permaneceu uma otimista cautelosa: "Agora que as coisas se acalmaram na zona do euro, as chances de encontrar compromissos viáveis e aceitáveis para fortalecer o euro parecem muito melhores".

E aparentemente, nos momentos de maior ameaça, os líderes europeus agiram quando parecia que estavam apenas olhando para o abismo. Quanto maior a venda de ações nos mercados, maior a probabilidade de os líderes europeus fazerem algo para acalmar os temores, afrouxando o crédito ou, embora com relutância, fornecendo fundos de resgate aos mais necessitados entre eles. Estar à beira do abismo era a única força superior à resistência de um grupo de países cujas políticas econômicas ainda não haviam se alinhado.

No momento em que escrevo, em setembro de 2015, a decisão da Europa de agir ou não ainda está dando pano para a manga. Depois de vários meses difíceis, a possibilidade de uma saída iminente da Grécia da zona do euro diminuiu, mas a situação do país está longe de ser resolvida. Uma integração bancária, fiscal e política completa continua sendo uma quimera, embora nem a necessidade dela nem o reconhecimento dessa necessidade tenham desaparecido.

Pode ser que a inércia, embora seja uma estratégia racional, já que os líderes europeus decidiram repetidamente não agir de forma mais decisiva, não tenha sido suficiente para evitar uma catástrofe maior. Pode ter simplesmente adiado o inevitável. Ou, como argumentou Barysch, pode acabar sendo a concessão necessária para levar a Europa aonde deveria. Ou a resposta pode estar em algum lugar entre essas opções.

ACEITANDO A INCERTEZA

Há um forte elemento cultural que determina quão bem qualquer pessoa ou líder responde a situações inesperadas, afetando sua maneira de agir e como se adapta às novas circunstâncias. "É sobre estar ou não disposto a aceitar a incerteza", disse-me Dana Costache, uma consultora de liderança transcultural que trabalhou com empresas ocidentais na Europa Oriental e nos Estados Unidos, enquanto tomávamos um café no centro de Nova York. Costache cresceu na Romênia, que, após a queda da Cortina de Ferro, passou por 24 governos em 24 anos. "Fale sobre incerteza!", disse ela. "Viver em um ambiente caótico dá a você uma vantagem extra na maneira de pensar e resolver problemas. O partido que apresentar maior flexibilidade em um ambiente caótico se sairá melhor."

Ter certo nível de conforto diante da incerteza é uma grande vantagem em ambientes onde ocorrem mudanças frequentes. Especialmente quando o único aspecto previsível dessas mudanças é que obstáculos inesperados aparecerão regularmente. As diferenças entre culturas individualistas como Estados Unidos e Europa Ocidental, onde há menos incerteza, e culturas coletivistas como América Latina ou Europa Oriental, onde a incerteza está sempre presente, são profundas, disse ela.

Os líderes empresariais ocidentais tendem a abordar os problemas com um resultado específico em mente, e tendem a perseguir esse objetivo obstinadamente, mesmo quando está claro para outras pessoas que outros cenários possíveis são mais prováveis. O excesso de confiança em determinada estratégia pode ser prejudicial quando os eventos tomam um curso inesperado. Cega os líderes para a necessidade de mudar à medida que as condições evoluem e exigem novas estratégias. Costache acredita que essa falta de flexibilidade explica, em parte, o fato de muitos executivos americanos e europeus ocidentais terem dificuldade de trabalhar em ambientes onde há grande incerteza, como em Romênia e em outros países do Leste Europeu.

Também pode explicar por que as pessoas se atrapalham diante desses cenários. "Se você acredita que o destino está em suas mãos, é mais provável que você tenha sucesso", disse Costache. "Se eu arquitetar um plano de longo prazo e acreditar que só depende de mim fazê-lo ter sucesso, é mais provável que tenha sucesso do que um plano em que 10% dependam de mim e 90% dependam dos outros?" Se uma líder não tem confiança no ambiente circundante ou em sua própria capacidade de criar o resultado que deseja, há muito menos chance de que ela vai agir. Por outro lado, os líderes que confiam demais em sua abordagem podem seguir cegamente a estratégia errada, o que, em retrospectiva, pode tornar a inação uma opção muito mais atraente.

OS CUSTOS DA HESITAÇÃO

A infraestrutura é um exemplo de como a hesitação cria um custo de oportunidade por não investir em manutenção ou em melhorias. A saúde é outro exemplo, com doenças evitáveis custando mais de US$ 260 bilhões em perdas de produtividade a cada ano. A maioria dos cuidados médicos concentra-se na prevenção de complicações posteriores, uma vez que a doença já tenha sido diagnosticada. No surto de ebola de 2014, por exemplo, o Congresso aprovou mais de US$ 6 bilhões para conter a epidemia, quase tanto quanto todo o orçamento anual regular dos Centros de Controle e Prevenção de Doenças (CDC).

O CDC estima que, na maioria dos casos, prevenir o surto de uma doença significa desembolsar uma pequena fração do custo de tratá-la. No entanto, há um debate acalorado sobre se os cuidados preventivos em geral significam uma economia de dinheiro. A resposta a essa pergunta depende de quão ampla é a definição de "cuidados preventivos" e de quantos testes e exames caros você inclui no cálculo. Ainda assim, há um consenso de que certas ações preventivas – vacinas infantis, parar de fumar, controle de hipertensão ou colesterol, redução da obesidade e prevenção e controle do diabetes – podem economizar uma quantia significativa.

O *Trust for America's Health* estimou que investir US$ 10 em cada americano poderia render mais de US$ 18 bilhões em economias com saúde nos próximos dez a vinte anos, sem contar os ganhos na produtividade do trabalhador e na qualidade de vida. Cada dólar investido em cuidados preventivos, se computado, poderia quase dobrar o valor do investimento em dois anos. O retorno em uma década ou mais pode chegar a mais de seis vezes o investimento. Por exemplo, a organização estimou que reduzir o diabetes tipo 2 e as taxas de hipertensão em 5% poderia gerar uma economia para os Estados Unidos de mais de US$ 5 bilhões em custos de saúde. Resultados semelhantes foram verificados em outro estudo. A redução do uso do tabaco e a diminuição da obesidade por si sós poderiam reduzir os gastos nacionais com saúde em US$ 474 bilhões ao longo de uma década, de acordo com o Commonwealth Fund.

Muitas medidas simples para reduzir os custos dos cuidados de saúde acabam sendo ignoradas. Sabemos o que funciona, mas é extremamente difícil colocar essas propostas em prática. Quando Paul O'Neill, que mais tarde se tornou secretário do Tesouro dos Estados Unidos, ingressou na Alcoa, em 1987, ele imediatamente implantou um sistema para relatar em 24 horas todos os ferimentos e acidentes, suas causas e maneiras de evitar que acontecessem novamente. Nos treze anos em que esteve trabalhando na Alcoa, a taxa de dias de trabalho perdidos caiu de 1,86 para 0,23, e em 2013 foi a 0,085, resultando em grande economia de custos e enormes ganhos de produtividade. Charles Duhigg, em *O poder o hábito*, afirma que essa mudança foi responsável por quintuplicar a receita líquida da Alcoa durante o mandato de O'Neill.

Mais tarde, O'Neill adaptou a prática e testou-a no Allegheny General Hospital, em Pittsburgh, com resultados impressionantes. O hospital investiu apenas US$ 85.607 e quase eliminou três tipos caros de infecções que os pacientes adquiriam lá, melhorando os resultados financeiros do hospital em US$ 5.634.269 em dois anos. Foi um retorno surpreendente para um investimento tão pequeno. Em 2004 a Pensilvânia começou a exigir que todos os hospitais atualizassem seus procedimentos de relatórios e reduziu os erros em 27%. O'Neill estimou que infecções hospitalares e erros custem até US$ 600 bilhões a cada ano. "Uma coisa que me deixa perplexo é como é difícil fazer com que as organizações de assistência médica americana adotem práticas que comprovadamente salvam vidas e economizam dinheiro", disse ele ao *Pittsburgh Post-Gazette*. "Venho há quinze anos falando de algumas ações que criariam grandes melhorias nos resultados – e economizariam trilhões de dólares por ano."

Em 2012 O'Neill estimulou os Estados Unidos a exigir que toda a Administração de Veteranos e hospitais militares sediados naquele país adotassem uma prática simples, mas poderosa: relatar todas as infecções adquiridas em hospitais, quedas de pacientes, erros de medicação e ferimentos no cuidador nas primeiras 24 horas da ocorrência. A Administração dos Veteranos (VA), é claro, acabou tendo problemas ainda maiores: não estava relatando com precisão problemas mais amplos no sistema, muito menos em 24 horas. Uma auditoria interna descobriu que mais de 120 mil veteranos foram deixados esperando indefinidamente por atendimento. O VA é um exemplo particularmente evidente de falta de responsabilidade. No entanto, esses problemas específicos não negam a questão de por que o país tem sido tão lento em adotar as práticas que foram tão úteis na Pensilvânia.

Um estudo de caso do experimento Allegheny colocou o problema em um contexto que não é fácil de ignorar: dois milhões de infecções hospitalares custavam US$ 5 bilhões anualmente e afetavam um em cada dez pacientes. "Não há controvérsia sobre se tais condições prejudiciais não têm valor nos cuidados de saúde, e não há dúvidas de que os profissionais de saúde não têm intenção de que tal dano aconteça", escreveu o Dr. Richard Shannon no relatório. "Em vez disso, falta uma abordagem sistemática para os serviços de cuidados e de responsabilidade organizacional quando tais condições prejudiciais existem ou podem persistir uma vez reconhecidas." Seu estudo questionou por que havia tanta resistência à mudança – e começou analisando barreiras culturais subjacentes e incentivos mal colocados. "Primeiramente, acreditávamos que as infecções hospitalares eram simplesmente danos colaterais, o preço inevitável que deve ser pago por cuidados sofisticados e complexos", escreveu Shannon. "Em segundo lugar, acreditávamos que essas infecções eram benignas e poderiam ser facilmente tratadas com antibióticos, sem consequências indesejáveis. Terceiro, em uma era de relatórios públicos, resultados medianos eram a meta, e havia poucos motivos para aspirar a um alto desempenho. Em quarto e último lugar, estava o fato pouco mencionado de que as infecções hospitalares eram uma consequência comum de cuidados complexos, e seu tratamento tinha pagamento diferenciado, de modo que médicos e hospitais provavelmente recebiam mais quando o atendimento era complicado por uma infecção hospitalar."

Um incentivo perverso entrou em ação. Embora razões comportamentais e culturais ajudem a explicar por que não agimos, os sistemas de incentivos distorcidos levam grande parte da culpa. Os hospitais simplesmente não são recompensados por fazer a coisa certa. Quando seu desempenho é analisado por sua receita total, os hospitais se concentram em gerar mais receita, mesmo quando a receita não chega aos custos e eles acabam perdendo dinheiro no final. A Pensilvânia teve a sorte de ter uma liderança engajada para forçar seus hospitais a superar a estrutura distorcida de incentivos que impedia a realização de ações de melhoria. A história de sucesso do estado chama a atenção para a necessidade de contabilizar adequadamente as receitas e os custos, a fim de formar uma imagem clara de um problema sério e responder de forma adequada. Também mostra como a liderança é importante para tirar as pessoas de sua inércia e maus hábitos.

O POVO E OS POLÍTICOS

Os casos de hesitação que mais me incomodam são aqueles em que a maioria dos cidadãos apoia repetidamente as mudanças, mas as estruturas de decisão política atrapalham. No sistema político dos Estados Unidos, por exemplo, apenas os mais ativos politicamente comparecem às primárias, dando aos candidatos radicais e polarizados mais peso do que merecem.

A reforma da imigração é um excelente exemplo. Pesquisa após pesquisa mostrou que a grande maioria dos americanos apoia a reforma da imigração que formalizaria o *status* legal de milhões de pessoas que vivem e trabalham no país e, no processo, tornaria a economia mais competitiva. Uma pesquisa do Gallup realizada no verão de 2013 mostrou que 87% dos americanos são a favor de um caminho para a cidadania.

Então, por que as coisas não mudam? Muitas vezes, é preciso ter uma percepção de crise para fazer com que as coisas mudem. A crise é pessoal. Primeiro, para a maioria dos quase nove entre dez cidadãos que apoiam mudanças em um sistema que ambos os lados da questão concordam que está danificado, o *status quo* não é uma crise aguda. Para muitos dos onze milhões de pessoas sem documentos legais, a falta de cidadania representa uma crise, mas eles não são os responsáveis pela tomada de decisão. Os habitantes dos distritos eleitorais que se opõem à reforma da imigração sentem que os imigrantes desafiam uma parte fundamental de sua identidade. Até recentemente, as únicas pessoas que viam a imigração como uma crise e sentiam que tinham o poder de fazer algo a respeito eram as que se opõem ao que a maioria dos americanos disse que quer. Os benefícios da imigração são amplamente difundidos, enquanto aqueles que se sentem ameaçados pela imigração vivenciam esse medo como agudo e urgente, independentemente de os fatos justificarem essas crenças.

No entanto, mais recentemente os defensores da reforma da imigração reformularam a questão em termos do futuro do Partido Republicano, assim como Byron Wien havia previsto nas Dez Surpresas discutidas no Capítulo 2. A menos que o partido apoiasse a reforma da imigração, muitos argumentaram, ele perderia o grupo demográfico de maior crescimento do país, e, junto com ele, votos decisivos iriam desaparecer e negar ao partido as vitórias nas urnas de que precisava. Reconhecendo esse novo perigo, os republicanos moderados começaram a dar um passo à frente em apoio à legalização, sob certas condições, de imigrantes não documentados. Em 2013 um grupo bipartidário de oito senadores americanos chegou a um acordo que refletia os desejos expressos pelos americanos nas pesquisas. Embora a proposta tivesse o apoio da maioria na Câmara dos Representantes, não conseguiu superar os obstáculos processuais para uma votação.

Em democracias desequilibradas, por padrão, pequenos grupos podem subverter os desejos da maioria. As democracias também têm dificuldade de conciliar interesses conflitantes – por exemplo, quando todos reconhecem que há um problema, mas os constituintes se esforçam para não ter que pagar para resolvê-lo.

Quando me mudei para Chicago, no outono de 2014, em meio a uma campanha eleitoral para prefeito, era difícil ignorar as consequências de anos de hesitação: pagamentos de pensões atrasados, quase o dobro das dívidas da cidade ao longo de uma década e paralisia política. No início de 2015, as escolas públicas de Chicago atingiram um impasse orçamentário, a mais alta corte do estado rejeitou uma proposta para cortar os benefícios de pensão e o Serviço de Investidores da Moody's rebaixou a dívida da cidade para o *status* de *junk bonds*. "Chicago está em uma situação muito, muito ruim", declarou o governador Bruce Rauner, para grande deleite da mídia. Ele advertiu a cidade de que o resto do estado não estava disposto a sair em seu resgate. Essa era a principal questão, já que a cidade representa cerca de 70% da produção econômica do estado e, portanto, essencialmente, estaria se salvando.

Embora as luzes cintilantes de Chicago, as empresas Fortune 500 que atraíram o sucesso e a população relativamente estável estivessem muito longe das imagens de casas dilapidadas e quarteirões abandonados em Detroit, a recente falência da cidade do meio-oeste era difícil de ignorar. Os colunistas debatiam se Chicago e Detroit eram comparáveis, em uma indicação de que alguns habitantes de Chicago, ao insistir que as duas cidades não estavam no mesmo barco, nem sequer haviam ultrapassado a fase de negação. Essas pessoas ainda estavam atoladas na negação de que os problemas de gastos excessivos, corrupção e investimento insuficiente tinham muito em comum para que Chicago fosse complacente. Foi preciso chegar à falência para que Detroit fosse forçada a começar a fazer mudanças. Assim que Detroit cedeu, entregando poderes financeiros ao estado, e seus credores (incluindo os detentores de pensões, que são cruciais para o destino de Chicago) concordando em reestruturar sua dívida, o investimento e as pessoas começaram a retornar à cidade.

Chicago ainda está patinando, apesar dos esforços do prefeito Rahm Emanuel para equilibrar o orçamento por meio de uma combinação de aumentos de impostos e, até agora, esforços malsucedidos para reduzir os custos com pensões. Chicago conseguirá superar seus problemas financeiros sem cair em uma situação tão terrível quanto a de Detroit? A cidade poderá dividir os custos da faxina em suas finanças de forma justa, com cada constituinte contribuindo de acordo com sua capacidade? Poderá encontrar uma maneira de trocar a dor do curto prazo por ganhos de longo prazo? É exatamente esse tipo de perguntas que está no cerne de muitos rinocerontes cinza. São questões desafiadoras tanto nas democracias quanto em comunidades e Estados autoritários. Encontrar e implementar as soluções geralmente é uma tarefa ingrata: líderes em todo o mundo enfrentam a escolha entre patinar na hora de agir e cair sobre suas espadas.

CRÔNICA DE UMA MORTE ANUNCIADA

Como o assassinato de um jovem pelas mãos de um amante ciumento em *Crônica de uma morte anunciada*, de Gabriel Garcia Márquez, muitas crises se desenrolam em câmera lenta enquanto os observadores aguardam e não fazem nada para detê-las. No entanto, existem maneiras de superar o estágio de hesitação. Às vezes, não agimos porque achamos que temos mais tempo do que realmente temos para sair de uma situação. Cientistas do século 19 afirmam que, se você colocar um sapo em uma panela com água quente, ele pulará imediatamente, mas, se aquecer a água de forma gradual, o sapo será fervido até a morte. Embora estudos mais recentes sugiram que não é bem assim que os sapos reais se comportam, a versão original ainda funciona como uma metáfora. Assim como você não nota a rapidez com que uma criança está crescendo porque a vê todos os dias, é fácil ficar cego às mudanças conforme a situação piora gradativamente. Isso é parte do motivo pelo qual as pessoas demoram muito tempo para tomar atitudes, muitas vezes até que seja tarde demais. Frequentemente, é preciso um choque para fazê-lo entender que precisa lidar com uma crise.

Às vezes é possível alterar o cálculo do custo da inação e do benefício da ação. Uma maneira é mudar a forma como contabilizamos os custos para que famílias, organizações ou governos reconheçam que um centavo economizado é um centavo ganho. Quando se trata de consertos ou investimentos caros, como infraestrutura ou educação, é muito fácil adiar. Você já ouviu o argumento: não temos dinheiro, porque temos necessidades urgentes de curto prazo. Esse tipo de lógica cria uma espiral descendente eterna. Como vimos, os custos de não tomar a decisão de investir nos deixam constantemente vulneráveis a impactos repentinos e a uma inação permanente.

Repensar nossa capacidade de afetar positivamente o resultado de uma ameaça é uma estratégia importante para superar o estágio da inação. Quando um problema aparenta ser tão grande que o impacto de qualquer ação individual pode parecer insignificante, enquadrar a questão em tamanhos gerenciáveis e relevantes pode ajudar a dar às pessoas a confiança de que vale a pena tomar medidas para mudar as coisas. Veja a mudança climática, por exemplo. O quanto qualquer um de nós acredita que nossas ações individuais afetarão o futuro do planeta? Mas, se você enquadrar a questão de maneira diferente, em termos de algo que podemos afetar, a resposta pode ser diferente. Quando decidimos apagar uma luz antes de sair de um ambiente, inconscientemente fazemos um cálculo de que isso vale a pena, mas pode não ter nada a ver com a mudança climática. Posso não ser capaz de impedir o aquecimento global apagando a luz, mas posso reduzir minha conta de luz.

Às vezes, não agir é a única escolha que faz sentido, embora não tão frequentemente quanto os políticos gostariam que acreditássemos. Não agir só funciona se, nesse ínterim, a mudança estiver acontecendo, mesmo que lentamente. Se a Europa está de fato se inclinando para um sistema mais unificado, não agir provará ter sido a escolha certa. Mas o continente está correndo contra o relógio, e não está claro se o euro vai ultrapassar o Rinoceronte Cinza que o persegue.

Às vezes, é preciso fazer uma escolha: se houver muitos rinocerontes cinza de uma vez, talvez você tenha que deixar algum passar, ou escolher ficar completamente inerte diante de perigos menores. Em outras ocasiões, quando os perigos estão interligados, a única maneira de evitá-los é adotar uma grande estratégia de lutar em várias frentes ao mesmo tempo.

Não agir pode ser a resposta certa se fizer parte de uma estratégia de mudança gradativa, desde que acompanhada por uma visão mais ampla. (Pode-se argumentar que essa abordagem não é simplesmente uma omissão de ação, mas uma estratégia que estabelece as bases para a ação. No entanto, uma vez que tais abordagens graduais incluem um elemento significativo de tentativa e erro – tateando nosso caminho no escuro –, são primas próximas da inação.)

Definir a crise e criar senso de urgência são tão importantes quanto compreender corretamente o desejo dos funcionários, clientes ou cidadãos por essas mudanças. Se houver senso de urgência para mudança, mas falta de consenso sobre quais mudanças fazer, a inação ou o gradualismo podem ajudar a colocar uma transição em movimento. É completamente compreensível aceitar que às vezes nos atrapalhamos e não agimos porque não temos certeza do que fazer. Como vimos acima, saber a coisa certa a fazer é um começo, mas nem sempre é o suficiente para levá-lo lá. É por isso que é essencial que os líderes diagnostiquem a natureza de um Rinoceronte

Cinza para decidir o que fazer, como priorizar entre vários perigos e como fazer as mudanças necessárias para evitar um atropelamento.

Aprendizados do capítulo 4

- A inação custa caro. O velho ditado "um grama de prevenção vale um quilo de cura" se aplica aqui, seja em atrasos de investimentos em infraestrutura, cuidados de saúde preventivos, crise financeira, seja em qualquer outro perigo óbvio envolvido.
- Considere o momento. Há custos em agir cedo ou tarde demais, embora haja menos probabilidade de agirmos muito cedo do que tarde demais. Inclua o custo de oportunidade em sua análise para decidir esperar ou agir.
- Altere os incentivos. Faça com que valha a pena resolver os problemas por meio de incentivos e punições. Em uma empresa, defina indicadores-chave de desempenho para recompensar os funcionários por resolverem os problemas no início e penalizá-los se deixarem que saiam de controle. Aumente as recompensas pela prevenção de problemas, a fim de remover alguns dos obstáculos para agir a tempo em face de um provável desastre.
- Divida os custos de maneira justa. Se você sabe que terá que penalizar um grupo de pessoas por um bem maior, encontre uma maneira de aliviar a dor delas.
- Considere adequadamente custos, economias e investimentos. Mude sistemas de contabilidade de modo que os responsáveis pelas decisões políticas possam receber crédito por investimentos que geram economias ou lucros no futuro. Inclua uma linha de orçamento de "custos evitados".
- Às vezes, não agir é a única escolha que faz sentido, embora não tão frequentemente quanto os políticos gostariam que acreditássemos.

5

Fazendo o diagnóstico:

Soluções certas e erradas

Uma vez que os líderes reconhecem uma ameaça, eles têm a escolha de fazer a coisa certa, a coisa errada ou de não fazer nada. Como vimos no Capítulo 4, as cartas estão marcadas contra qualquer ação antes do momento de ataque do rinoceronte. Os sistemas de incentivo nos desencorajam a fazer o que precisamos fazer. Mas, mesmo quando ultrapassamos a negação e os estágios de hesitação, nem sempre a coisa certa a ser feita está clara diante de nossos olhos. Para passar da negação à ação, é essencial diagnosticar o tipo de Rinoceronte Cinza e a origem do problema, a fim de que você possa encontrar o caminho para uma resposta.

Em outras palavras, você precisa saber com que espécie de Rinoceronte Cinza está lidando. Existem cinco espécies de rinocerontes na natureza: pretos (*Diceros bicornis*), brancos (*Ceratotherium simum*), de Sumatra (*Dicerorhinus sumatrensis*), javanês (*Rhinoceros sondaicus*) e indiano (*Rhinoceros unicornis*). Embora sejam todos de cor cinza, cada espécie tem características distintas. O rinoceronte-negro, nativo da África, tem o lábio pontiagudo usado para pastar e é considerado mais solitário e mal-humorado do que o rinoceronte-branco. Costuma-se dizer que o rinoceronte-branco, também nativo da África, recebeu seu nome dos holandeses, ou *afrikaans*, por causa de seu lábio largo e quadrado adequado para pastagem. Estudiosos desmentiram essa explicação, mas não concordaram com teorias alternativas. O de Sumatra é o menor dos rinocerontes e tem uma pelagem rala, mas ainda assim mais do que os outros rinocerontes. O rinoceronte-indiano tem apenas um chifre e dobras de pele que parecem uma armadura; ao contrário dos primos que vivem na floresta e no mato, ele prefere áreas úmidas.

O rinoceronte-javanês, a espécie mais rara, da qual restam apenas cerca de sessenta espécimes, é menor que o rinoceronte-indiano e tem dobras cutâneas menos proeminentes.

Como seria uma taxonomia do Rinoceronte Cinza? Ela revelaria diversas subespécies com uma variedade de características distintas. Trata-se de um desafio reconhecido cujas soluções são claras, mas são postas em prática apenas parcialmente? Esse é o verdadeiro desafio ou está escondendo um problema mais profundo e enraizado? Trata-se de um problema amplamente conhecido para o qual as soluções não são claras e todas as respostas parecem ruins? É um rinoceronte novo que fez com que o anteriormente inimaginável passasse a ser considerado? Ou é um problema para o qual a única solução é desistir e no qual o maior Rinoceronte Cinza é o dano causado pelo apego ao impossível ou obsoleto?

VERDADES INCONVENIENTES

O tipo mais identificável de Rinoceronte Cinza é uma verdade inconveniente: uma ameaça que a maioria de nós reconhece, mas para a qual não existe uma solução mágica e para a qual uma resistência significativa se levanta. Essas verdades inconvenientes exigem sacrifícios de todos. Geralmente, algumas pessoas (mas não todas) já começaram a fazer algo a respeito, mas longe de ser o suficiente.

    A mudança climática é o exemplo mais óbvio. A temperatura do globo está aumentando em taxas alarmantes. Cientistas da NASA relataram que o ano de 2014 foi o mais quente desde o início dos registros, em 1880, e nove dos dez anos mais quentes ocorreram desde 2000. Os cientistas entraram em consenso de que a principal causa são as emissões humanas de carbono para a atmosfera. Embora os governos tenham concordado em manter o aumento da temperatura do planeta abaixo de dois graus, é muito improvável que consigam atingir essa meta. Se as emissões se mantiverem nessa taxa, a temperatura na Terra aumentará seis graus até o final do século, trazendo enormes consequências ao clima, ao nível do mar, na acidez do oceano e na sobrevivência de muitas espécies. Nossas opções são sombrias: reduzir drasticamente as emissões de gases de efeito estufa, proteger contra eventos climáticos extremos cada vez mais frequentes causados pelas mudanças climáticas e planejar soluções para milhões de pessoas que estão em risco de deslocamento. Algumas pessoas escolheram outra opção: a negação, como vimos no Capítulo 2. Se quisermos sobreviver, precisamos fazer mais.

    O grande desafio com as verdades inconvenientes é que muitas pessoas querem empurrar a responsabilidade para outras. Cada um pode pensar que um problema é grande demais para ter impacto significativo sobre nós. Ou podemos presumir que o problema é de responsabilidade do governo – o que pode ser, mas também é provável que o governo não tenha capacidade ou vontade política para assumir responsabilidades e agir. Uma empresa pode querer fazer algo para resolver o problema, mas pode não ter os dados ou a capacidade de apresentar o caso aos acionistas.

"Os CEOs reconhecem claramente a escala do desafio global – mas ainda não podem ver a urgência ou ter o incentivo para que seus próprios negócios façam mais e tenham um impacto maior", relataram a Accenture e o Pacto Global das Nações Unidas em 2013. Curiosamente, o principal problema que os CEOs apontaram como responsável pela falta de progresso foi que as empresas tinham dificuldade em reconhecer um vínculo entre sustentabilidade e valor comercial. Muitos viam a sustentabilidade como uma questão de caridade ou uma regulatória, e não como uma forma de melhorar seus resultados financeiros. No entanto, muitos dos entrevistados estavam mais propensos a ver seus próprios esforços como satisfatórios do que a avaliar os esforços de outros da mesma maneira.

RINOCERONTES RECORRENTES E RINOCERONTES PRONTOS PARA O ATAQUE

Às vezes, as verdades inconvenientes rapidamente tomam uma nova forma. Os rinocerontes preparando-se para o ataque são os problemas latentes que, de repente, entram em foco. Normalmente, essas crises que chegam rapidamente estão à espreita há algum tempo. Como acabam criando um senso de urgência, esses eventos costumam provocar respostas rápidas que podem não resolver o problema subjacente, até mesmo piorando as coisas. Se as raízes de suas causas forem profundas – por exemplo, as graves questões de governança por trás dos problemas no Oriente Médio –, eles podem ser problemas muito perigosos. O desemprego juvenil e a escassez de alimentos na África combinaram-se para criar os protestos que levaram à Primavera Árabe. O fracasso dos governos em promover a transição para a democracia e gerar crescimento econômico levará a mais desses rinocerontes prontos para o ataque.

Quando os problemas rapidamente passam de crônicos para agudos, eles diminuem o tempo que temos para corrigi-los, aumentando as chances de que as circunstâncias saiam de controle. Crises agudas aumentam a probabilidade de agirmos, mas também aumentam as chances de que as respostas sejam incompletas e levem a mais problemas, como é provável no Oriente Médio.

Outros rinocerontes prontos para o ataque também são rinocerontes recorrentes: os furacões, tornados e epidemias que sabemos que acontecerão, embora exatamente quando e onde sejam informações desconhecidas até o último minuto. Para muitos desses rinocerontes recorrentes – com a infeliz exceção das crises financeiras – existem sistemas em funcionamento que visam alertar as pessoas e colocá-las em segurança.

METARRINOCERONTES

Metarrinocerontes são problemas estruturais que manifestam sintomas, os quais muitas vezes acabam recebendo mais atenção do que a causa. Frequentemente, somos mais propensos a reconhecer os sintomas como os maiores desafios e tratá-los um de cada vez. A não ser que sejamos capazes de reconhecer a raiz mais profunda desses problemas, não poderemos resolver os sintomas.

Uma questão importante é a lacuna econômica de gênero, algo amplamente reconhecido como um desperdício de potencial e uma oportunidade inexplorada. No entanto, as decisões que precisam ser tomadas para eliminar a lacuna de gênero costumam ser um grande problema que está na raiz da desvalorização do potencial de metade da população mundial. A lacuna de gênero na liderança econômica e política também é responsável pelas falhas de tomada de decisão – o pensamento de grupo e os efeitos que impedem a visão da realidade discutidos nos Capítulos 1, 2 e 3 – que levam a tantos outros rinocerontes cinza.

Os líderes reconhecem o problema criado pela lacuna de gênero e têm proposto mudanças. Muitos países europeus estabeleceram cotas para conselhos corporativos, outros determinaram que as empresas informassem o número de mulheres nos conselhos e cargos de liderança, outros ainda estabeleceram cotas em seus parlamentos. Existem organizações dedicadas a acabar com a lacuna de gênero nos negócios, na política e na educação. No entanto, a resistência permanece forte, e o progresso, dolorosamente lento. A Catalyst, que rastreia mulheres em negócios, relatou um crescimento insignificante na porcentagem de mulheres em conselhos corporativos por quase uma década. O Fórum Econômico Mundial, cujo relatório Global Gender Gap é uma ferramenta poderosa para medir e rastrear o problema e pressionar por mudanças, é criticado todos os anos pela baixa porcentagem de mulheres em sua reunião anual em Davos, na Suíça. O Fórum tentou encorajar as empresas a mandarem mais mulheres, oferecendo um quinto lugar na reunião para empresas que trazem quatro delegados, mas a representação feminina continua parada em cerca de 17%.

A polarização política é outro metarrinoceronte. Como vimos no Capítulo 4, nossas estruturas políticas podem tornar impossível a solução de problemas iminentes. Os protestos em 2014 contra Michael Brown e Eric Garner foram apenas sobre a morte de dois homens nas mãos da polícia? Ou eram sobre o estado de direito e problemas socioeconômicos mais profundos que precisam ser resolvidos? Os conflitos entre os islâmicos e os ocidentais se devem apenas às questões religiosas? Os milhares de mortes no terremoto do Haiti em 2010 foram causados apenas pelo terremoto ou foram obra da falta de recursos e regulamentação para construções seguras?

O episódio de *hacking* da Sony Entertainment em dezembro de 2014 foi um exemplo de várias camadas de problemas que levaram a um caso constrangedor e caro para a empresa. Um repórter da *Forbes* obteve uma auditoria de segurança que mostrou que a Sony não estava monitorando nem 17% dos sistemas. "Raramente é uma boa ideia manter equipes de TI que deveriam proteger um único negócio trabalhando em silos. Isso abre brechas, como aconteceu na Sony", observou o repórter Thomas Fox-Brewster. Funcionários da Sony foram à mídia alegando que os procedimentos de segurança da Sony eram negligentes e que a empresa havia ignorado repetidamente os avisos dos funcionários, mesmo depois um ataque cibernético anterior. Um ataque em abril de 2011 ao Sony PlayStation custou à empresa pelo menos US$ 171 milhões. A Sony respondeu melhorando sua proteção contra vazamentos de dados e ataques DDoS. Ainda assim, como um artigo da revista *Fortune* apontou, a Sony Pictures Entertainment – uma divisão diferente da Sony – não coordenou as ações com o PlayStation de maneira a se beneficiar dos ataques e aplicar as lições aprendidas. Nesse caso, o ataque cibernético era sintoma de um problema ainda maior: os silos organizacionais. O ataque à Sony revelou também outras questões internas, criando um enorme constrangimento dentro da empresa. Mas essa é uma outra história.

Ainda assim, o FBI estimou que nove em cada dez empresas não poderiam ter evitado um ataque semelhante. Foi um comentário sobre o poder dos *hackers* ou sobre como a complacência é generalizada? Exemplos de empresas que não se protegem dos ataques cibernéticos são muito comuns. Ouvimos as histórias dos ataques a Target, Neiman Marcus e muitos outros, todos os quais envolveram alarmes ignorados.

Um grupo adotou uma abordagem extrema para garantir que uma empresa pagasse caro por não prestar atenção aos avisos. O Snapchat é um aplicativo popular para *smartphones* que permite aos usuários trocar mensagens ou imagens que, segundo ele, desaparecem dez segundos após serem abertas. Os *hackers* alertam regularmente o Snapchat – e o mundo – sobre problemas na codificação do aplicativo. Na verdade, fizeram isso pelo menos três vezes publicamente em 2013, antes de a empresa receber US$ 60 milhões em financiamento, em junho de 2013.

A Gibson Security, que se intitula uma empresa de segurança de internet formada por um grupo de "alunos pobres, sem fonte estável de renda", e que o site ZDNet chama de um grupo de *hackers* australianos, afirma ter alertado o Snapchat de suas vulnerabilidades em agosto de 2013. O descuido no código permitiu que os *hackers* acessassem os nomes, números de telefone e apelidos dos usuários, e criassem contas falsas. No final de dezembro, após o Snapchat não ter tomado nenhuma atitude, a Gibson publicou uma surpresa de Natal: informações sobre as falhas de segurança que permitiriam que os *hackers* perseguissem milhões de usuários do aplicativo. "Considerando que já se passaram cerca de quatro meses desde nossa última publicação sobre o Snapchat, decidimos fazer uma atualização na versão mais recente e ver quais das questões foram corrigidas (*spoiler*: nenhuma delas). Vendo que não houve nenhuma melhoria, decidimos que seria do interesse de todos publicarmos uma divulgação completa de tudo o que encontramos nos últimos meses sobre hackeamento."

Quando o Snapchat finalmente respondeu, não pediu desculpas nem deu uma demonstração convincente de ter resolvido o problema. "Queremos ter certeza de que os especialistas em segurança podem entrar em contato conosco quando descobrirem novas maneiras de invadir nosso serviço, para que possamos responder rapidamente e resolver essas preocupações", escreveu a empresa. "A comunidade Snapchat é um lugar onde os amigos se sentem confortáveis para se expressar e nós nos dedicamos a prevenir abusos."

ENIGMAS E NÓS GÓRDIOS

Muitos dos rinocerontes cinza que vimos até agora tiveram soluções óbvias. O tipo mais difícil de Rinoceronte Cinza – compreensivelmente, o mais difícil de lidar – é o enigma, para o qual a resposta (ou respostas) não é completamente clara. No topo da lista está a desigualdade, o tópico que tornou o historiador econômico francês Thomas Piketty um autor de *best-seller* em 2014.

O popstar coreano Psy, cujo hit musical e em vídeo "Gangnam Style" parodiava os moradores de um bairro rico de Seul com uma coreografia que parece uma criança fingindo andar a cavalo, fez uma aparição na reunião anual do Fórum Econômico Mundial de Davos, em janeiro de 2014. Surpreendentemente despretensioso pessoalmente, apesar de sua persona cômica no Gangnam Style, Psy acompanhava dignitários coreanos em torno de uma exibição elaborada de iguarias coreanas separada da sala principal por uma corda de veludo. O Belvedere Hotel, onde o evento aconteceu, supostamente serviu aos convidados dezesseis mil garrafas de espumante e três mil garrafas de vinho tinto e branco durante a semana em que a elite mundial de negócios, mídia, acadêmicos, governo e ONGs se reuniu nos Alpes suíços, no sopé da Montanha Mágica de Thomas Mann.

Um relatório da Oxfam divulgado alguns dias antes estimou que o patrimônio líquido das 85 pessoas mais ricas do mundo era de US$ 1,7 trilhão: tanto quanto o patrimônio líquido dos 3,5 bilhões mais pobres juntos. O papa Francisco enviou uma mensagem de boas-vindas aos representantes dos países chamando atenção para o problema da desigualdade e exortando os líderes empresariais a buscarem uma abordagem inclusiva em suas decisões e a colocarem suas habilidades em uso a serviço daqueles que ainda vivem em extrema pobreza. "Peço-lhes que assegurem que a humanidade seja servida pela riqueza, e não governada por ela", implorou.

Reunida por alguns dias em uma cidade alpina isolada, a elite global estava falando sobre o que a maioria das pessoas já sabia: que o salário médio de um CEO dos Estados Unidos era mais de trezentas vezes o do trabalhador médio e quase oitocentas vezes o de um trabalhador com salário mínimo. Embora seja impossível ter crescimento econômico sem alguma desigualdade, a lacuna entre ricos e pobres tornou-se tão grande que ameaçou economias em crescimento. A desigualdade entre os países estava diminuindo, graças à globalização, mas dentro dos países estava aumentado e atingindo novos patamares.

Mesmo deixando de lado as questões de justiça, os líderes empresariais e governamentais reunidos em Davos reconheceram que a desigualdade era um problema porque tornava mais difícil encontrar clientes, criava tensão social, protestos e agitação, e de certa forma ameaçava a prosperidade. A desigualdade reduz o crescimento econômico, embora os economistas discutam o tamanho dessa redução, e pode interromper picos de crescimento, fazendo com que países desiguais fiquem para trás, prejudicando tanto pobres quanto ricos.

Embora existam divergências sobre a relação exata entre desigualdade e crescimento econômico, a maioria das pessoas concorda que a desigualdade é maléfica. Mas chegar a um acordo sobre as raízes do problema é ainda mais difícil. Como podemos resolver isso? De quem é a responsabilidade sobre a desigualdade? Que políticas podem mudar isso?

Piketty propõe um imposto global sobre a riqueza. Outros autores propõem educação, salário mínimo, redução de impostos ou aumento de impostos, mais ou menos serviços governamentais, seguro para evitar crises financeiras catastróficas, mais ou menos subsídios. Como transformamos o reconhecimento do problema em metas concretas e etapas aplicáveis para enfrentá-lo? Não há nenhuma resposta fácil.

Os enigmas levados ao próximo nível de dificuldade transformam-se em nós górdios, situação em que as melhores opções são apenas as menos ruins. Pense na Síria ou na questão Israel-Palestina. Esses casos são ainda mais difíceis. É fácil ver por que os líderes hesitam diante de enigmas. É difícil ver uma saída. Mesmo quando existem algumas ações plausíveis, a recompensa provavelmente virá apenas em longo prazo, deixando os líderes de hoje presos com a culpa por fazer concessões enquanto seus sucessores receberão todo o crédito.

Em enigmas, muitas vezes acabamos tratando os sintomas – se é que tratamos de alguma coisa –, deixando as raízes do problema intactas.

DESTRUIÇÃO CRIATIVA

> Às vezes, a melhor resposta não é apenas sair do caminho de um Rinoceronte Cinza, mas transformar-se completamente ou sair de cena com elegância. Esse é o caso de empresas no caminho da destruição criativa.

A Kodak inventou a primeira câmera digital em 1975, mas engavetou a inovação para proteger seu negócio principal de filmes fotográficos até a década de 1990, finalmente enfrentando o inevitável quando o mercado de câmeras analógicas começou a declinar. A empresa desmembrou o negócio de produtos químicos em 1994 para pagar dívidas enquanto se movia decididamente para o mundo digital. Depois de adotar as câmeras digitais, liderou o mercado do final dos anos 1990 até meados dos anos 2000. Foi o maior produtor de câmeras digitais em 2005, vendendo quase US$ 6 bilhões. Mas as câmeras mais baratas da Ásia começaram a prejudicar sua participação no mercado à medida que se tornaram uma mercadoria comum, e não mais uma raridade. Por volta de 2007, a Kodak tinha deslizado para o quarto lugar, e então continuou a cair. À medida que as fotos digitais passaram a integrar telefones e *tablets*, a participação da empresa no mercado diminuiu ainda mais.

Há todo tipo de explicação para os problemas da Kodak, que basicamente se resumem ao fato de que seus executivos não reconheceram e aceitaram as mudanças com a rapidez necessária. Mas a pergunta que permanece é se mesmo esse reconhecimento teria mudado o destino da empresa.

"Para todos os efeitos, a velha Kodak teve que morrer porque havia percorrido seu curso de utilidade e significado", escreveu Erik Sherman no *Money-Watch*. Ele ressaltou que a vida média de uma empresa Fortune 500 é de apenas quarenta a cinquenta anos. A Kodak já superara essa marca havia muito tempo. George Eastman e Henry Strong fundaram a Eastman Dry Plate Company em 1881 e colocaram a câmera Kodak no mercado em 1888, marcando o nascimento da fotografia instantânea.

A Kodak pediu concordata em janeiro de 2012. A empresa migrou para a impressão digital, vendeu muitas de suas patentes e mudou-se para o negócio de imagens. Em 2014, foi novamente listada na Bolsa de Valores de Nova York sob o *ticker* KODK, com um novo CEO e uma nova visão de negócios. A descrição de sua história corporativa no site tem duas frases: "O nome Kodak é reconhecido em todo o mundo por sua longa tradição em fornecimento de inovações em imagens. A companhia está escrevendo agora o capítulo seguinte de sua história como uma empresa da tecnologia focada em imagem para negócios".

A ameaça aos negócios que sua empresa está enfrentando pode levar à obsolescência? Se esse é o caso, existe outra direção que a empresa poderia tomar que seria fiel ao seu propósito? Ou será que as forças da destruição criativa são tão implacáveis? Uma empresa que enfrenta qualquer um desses cenários deve mudar ou entrar em colapso. Alguns rinocerontes cinza são tão poderosos que é quase impossível sair do seu caminho, e, quanto mais cedo você reconhecê-los, menos oneroso será lutar contra o inevitável.

RINOCERONTES NÃO IDENTIFICADOS

Ao pensar e falar sobre rinocerontes cinza, fiquei surpresa com a frequência com que as pessoas assumem que se trata de algo parecido com eventos Cisne Negro. Um amigo mencionou o perigo de um asteroide gigante atingir a Terra. Os extintos dinossauros da era cretácea podem discordar, mas o asteroide não parecia algo muito provável, nem era o tipo de situação que alguém pudesse fazer qualquer coisa para evitar.

Outros problemas me deixaram perplexa, e eu não tinha certeza de como julgar a probabilidade deles. A inteligência artificial é outro mistério. A primeira vez que alguém sugeriu que os robôs eram uma ameaça provável e de alto impacto, eu não dei ouvidos. Mas então Stephen Hawking e Elon Musk avisaram a respeito, e reconsiderei. Quando foi um amigo alertando sobre inteligência artificial, era uma coisa. Mas Hawking e Musk sabem muito mais sobre esse assunto do que qualquer um de nós. Hawking, cujo trabalho em física teórica e a estrutura para a compreensão da teoria geral da relatividade e da mecânica quântica rivalizam em impacto apenas com sua habilidade de tornar a ciência acessível a um público mais amplo, disse à BBC que a inteligência artificial pode significar o fim da raça humana. Da mesma forma, o fundador da Tesla e investidor em tecnologia Elon Musk chamou a inteligência artificial de "nossa maior ameaça existencial" e chegou ao ponto de estipular um prazo de cinco a dez anos para o risco de algo perigoso acontecer. "As principais empresas de IA tomaram grandes medidas para garantir segurança", escreveu ele no site Edge. org. "Elas reconhecem o perigo, mas acreditam que podem moldar e controlar as superinteligências digitais e evitar que algo de ruim escape para a internet. Isso ainda está para ser visto."

O Fórum Econômico Mundial, em seu relatório de Riscos Globais de 2015, também se deparou com a questão, assumindo uma postura mais comedida. "Contrariando a percepção do público e dos roteiros de Hollywood, não parece provável que a inteligência artificial avançada de repente se torne consciente e maliciosa", concluiu o relatório.

Ainda não sei o que pensar sobre a natureza da ameaça que a inteligência artificial representa para os humanos. Enquanto estava visitando Chicago para falar em uma conferência, levantei a questão com Vivek Wadhwa, que supervisiona as pesquisas na Singularity University, sobre o avanço exponencial das tecnologias que em breve mudarão nosso mundo. Ele ergueu as sobrancelhas e, em seguida, descreveu cuidadosamente um desafio que ainda não tomou uma forma clara. "Não estamos prontos para o tamanho das mudanças que vão ocorrer", disse ele. "Estamos criando uma espécie totalmente nova sem saber o que isso significa. Não somos mentalmente capazes de acompanhar. À medida que os computadores forem ficando mais rápidos, eles vão construir novos computadores. A inteligência artificial construirá a si mesma? Eles ficarão gratos por nós os termos criado? Eles vão nos deixar em paz?"

Wadhwa imaginou um cenário de cirurgiões robóticos muito mais habilidosos do que humanos, com o sequenciamento do genoma não custando mais do que uma xícara de café, carros autônomos que são mais seguros do que os dirigidos por humanos, fazendas verticais, tutores digitais movidos por inteligência artificial, apresentações feitas via holodeck, sensores médicos que atualizam constantemente os serviços de telemedicina sendo capazes de diagnosticar os pacientes. Ele vê a tecnologia democratizando o mundo ao reduzir o custo de cuidados médicos, comunicações, energia, transporte e tantas outras coisas.

Ao mesmo tempo, Wadhwa imagina um cenário potencialmente mais sombrio conforme os robôs assumem muitas das tarefas repetitivas que agora são realizadas por humanos menos qualificados. "Minha preocupação é que estamos caminhando para um futuro sem empregos", disse ele. Os ricos ficarão mais ricos, mas que empregos sobrarão para os pobres? Wadhwa desenha possíveis cenários de robôs entrando em greve porque impressoras 3-D estão tirando empregos, ou de um novo movimento ludita com pessoas incendiando empresas de tecnologia. "A única coisa certa é que isso já está acontecendo", disse ele.

Os robôs-aspiradores já estão assumindo algumas tarefas de limpeza doméstica. A maioria das pessoas tem acesso ao dinheiro por meio de caixas eletrônicos e não precisa mais de atendimento humano no banco. Parece que a cada dia a tecnologia automatiza mais e mais as coisas que fazemos.

Para mim, ainda não está clara a dimensão da ameaça que a inteligência artificial representa para a raça humana. Mas acho que existe um Rinoceronte Cinza que precisaremos enfrentar em relação ao impacto que a tecnologia tem sobre os empregos e a sociedade. Um estudo da Universidade de Oxford publicado em 2013 estima que cerca de 47% dos empregos nos Estados Unidos podem ser perdidos para os computadores nas próximas duas décadas. A questão é o que a automação de novos empregos pode criar, como ela muda a forma como valorizamos as habilidades que são exclusivamente humanas e se estamos preparados para educar as pessoas nessas habilidades.

ENTENDENDO ERRADO

Nem sempre diagnosticamos corretamente o Rinoceronte Cinza à nossa frente. Às vezes, errar no diagnóstico acaba nos levando ao acerto. No início da década de 1980, os executivos da Coca-Cola se viram praticamente esmagados pelos pés de um Rinoceronte Cinza: a Pepsi havia reduzido a participação da Coca no mercado de refrigerantes de 60% no final da Segunda Guerra Mundial para 24% em 1983. Os mais jovens preferiam bebidas mais doces como a Pepsi. A Coca fez testes de sabor com a Coca normal, Pepsi e uma nova fórmula secreta que superou ambos os sabores tradicionais. Quase nove em cada dez participantes do teste disseram que beberiam a nova fórmula se ela se tornasse a receita da Coca-Cola. Com base na pesquisa, a empresa mudou a fórmula em abril de 1985, enfrentando uma enorme reação pública dos fiéis consumidores da marca. Em três meses, a Coca-Cola voltou a vender a fórmula original, que logo ultrapassou a New Coke e recuperou a participação de mercado da Pepsi. A empresa viu uma ameaça, pesquisou, analisou suas opções, e decidiu agir. Foi atropelada por uma crise inteiramente nova porque não conseguiu entender sua maior força, e então se recuperou por causa da atenção que atraiu. Isso mostra o quanto é difícil tomar a decisão "certa" diante de um Rinoceronte Cinza.

A Coca-Cola acertou depois de cometer um grande erro. Outras empresas erram logo depois de tomar a decisão certa. Após reagir cedo e com sabedoria, tornam-se excessivamente confiantes e acabam metendo os pés pelas mãos. A Netflix, por exemplo, percebeu logo que teria de enfrentar a mudança de DVDs para *streaming* de vídeo e agiu de forma ousada e estratégica para enfrentar o desafio. Foi, então, uma grande surpresa que a empresa tenha tropeçado tanto em 2012 quando anunciou que cobraria separadamente dos assinantes por DVDs e *streaming*. O erro custou à Netflix um terço de seus assinantes, levando os analistas a imaginar por que uma empresa aparentemente tão segura daria um passo tão errado.

RINOCERONTES DE ALTÍSSIMO RISCO

Embora as pessoas tenham grande probabilidade de ignorar os rinocerontes cinza que demandam atenção, também tendem a prestar muita atenção a problemas que não são as ameaças mais prováveis – uma tendência que interfere no manejo dos desafios reais. A estratégia para lidar com o Rinoceronte Cinza frequentemente envolve a escolha entre resultados possíveis diametralmente opostos e como lidar com cada um desses resultados. Reconhecer um rinoceronte também depende de decidir o que é realmente uma ameaça.

Os bancos centrais mundiais, por exemplo, enfrentaram um dilema ao tentar navegar entre dois rinocerontes cinza diametralmente opostos: inflação e bolhas, *versus* deflação e recessão. Se mantiverem as taxas de juros muito baixas por muito tempo, correm o risco de inflar bolhas de ativos, o que poderia criar uma crise financeira maior no futuro, quando as bolhas colapsassem (pense no início de 2000). Por outro lado, se aumentarem as taxas de juros muito cedo, muito rápido, correm o risco de sufocar a recuperação econômica e aumentar as pressões deflacionárias, que alguns economistas acreditam ser mais perigosas do que a inflação. Nesse caso, os bancos também vão aumentar os déficits orçamentários nacionais, aumentando o custo para os governos quando têm de rolar dívidas vincendas. Ambos os argumentos têm elementos convincentes e envolvem riscos elevados. Há pouco espaço para tomar decisões erradas. No entanto, discutir a política monetária como se fosse a única maneira de resolver desafios econômicos complexos torna ainda mais difícil escolher a maneira correta de enfrentar o problema. É essencial relacionar as principais questões econômicas por trás das decisões sobre taxas de juros com o que outras medidas podem fazer ou com outras formas de estourar bolhas de ativos que são mais precisas do que a ferramenta das taxas de juros. O mesmo se aplica às dívidas nacionais ou a muitos outros desafios da política econômica: as respostas são muito diferentes se você olhar para uma questão isolada de outros fatores em contexto.

Nem todo mundo que vê um Rinoceronte Cinza quer resolvê-lo; alguns só estão interessados em ganhar dinheiro com um desastre que têm certeza de que vai acontecer. Dan Alpert, fundador do banco de investimentos de Nova York Westwood Capital, sabe algumas coisas sobre dívidas de empresas e governos em dificuldades e sobre a importância de reconhecê-las, reestruturá-las e voltar a crescer. Autor de *The Age of Oversupply: Overcoming the Greatest Challenge to the Global Economy* (A era do excesso de oferta: superando o maior desafio para a economia global) e membro da Century Foundation, Alpert também despendeu considerável energia pensando e defendendo maneiras de resolver os rinocerontes nas políticas públicas, de dívidas públicas a questões de infraestrutura.

Alpert desembarcou em Tóquio na primavera de 2000 para abrir um novo escritório para a Westwood. Na manhã seguinte, o primeiro-ministro do Japão faleceu, um evento sombrio que deu o tom para a profundidade dos problemas que o país estava enfrentando. Ao longo do ano, o índice do mercado de ações Nikkei cairia 26%. "Esse foi o momento em que o Japão bateu de cara na parede", lembrou ele em seus escritórios iluminados na Quinta Avenida. Depois que a economia entrou em colapso oito anos antes, nenhuma das ações do governo parecia funcionar. Nem a política monetária frouxa nem os projetos de infraestrutura conseguiram dar um pontapé inicial no crescimento. O governo tentou reativar a economia de exportação, antes em expansão, mas falhou porque o Japão não era mais competitivo em muitas das áreas em que havia sido pioneiro. Decidiu assumir o controle de seis bancos em dificuldades, uma política que expandiu a dívida nacional, que hoje é uma das mais altas do mundo, com aproximadamente o dobro do tamanho da economia japonesa.

As dívidas crescentes do Japão catalisaram transações de altíssimo risco: a aposta de que a dívida nacional do Japão afundaria os mercados de títulos do país. Para os investidores que venderam seus títulos a descoberto – isto é, vendendo títulos emprestados na esperança de que os preços caíssem antes que tivessem que pagar pelo que foi emprestado –, o Japão era um desastre esperando para acontecer. Infelizmente, o colapso dos mercados de títulos do governo tão esperado por esses investidores nunca aconteceu, custando-lhes fortunas. Alguns observadores ainda acreditam que o diagnóstico estava certo, mas o momento estava errado. Alpert discorda: ele acredita que as pessoas perderam muito dinheiro porque o diagnóstico estava totalmente errado. Ele ressaltou que, ao contrário de muitos outros países altamente endividados, o Japão tem a vantagem de que a vasta maioria de seus credores são seus próprios cidadãos – em outras palavras, as partes interessadas no sucesso econômico do país. "Se você pegar todas as economias domésticas e corporativas do Japão e compensar com dívidas bancárias, você ganha um *donut*", disse ele. "O país não é um caso perdido. O Japão não está em uma crise de crédito. Só tem livros contábeis com aparência engraçada."

UMA RACHADURA NA PAREDE

Às vezes fica absurdamente claro o que precisamos fazer para sair do caminho de um Rinoceronte Cinza. Não enviar trabalhadores para um prédio perigoso é uma dessas situações. O colapso de um prédio de Bangladesh em 24 de abril de 2013, ferindo 1.800 operários e matando (pela contagem oficial) 1.132 pessoas, foi um dos piores desastres industriais de todos os tempos. No entanto, não foi uma surpresa: quatro outras fábricas e um banco no mesmo prédio haviam fechado no dia anterior quando rachaduras gigantes apareceram nas paredes do sétimo andar. A polícia industrial pediu ao Rana Plaza que mantivesse o prédio fechado até que pudesse ser estabilizado. No início, os patrões disseram aos trabalhadores para ficarem fora do prédio, mas depois, quando o proprietário da edificação insistiu que as rachaduras "não eram nada graves", ordenaram que se apresentassem para o trabalho. Muitos trabalhadores temiam perder os empregos mais do que perder as vidas, e pagaram o preço final por se persuadirem a ignorar um perigo claro e presente.

Funcionários do governo fecham há anos os olhos para construções ilegais, em um sistema que oferece poucos incentivos para o cumprimento da lei. Descobriu-se que o prédio original de seis andares fora erguido sem licença e que foram construídos dois andares adicionais, também ilegais, além de um nono andar que estava sendo construído na época do desabamento. As fábricas de roupas no prédio produziam vestimentas para grandes empresas americanas e europeias, muitas das quais negaram ter autorizado a produção ali. Dezenove empresas reconheceram ter relacionamento com uma fábrica no Rana Plaza. Meia dúzia de outras empresas se recusou a admitir que permitia a produção no prédio. Duas se recusaram a comentar se as fábricas produziam suas roupas, embora suas etiquetas tenham sido encontradas nos escombros. Não havia nenhum sistema para responsabilizar os proprietários de fábricas ou seus clientes.

De 2005 a 2013, mais de 1.800 trabalhadores morreram em tragédias evitáveis em Bangladesh: o colapso da confecção Spectrum, em 2005, após o aparecimento de rachaduras no prédio, matou 64 trabalhadores; um incêndio em 2010 em uma fábrica que fornecia a Gap, JC Penney e Target matou 29 trabalhadores; um incêndio em 2012 na Tazreen Fashions, fornecedora do Walmart e da Sears, matou 112 pessoas; e, por fim, o colapso do Rana Plaza. "Evitamos usar a palavra 'acidentes' porque reconhecemos que essas tragédias poderiam ter sido evitadas com medidas adequadas de prevenção de incêndios e segurança em edifícios e com respeito ao direito dos trabalhadores de recusar trabalhos perigosos", escreveram os autores de um relatório da Clean Clothes Campaign, fazendo um balanço seis meses após o colapso do Rana Plaza.

Ficou claro que a negligência era o princípio operacional por trás de uma indústria que empregava mais de quatro milhões de operários, sete em cada dez deles mulheres, somente em Bangladesh.

Não é como se não houvesse leis em Bangladesh. O Tuba Group, proprietário da fábrica da Tazreen, declarou, em um perfil da empresa, que está "mantendo as orientações de segurança, saúde e higiene de acordo com as regras e regulamentos trabalhistas da OIT e de Bangladesh".

O Walmart supostamente realizou uma auditoria na Tazreen em maio de 2011, atribuindo-lhe uma classificação laranja, denunciando violações e exigindo que a fábrica elaborasse um plano para corrigir os problemas (não está claro se a fábrica fez isso). A empresa havia sido aprovada pelo Conselho Responsável pela Certificação da Produção de Vestuário Mundial.

Nada se compara às consequências que se abateram sobre os trabalhadores que perderam a vida nessa tragédia. Mas as empresas que fizeram negócios com o Tuba Group, seja diretamente, seja por meio de empreiteiras, não escaparam ilesas.

Quatorze grandes empresas internacionais – da Europa, dos Estados Unidos e de Hong Kong – sofreram sérios danos à reputação. Algumas alegaram que os empreiteiros haviam subcontratado a Tazreen sem sua autorização, portanto, não eram responsáveis.

A Clean Clothes Campaign estimou um custo de US$ 71 milhões para fornecer compensação total às famílias e aos sobreviventes do Rana Plaza e US$ 5,7 milhões no caso da Tazreen. É difícil calcular os danos à marca para as empresas envolvidas, por mais que muitas delas tenham tentado negar a responsabilidade.

Oito das marcas envolvidas se reuniram em Genebra com a Organização Internacional do Trabalho e concordaram em criar um fundo para indenizar os sobreviventes e as famílias que perderam parentes. Outras empresas recusaram-se a assumir qualquer responsabilidade.

Semanas após o episódio no Rana Plaza, 35 empresas assinaram o novo Acordo sobre Incêndio e Segurança em Prédios em Bangladesh. Até o final de 2013, mais de cem empresas haviam se inscrito. No mesmo período, outros dezesseis trabalhadores do setor de confecções morreram em incêndios em prédios.

MUDANDO O DIAGNÓSTICO

Uma empresa está tentando prevenir que aconteçam futuros Rana Plazas mudando o diagnóstico: transformar um problema em solução. O Tau Investment Management é um fundo criado com base na premissa de que será mais difícil para as empresas decidir não abordar ameaças óbvias. As empresas podem ver isso como uma ameaça ou reconhecer que aquelas menos vulneráveis aos futuros Rana Plazas terão uma vantagem distinta em um mundo onde está se tornando cada vez mais difícil esconder abusos aos trabalhadores, produtos de má qualidade e outras manchas de reputação. O plano de Tau é trazer uma gestão de estilo ocidental para a indústria de vestuário global, tornando as fábricas mais produtivas e lucrativas, atualizando as condições de trabalho e equipamentos e conectando-as com compradores que não querem correr o risco de ter de lidar com as consequências de outro desastre evitável.

"No momento, temos um sistema falho baseado na falta de transparência", disse-me o CEO da Tau, Oliver Niedermaier. No entanto, a velocidade e o alcance das redes sociais estão mudando isso rapidamente. Para as empresas, está cada vez mais difícil ocultar comportamentos inescrupulosos e se safar sem consequências significativas.

Cada vez mais empresas veem o aumento da transparência como uma oportunidade de trabalharem bem fazendo a coisa certa. "Quanto mais transparência você consegue em um nível superficial, mais conecta o consumidor com o trabalhador em Bangladesh, com o investidor e os acionistas detentores de 401K", disse Niedermaier. "As melhores corporações estão se preparando para esse nível de transparência."

Os tipos de corporações a que Niedermaier se refere são aquelas que reconheceram não apenas a tragédia do Rana Plaza, mas também o que aconteceu com a Nike, Kathie Lee e Disney no Haiti e em outros lugares: três marcas estabelecidas que sofreram fortes golpes de campanhas contra fábricas clandestinas e as péssimas condições de trabalho onde os trabalhadores produziram suas mercadorias. Essas empresas reconhecem que condições de trabalho insalubres representam um Rinoceronte Cinza muito maior do que o custo econômico de um desabamento de edifício.

"As coisas vão mudar com o aumento do número de consumidores chineses e indianos e a sofisticação cada vez maior de todos os consumidores", disse Ben Skinner, diretor de pesquisa de Tau, cujo trabalho como jornalista investigativo revelou abusos dos direitos humanos em cadeias de abastecimento em todo o mundo. (Conheci Niedermaier e Skinner porque eles são parceiros no grupo de Jovens Líderes Globais.)

"Os governos estão cada vez mais reconhecendo que as pessoas estão cansadas de ter que beber água engarrafada porque os rios estão poluídos", disse Skinner, observando que as empresas não podem mais operar no escuro. "É provável que, quando as cortinas se abrirem, eu, como uma grande empresa de consumo, terei algo que danifica a imagem da minha marca e do qual terei de me livrar depois desse fato. Para a maioria das empresas, esse é um evento de alta probabilidade."

Skinner cita o exemplo da Nova Zelândia, que por três décadas soube que suas indústrias pesqueiras estavam repletas de trabalho escravo. Os líderes da indústria tentaram minimizar a situação. Em seguida, tentaram alegar que não poderiam acabar com esse tipo de trabalho sem perder competitividade. Quando a história veio à tona, uma empresa que vinha ignorando o problema faliu. O valor de mercado de outra empresa foi reduzido em milhões, levando ao afastamento de seu CEO. O parlamento da Nova Zelândia proibiu os tipos de embarcações que permitiam a escravidão. "Os CEOs que anteviram o que vinha pela frente aproveitaram a oportunidade – e os novos contratos", disse Skinner. "Essas outras embarcações pensaram ter ouvido o Rinoceronte Cinza chinês inundando-as com uma mão de obra muito mais barata. O que eles não entenderam é que você não pode baratear o peixe da Nova Zelândia na tentativa de se manter competitivo com o peixe capturado por navios chineses sem que perca milhões de dólares fazendo isso."

Uma história semelhante de uma empresa do setor de vestuário que viu uma ameaça e a transformou em uma oportunidade é a MAS Holdings, uma das maiores empresas da Bolsa de Valores de Colombo. Fundada na década de 1980, a empresa do Sri Lanka construiu um negócio estável em torno da fabricação de vestidos de tecido sintético para várias empresas nos Estados Unidos, que na época dava tratamento favorável a alguns países por meio do Acordo Multifibras. Essas cotas foram definidas para expirar em 2005, o que forçaria a MAS e outras empresas do Sri Lanka, com salários por hora de 35 centavos, a competir com a China (25 centavos) e Bangladesh (16 centavos), com seus salários muito mais baixos. Aqui estava uma ameaça real, com 100% de probabilidade, que tinha o potencial de destruir a MAS Holdings. A empresa respondeu mudando suas fábricas para o campo a fim de reduzir custos e investindo no marketing com grandes empresas internacionais com base no fato de que tinha condições de trabalho muito acima das típicas dos países em desenvolvimento: cuidados de saúde e creches no local, limites de horas extras, um ambiente de trabalho seguro, interações respeitosas entre gerentes e funcionários, transporte gratuito, educação, respeito às mulheres e outras práticas de negócio socialmente responsáveis. Isso ajudou a fechar contratos com gigantes de consumo como Victoria's Secret e Marks & Spencer. Embora os custos de mão de obra não fossem tão baratos quanto os da China, a MAS conquistou clientes de alto nível ao mostrar que você recebe pelo que paga.

Empresas como MAS e Tau operam sob os mesmos princípios do lendário fabricante de automóveis Henry Ford: "Existe uma regra para o industrial, e é esta: faça os produtos da melhor qualidade possível com o menor custo possível, pagando os melhores salários possíveis". Eles entendem que os custos são não apenas as despesas do dia a dia, mas também os custos e perdas potenciais muito maiores que vêm de escolhas sábias ou estúpidas.

IGNORE OU INVISTA

Os produtores de cortiça portugueses representam outra indústria que optou por seguir adiante frente a um perigo claro e presente: a concorrência dos vedantes sintéticos de garrafa. Como tem sido a realidade de tantas empresas, foi necessária uma crise para tirar os produtores de cortiça da zona de conforto. Ao longo dos anos 1990, a cortiça detinha cerca de 95% da quota de mercado das rolhas de garrafas: mais de dezessete bilhões de garrafas em todo o mundo. Durante séculos, foi a única vedação aceitável para o vinho, embora nem sempre fosse perfeita. Os enófilos havia muito se preocupavam com o "odor da cortiça", causado por um fungo que pode fazer o vinho cheirar como um cachorro molhado, mesmo em níveis mínimos. Os apreciadores de vinho reclamam há muito tempo de encontrar manchas de rolha em muitas garrafas, mas a indústria da cortiça sempre se fez de surda. O monopólio das rolhas de garrafas dava-lhe uma falsa sensação de invencibilidade.

Tentativas anteriores de criar formas alternativas de vedar as garrafas falharam, e, ao invés de reconhecer as rápidas mudanças nas tecnologias como uma ameaça real, a indústria permaneceu impassível. Além disso, os produtores de cortiça dependiam de importadores e distribuidores para colocar seus produtos no mercado, portanto, não tinham uma boa noção do que seus clientes queriam. Adicionalmente, como novos produtores de vinho estavam surgindo na Austrália, Nova Zelândia, África do Sul, e América do Sul, o mercado total estava em expansão, aumentando a demanda por rolhas de cortiça. Paradoxalmente, essa perspectiva otimista prejudicou a indústria ao tornar mais difícil para produtores profundamente tradicionais enfrentar a necessidade de mudança.

Porém, na década de 1980, cientistas identificaram a causa do odor na cortiça: o produto químico 2, 4, 6-Tricloroanisol, mais conhecido como TCA. Essa descoberta redirecionou a atenção para o problema. O momento não poderia ter sido pior para a indústria da cortiça, cujo longo abandono do problema havia levado o mercado a procurar uma alternativa viável. Plástico sólido nunca tinha funcionado como substituto porque era muito difícil de colocar e retirar e estava sujeito a vazamentos de ar. Mas, com o aprimoramento da tecnologia, isso mudou. Em 1993 uma empresa do estado de Washington conseguiu produzir a primeira cortiça sintética moldada por injeção, boa o suficiente para substituir a verdadeira. As rolhas de plástico começaram a chegar ao mercado logo depois, e outros produtores entraram em ação. Então, em 2004, as tampas de rosca começaram ganhar o mercado. Esses novos concorrentes utilizaram o problema do TCA para tomar uma agressiva fatia de mercado da cortiça. Os supermercados, que haviam se tornado cada vez mais importantes como vendedores de vinho, optaram pelas alternativas mais baratas. O domínio da cortiça no mercado de vedantes para garrafas sofreu sério declínio, caindo para menos de 70%.

Nas décadas de 1990 e 2000, o setor finalmente reconheceu a ameaça da nova competição. Os produtores de cortiça enfrentaram uma escolha difícil: ignorar o desafio ou investir. Eles haviam escolhido a primeira opção durante séculos; era hora de abraçar a última.

A Corticeira Amorim é o maior produtor mundial de cortiça. Fundada em 1870, a Amorim está sediada em Santa Maria de Lamas, em Portugal, país que controla mais de 50% do mercado mundial de cortiça. Portugal conta com mais de US$ 1 bilhão em exportações anuais de cortiça para gerar sessenta mil empregos, os mais bem pagos no setor agrícola, porque exigem habilidades para colher a cortiça manualmente sem matar a árvore.

Na qualidade de presidente da Associação Portuguesa da Cortiça, o presidente e CEO da Amorim, António Rios de Amorim, ficou conhecido por ter desempenhado um papel importante em pressionar a indústria para fazer frente às ameaças que durante tanto tempo ela ignorou. "Tivemos muitos debates internos: ou ficamos com a cortiça ou seguimos a nova tendência, tornando-nos especialistas em tampas, e não especialistas em cortiça", disse-me Amorim.

Para enfrentar o desafio dos fechos de garrafa sintéticos, os produtores de cortiça tinham de se certificar de que tinham diagnosticado os problemas de forma adequada. Já não negavam a necessidade de resolver o problema do odor da rolha nem que os concorrentes de baixo custo pudessem ser ameaças reais. Amorim percebeu também que uma questão fundamental era que a indústria de cortiça nunca havia se aproximado dos consumidores finais do seu produto e por isso não compreendia seus desejos, nem sua própria proposta de valor, bem como o que precisava ser feito para reconquistar esse mercado. Era preciso se sair melhor do que os supermercados para moldar as preferências de seus clientes.

Primeiro, os líderes da indústria tiveram que lidar com o medo do TCA e convencer os engarrafadores de que suas rolhas eram seguras. Em meados da década de 1990, após o surgimento das primeiras rolhas sintéticas, a Amorim investiu na reformulação total das suas fábricas, do tamanho de onze campos de futebol, no sul de Portugal, para novos padrões que a ajudaram a vencer a luta contra o odor de cortiça. Como as fábricas não são construídas da noite para o dia, a resposta demorou. Amorim inaugurou a primeira fábrica em 2000, e a segunda em 2001.

Os líderes de indústria portuguesa de cortiça trabalharam juntos para criar um código de boas práticas de fabricação, exigindo que cada produtor fosse aprovado antes de seguir com a produção. Eles trouxeram pesquisadores e parceiros, incluindo empresas de vinho, para entender como poderiam melhorar a qualidade de seu produto. E empregaram esse conhecimento para desenvolver novos produtos de cortiça, fosse para competir melhor com vedações alternativas, fosse para encontrar novos usos para ao material. A transição foi dolorosa para muitos produtores de cortiça. O número de membros da Associação Portuguesa da Cortiça caiu para 267, cerca de apenas um terço do que era. A crise, portanto, inaugurou uma era de destruição criativa, gerando baixas entre as empresas que não iriam ou não poderiam abandonar as práticas antigas.

Uma vez que os líderes da indústria da cortiça estavam confiantes de que haviam derrotado o TCA, era hora de passar a mensagem sobre se pretendiam reconquistar a participação no mercado dos fabricantes de rolhas sintéticas. Dada a importância da indústria para o país, o governo português concordou em ajudar a financiar uma campanha de marketing de 21 milhões de euros em 2011 com o objetivo de informar a importância da cortiça para a criação de valor e sustentabilidade. Amorim e outros produtores europeus de cortiça trabalharam para resolver a questão dos custos com um argumento simples: o vinho em garrafas de vidro com rolhas de cortiça poderia cobrar um preço muito mais elevado do que com rolhas sintéticas. Talvez uma tampa de plástico ou de rosca fosse mais barata, mas, se uma rolha permitia que uma vinícola vendesse a garrafa por um preço mais alto, valeria a pena.

Eles acrescentaram a ideia de que a cortiça é um produto sustentável, proveniente das árvores. Não era boa apenas para o vinho e para o meio ambiente, mas também para os resultados financeiros das companhias. Amorim encomendou à PricewaterhouseCoopers um estudo das emissões totais de gases de efeito estufa liberados pela produção de cortiça em comparação com outros tipos de rolhas. A empresa de consultoria concluiu que os concorrentes sintéticos emitiam entre dez e 24 vezes mais gases de efeito estufa do que a cortiça e consumiam cinco vezes mais energia na produção. Esse estudo tornou-se parte de sua nova mensagem: "Rolhas artificiais de plástico ou cápsulas de rosca consomem combustíveis fósseis e usam pelo menos cinco vezes mais energia por tonelada para serem produzidas antes que milhões delas acabem em nosso solo e oceanos. Pode parecer uma coisa pequena, mas exigir cortiça natural na sua rolha de vinho é algo que todos nós podemos fazer".

Por fim, os produtores de cortiça argumentaram que, para um barril de US$ 700 a US$ 1.000, parte do valor era o sabor do carvalho, mas que a cortiça melhorava o sabor do vinho mesmo com um mínimo contato com a rolha de uma maneira que a vedação sintética não poderia fazer. A publicidade dirigida aos produtores de vinho da Califórnia proclamava: "Qualquer vinho que valha as suas uvas merece cortiça natural".

Amorim credita aos vinicultores e especialmente aos fabricantes de champanhe a confiança contínua na cortiça, ajudando assim os fabricantes de cortiça a compreender o seu real valor para os enófilos e para os apreciadores ocasionais. "Se pudéssemos fazer uma enquete ao redor do mundo e perguntar o que as pessoas consideram os cinco sons mais felizes da humanidade, aposto que abrir uma garrafa seria um deles", diz Carlos de Jesus, diretor de comunicação da Corticeira Amorim. "Se você vai trocar a tradição da rolha de cortiça por um som metálico, é melhor que saiba o que está fazendo."

A primeira campanha de marketing, de 2011 a 2013, ajudou a estabilizar a quota de mercado da cortiça e foi renovada duas vezes. A participação da cortiça no mercado global de vedações para vinhos engarrafados se mantém estável em cerca de 70%. Grandes vinícolas, incluindo Michel Laroche e Lurton, na França, assim como vários produtores da Califórnia, anunciaram que estão retornando à cortiça. Nos Estados Unidos, país que adotou os sintéticos de forma mais ampla do que outros, a participação da cortiça nas tampas de garrafas para vinhos *premium* aumentou para 59% em 2015, um aumento de 9% em apenas cinco anos.

Perguntei a Amorim se a experiência de quase morte da indústria da cortiça transformou a maneira como ele e a empresa respondiam a possíveis ameaças futuras. Ele disse que o maior impacto foi manter a empresa em alerta permanente. "Nós não ganhamos guerra alguma. Continuamos vencendo batalhas, mas a guerra sempre existirá", disse Amorim. "Conseguimos implementar uma dinâmica que nos permitirá não cair nessa armadilha novamente."

DISRUPÇÕES DE MERCADO

A estrada está repleta de empresas e setores que não conseguiram responder aos movimentos disruptivos do mercado. Dada a velocidade da mudança tecnológica, há muito mais de onde isso veio.

A indústria da mídia oferece um exemplo ainda em desenvolvimento da ameaça e da oportunidade representada pelo mundo, e do duplo desafio de fazer a ação certa na hora certa. Aja cedo demais e desperdice seu investimento; aja tarde demais e torne-se parte do passado. AOL e

AltaVista são exemplos de pioneiros que foram ultrapassados por concorrentes mais ágeis. O *Wall Street Journal* investiu cedo nas plataformas digitais, mas negligenciou o conteúdo, que era o cerne de seu sucesso, até que seus proprietários o venderam para a News Corp.

Os problemas do Yahoo são bem conhecidos. Depois de uma série de trocas de CEOs – quatro de 2007 a 2012, com o mais recente sendo Scott Thompson, que foi despedido por mentir sobre seu currículo –, o Yahoo contratou Marissa Mayer, que trabalhava no Google. Mayer era amplamente respeitada como uma líder estratégica e dinâmica. "Muitos se perguntavam como o Yahoo, uma empresa que tantos haviam considerado praticamente falida, conseguira contratar uma executiva tão bem-vista do rival Google", observou o *New York Times* na época.

A estratégia de Mayer era tornar as ofertas móveis do Yahoo as melhores da categoria, melhorando o mecanismo de busca e adquirindo empresas que pudessem ser o próximo grande sucesso. Mas a estratégia não produziu mudanças tão significativas ou tão rápidas quanto os investidores queriam. Os acionistas estavam pedindo que o Yahoo se desfizesse de seu maior ativo, uma participação no Alibaba, e se fundisse com a AOL, outro antigo gigante da internet que se tornou uma sombra do que era.

Uma leitura devastadora foi feita pela *The New York Times Magazine* em janeiro de 2015: "O Yahoo se tornou um colosso ao resolver um problema que não existe mais. E embora os produtos do Yahoo tenham melhorado inegavelmente e sua cultura tenha se tornado mais inovadora, é improvável que Mayer possa reverter algo que é inevitável, a menos que crie o próximo iPod. Afinal, todas as empresas inovadoras vão eventualmente estagnar e, em seguida, declinar". No mesmo mês, o Yahoo anunciou que iria se desfazer de sua participação no Alibaba.

Pensando em retrospectiva, talvez tivesse sido prudente separar o Yahoo antes. Mas os rinocerontes cinza têm mais a ver com previsões do que com retrospectivas: vê-los é uma questão de reconhecer rapidamente que a mudança é necessária e decidir que tipo de mudança é necessário. No caso de Yahoo, nunca houve uma solução mágica. No entanto, a mudança estava chegando.

Em março de 2015, a *Fast Company* publicou uma matéria sobre Mayer intitulada "Não conte com a quebra do Yahoo: como a CEO Marissa Mayer vai desafiar seus críticos". O artigo argumentava que Mayer havia feito mudanças significativas na cultura da empresa e na forma como abordava seus negócios. "Pela primeira vez em anos, o Yahoo está posicionado para algum tipo de sucesso futuro, seja moderado ou audaz", escreveu Harry McCracken. O truque do Yahoo tem sido definir o sucesso, que pode acabar sendo uma versão muito menor de si mesmo. Ou pode ser algo maior – mas diferente.

Muitas empresas enfrentaram o mesmo dilema: Polaroid, BlackBerry, Barnes & Noble, cujas histórias ainda estão se desenrolando. Mas também há exemplos de empresas que tropeçaram e depois se reinventaram, recolhendo os cacos depois de serem pisoteadas: IBM, Apple, Ford, GM e Chrysler.

Qual é a diferença entre as empresas que enfrentam um rinoceronte com sucesso, as que são pisoteadas e caem e aquelas que são pisoteadas, mas se levantam novamente? É a rapidez em reconhecer, priorizar e agir sobre a ameaça, a capacidade de olhar para a frente e a convicção de se distinguir dos outros. Essas habilidades remetem à necessidade de evitar o pensamento de grupo. As organizações que sobrevivem são aquelas que estão dispostas a ouvir vozes que não são as mesmas de sempre dizendo o que todos esperam ouvir.

Temos muito a aprender tanto com empresas que foram bem-sucedidas nesse enfrentamento quanto com aquelas que não conseguiram gerenciar uma ameaça óbvia. É preciso observar como cada uma tomou decisões que moldaram seu futuro.

TAXONOMIA DO RINOCERONTE CINZA

Os rinocerontes cinza, como os verdadeiros rinocerontes, existem em muitas espécies. Verdades inconvenientes, rinocerontes recorrentes e prontos para atacar, metarrinocerontes, enigmas, nós górdios, destruição criativa, rinocerontes não identificados – todos atuam de suas próprias maneiras e exigem estratégias distintas.

Isso nem inclui aqueles que diagnosticamos erroneamente. As estratégias descritas nos capítulos 2 e 3 podem nos ajudar a fazer o diagnóstico correto, nos impelindo seja a considerar com mais atenção os perigos que preconceitos cognitivos e estruturas homogêneas de tomada de decisão nos obrigam a ignorar, seja a rejeitar cenários ilusórios que apenas nos atraem como miragens.

Os rinocerontes-dominó catalisam ou aumentam o impacto de outros rinocerontes relacionados. As hipotecas *subprime*, juntamente com a má gestão de risco nos bancos, combinada com uma crise de liquidez, tornaram-se a colisão de rinocerontes que causou o colapso econômico global de 2007–08. A escassez de água e alimentos combinada com desemprego, omissão dos governos em reconhecer as vozes de suas populações e a corrupção, uniu-se para criar a bagunça que é o Oriente Médio hoje, um Rinoceronte Cinza misturado com feras distintas (um rinoceronte-quimera, talvez). Esses rinocerontes-dominó e quimera devem estar no topo de nossa lista de prioridades, e precisamos desenvolver estratégias para enfrentá-los em conjunto. A vantagem desses desafios complexos é que o conjunto de partes interessadas é mais amplo, potencialmente construindo um grupo maior para impulsionar as reformas políticas necessárias – por exemplo, advogar por melhores cuidados de saúde e ações sobre mudanças climáticas.

Da mesma forma, os metarrinocerontes, particularmente envolvendo governança e tomada de decisão, devem estar no topo da lista de prioridades. Alguns outros desafios podem nunca ser resolvidos se não melhorarmos a maneira como analisamos e escolhemos quais problemas resolver.

Enigmas e nós górdios são os rinocerontes cinza mais difíceis de enfrentar, como vimos na Síria, com o conflito Israel-Palestina, ou com a desigualdade social. Podemos moldar nossas respostas de várias maneiras diferentes. Com questões complicadas como desigualdade, dividir o problema em objetivos específicos e alcançáveis é importante: estado de direito, política tributária, educação, política de habitação, são todos elementos do desafio. Use a preocupação generalizada com a desigualdade para chamar a atenção para como uma estratégia específica pode resolver o problema maior. Em situações de conflito, muitas vezes a mudança é quase impossível de se realizar até que haja um evento precipitante, ou seja, um rinoceronte pronto para o ataque. No caso do nó górdio, priorizar ameaças também pode ajudar a estruturar as respostas. Na Síria, por exemplo, os formuladores de políticas ficaram entre a cruz e a espada pressionados pelo regime de Assad e o Estado Islâmico, com interesses geopolíticos conflitantes de outras nações complicando o cenário. Enquanto escrevo, parece que os formuladores de políticas decidiram que os radicais do Estado Islâmico são a maior das duas ameaças, uma mudança de prioridade que pode alterar o curso dos eventos, mesmo quando um aumento repentino de refugiados cria um senso de urgência.

Bem-vindo à urgência que acompanha um rinoceronte atacando. Sempre que possível, use o ímpeto de resposta para chamar atenção para quaisquer outros rinocerontes relacionados. Além disso, no caso de rinocerontes prontos para o ataque que sejam semelhantes a ameaças que aconteceram antes e das quais nos recuperamos, é possível desenvolver sistemas e exercícios para criar ferramentas disponíveis e hábitos que permitirão uma resposta mais eficiente. Temos muito a aprender com rinocerontes recorrentes, que poderiam ser os mais fáceis de lidar se não fosse pela tendência à acomodação que surge quando as pessoas escapam ilesas de uma ocorrência. No entanto, os sistemas criados para conter a propagação do vírus da gripe anual, ou para alertar sobre a aproximação de tornados e furacões, podem ser aplicados a uma ampla gama de ameaças na política econômica ou nas organizações.

A melhor maneira de lidar com verdades inconvenientes é reformulá-las como oportunidades. (Aprenderemos mais sobre como empresas fizeram isso no Capítulo 7.) Também é importante analisar quais acionistas se sentem mais ameaçados pelas mudanças trazidas por esses desafios e encontrar maneiras de criar benefícios para aliviar a dor.

Quase todo Rinoceronte Cinza também é uma oportunidade para aqueles que têm visão para antever a solução para um problema. Precisamos reconhecê-los e tratá-los como tais, não apenas para sair do caminho, mas também para nos beneficiar deles. Mesmo a destruição criativa, talvez o Rinoceronte Cinza mais difícil de se reconhecer, é uma chance de construir algo novo e melhor.

Aprendizados do capítulo 5

- Dimensione seu rinoceronte. Diferentes tipos de ameaças exigem estratégias distintas.
- Defina a crise. Um rinoceronte se aproximando pode ser uma ameaça para um grupo, mas não para outro. Se as pessoas com poder de ação não estão agindo, reformule a ameaça em termos que façam mais sentido para elas. Reformule ameaças como oportunidades.
- A informação cria um poderoso incentivo para a mudança. Use a transparência para enquadrar problemas e aumentar o custo de ser um retardatário.

- Não descanse sobre os louros. Algumas das empresas que resolveram um problema se tornam acomodadas e, portanto, vulneráveis a uma ameaça posterior.
- Você nem sempre receberá a resposta certa no início. Cada erro é um passo em direção à resposta certa. Às vezes, o que parece um passo em falso é, na verdade, um caminho para a solução.

6

Pânico:

A hora da decisão diante de um rinoceronte pronto para atacar

Como estudante de francês na faculdade, li a peça surrealista de Eugène Ionesco *Rhinoceros*, inspirada pelos esforços do autor para entender o fascismo que antecedeu à Segunda Guerra Mundial. Quando reli a peça recentemente, achei estranho como ela se aproximava da teoria do Rinoceronte Cinza: negação reforçada pelo pensamento de grupo, confusão e hesitação sobre o que fazer ou não fazer e pânico quando os habitantes da cidade começaram a se transformar em rinocerontes.

A peça começa com os residentes de uma pequena cidade de província francesa reunidos em um café ao ar livre na praça da cidade, onde notam um casal de rinocerontes correndo pelas ruas. Os habitantes inicialmente ficam obcecados para descobrir se os rinocerontes que veem são de um ou dois chifres, asiáticos ou africanos (cisnes brancos? Cisnes negros?), e se estão vendo um rinoceronte de um chifre e um de dois chifres ou dois da mesma espécie.

Berenger, o alcoólatra que é protagonista da peça, a princípio dá pouca atenção ao fato, em consonância com sua natureza geralmente passiva. Quando Daisy, uma jovem recepcionista loira, tenta soar o alarme, os outros habitantes zombam dela. Mas então os habitantes da cidade começam a se transformar em rinocerontes, tornando tudo um grande caos.

No dia seguinte, seu colega, o irascível Botard, argumenta em voz alta que não há rinocerontes na França e culpa os jornalistas por inventarem a história apenas para vender mais jornais. No entanto, quando um rinoceronte destrói a escada do escritório, torna-se impossível ignorar o rebanho crescente. Berenger tenta persuadir colegas e vizinhos a não sucumbir à natureza de animal selvagem que os está dominando, mas sem sucesso. Um a um, os personagens, do cético Botard ao chefe, sucumbem à rinocerite, transformando-se em feras gigantes. Outro colega, Dudard, tenta convencer Berenger de que se trata de um fato normal e racional.

À medida que a peça chega ao fim, apenas Berenger, Dudard e Daisy permanecem em sua forma humana. Parece que alguns fazem uma escolha consciente e outros simplesmente sucumbem. "É difícil saber os reais motivos das decisões das pessoas", diz Dudard, refletindo sobre o destino de outro homem que se transformou em rinoceronte. Mas Dudard também acaba cedendo e corre para se tornar um rinoceronte: "Eu sinto que é meu dever ficar com meus empregadores e meus amigos, apesar de tudo".

Daisy e Berenger, os únicos humanos que restaram nesse ponto, se perguntam o que eles poderiam, deveriam, ter feito de maneira diferente, em vez de causar danos involuntariamente ou permitir que avançassem sem controle. Berenger implora a Daisy que tenham filhos juntos, a fim de regenerar a raça humana. Mas naquela altura, Daisy desistiu de salvar o mundo. "Por que se preocupar em salvá-lo?", ela pergunta, e então se junta ao rebanho.

Berenger é deixado sozinho. "As pessoas que tentam se apegar à sua individualidade sempre acabam mal", conclui. Ele é o último de sua espécie. Dividido entre se juntar a seus amigos e permanecer ele mesmo, ele hesita. Tenta se tornar um rinoceronte, mas não consegue. Finalmente, assume uma posição firme: "Agora eu nunca vou me tornar um rinoceronte – nunca, nunca!". Mas é claro que é tarde demais: a raça humana está condenada.

Como o *alter ego* do cartunista Walt Kelly, Pogo, poderia ter dito, nós vimos o rinoceronte, e nós somos ele. Quando nos deparamos com um problema com o qual não queremos lidar, tentamos de todas as formas evitá-lo. Quando esperamos muito tempo para evitar uma ameaça do tipo Rinoceronte Cinza, é muito provável que acabemos em estado de pânico.

É pouco provável que tomemos alguma atitude a menos que o rinoceronte esteja próximo e em nossa direção. No entanto, quanto mais perto fica, menor é o menu de opções, mais rápido precisamos tomar decisões e menos provável é que nossas escolhas se assemelhem ao que projetamos a respeito delas.

As decisões preventivas, no auge da euforia e na iminência de uma crise geram resultados muito diferentes. O psicólogo Daniel Ariely mostrou que nosso estado emocional determina como nossas inibições e nossos preconceitos entram em ação. "Nossa capacidade de nos compreender em um estado emocional diferente não parece melhorar com a experiência", escreveu Ariely.

A solução é evitar chegar ao estado de pânico passando rapidamente do reconhecimento ao diagnóstico e à ação. No entanto, é sempre mais fácil falar do que fazer.

COMPRE BARATO

Hans Humes, presidente e CEO da Greylock Capital, uma firma de investimentos especializada em dívidas de países em dificuldades, me encontrou em seu escritório na Madison Avenue vestindo uma camisa de futebol dos Camarões. Ele foi pedalando para o trabalho em Manhattan durante uma chuva torrencial fria do início da primavera. Não apenas não reclamou da chuva, como também pareceu realmente energizado por ela. Esse é o tipo de pessoa que ele é.

Conheço Humes desde que negociou empréstimos e títulos de mercados emergentes para o Lehman Brothers no início da década de 1990, muito antes de o nome da empresa passar a representar o efeito dominó após seu colapso, em 2008. Em um mercado no qual investidores de vinte e poucos anos negociavam diariamente centenas de milhões de dólares em dívidas latino-americanas e se gabavam do fato de não falarem uma palavra em espanhol ou português, Humes era alguém que conhecia os países por dentro e fora. Ele morou em todo o mundo, falava espanhol fluentemente e tinha uma curiosidade intelectual genuína, sem mencionar um grande conhecimento de políticas e um talento especial para fazer boas ligações para o mercado. Ele sempre soube exatamente quem em cada país sabia o que realmente estava acontecendo. Uma das minhas primeiras lembranças é de conhecê-lo com um colega no dia em que Peru e Equador declararam guerra. Ele definitivamente precisava de uma bebida naquele dia, mas estava consideravelmente menos nervoso do que você esperaria que alguém estivesse, considerando que dois dos países nos quais ele havia feito grandes investimentos haviam declarado guerra – e nada menos que um contra o outro.

Humes fez carreira identificando oportunidades quando todo mundo entra em pânico. Ele ganha dinheiro e, ao mesmo tempo, ajuda a resolver alguns problemas financeiros consideráveis. Ao longo dos anos, foi uma das primeiras pessoas a quem recorri para obter informações sobre crises financeiras em alguns dos locais mais negligenciados do mundo. Islândia em 2008? Ele estava pensando em comprar títulos do banco Glitnir enquanto o país desmoronava. Libéria? Durante a guerra civil do país, Humes estava silenciosamente comprando sua dívida muito barato – tão barato, na verdade, que, como o maior credor da Libéria, ele mais tarde teria um bom lucro aceitando apenas três centavos por dólar ao mesmo tempo que ajudava a liquidar muito do que a nação dilacerada pela guerra devia aos seus credores. Humes fazia parte do comitê consultivo global que negociava com a Argentina após o colapso do país em 2001. E, conforme a crise grega se desenrolou em 2010, ele foi parte fundamental das negociações que ajudaram a Grécia e seus credores a se afastar da beira do desastre, no início de 2012.

Não consigo pensar em ninguém que saiba melhor que ele como manter a calma – e o senso de humor – nas montanhas-russas de mercado mais chocantes. Onde o estágio de pânico de um Rinoceronte Cinza derruba tantos outros, Humes ganha a vida mantendo-se calmo, racional e proativo. Então, sugeri que nos sentássemos para conversar sobre como as pessoas poderiam aprender a se preparar para o estágio de pânico de desastres financeiros iminentes e navegar através dele, e como ele consegue ler os sinais do mercado quando o céu parece estar desabando. Humes chamou seu copresidente, AJ Mediratta, um veterano do Bear Stearns que se juntou à Greylock como gerente de portfólio depois que a JP Morgan comprou sua antiga empresa. Mediratta também é um veterano em reestruturações de dívidas na América Latina, Ásia e Oriente Médio.

Começamos com a pergunta a que poucas pessoas estão em melhor posição de responder, e a pergunta que levou ao conceito do Rinoceronte Cinza: o que fez a diferença entre Argentina e Grécia? Por que a Argentina e seus credores perderam a oportunidade de evitar um perigo claro reduzindo parte de sua dívida, enquanto os credores privados da Grécia conseguiram evitar o desastre pelo menos por enquanto? "Engajamento", disse Humes rapidamente. Humes acredita que, se a Argentina tivesse se reunido com seus credores e falado seriamente sobre o que precisava ser feito para evitar um calote, um acordo poderia ter sido firmado para reduzir as perdas dos credores e evitar pelo menos parte do sofrimento que se seguiu ao colapso do país.

Mas naquela época não havia nenhum mecanismo real para os países reconhecerem que simplesmente não podiam pagar o que deviam. Como Walter Wriston disse como presidente do Citicorp, pouco antes de o México abrir a "década perdida" da América Latina, em 1982, ao declarar uma moratória sobre o pagamento de suas dívidas, "os países não vão à falência". Mas é claro que eles faliram muitas vezes ao longo dos séculos e continuariam a fazê-lo. As inadimplências de países há muito são casos clássicos de negação e recusa em agir que levaram ao pânico e ao colapso.

Uma grande parte do problema era que, durante os pânicos do mercado, o ponto de inflexão do *boom* ao colapso, quando os países endividados e seus credores mais precisavam conversar entre si sobre soluções, isso não era feito. Portanto, não havia como responder rapidamente para evitar que as coisas piorassem. Foi o que aconteceu na Argentina quando o país e seus credores se recusaram a considerar uma redução de 30% nove meses antes de tudo desmoronar. Os credores acabaram perdendo mais de 70% de seus investimentos, e a Argentina entrou em uma crise econômica que criou miséria para milhões.

No entanto, a Argentina deu início a um processo de aprendizagem que provou o velho ditado: uma crise é algo terrível de se desperdiçar. Quando o Uruguai, prejudicado pelas aflições de seu vizinho, apresentou uma queda no *status* de investimento logo após o colapso da Argentina, o governo começou a temer que também pudesse ter problemas para pagar suas dívidas. Em março de 2003, o Uruguai procurou seus credores para propor uma reestruturação que atrasaria o vencimento dos títulos nos anos seguintes, empurrando-os para o futuro. Embora faltasse um elemento crítico para a Grécia – a redução do valor devido –, o Uruguai foi fundamental para mostrar que uma reestruturação voluntária poderia funcionar, pelo menos em pequena escala, em que a liquidez, e não a solvência, são o principal problema.

Os países e credores começaram a inserir cláusulas de ação coletiva nos contratos de empréstimos para facilitar a união visando encontrar maneiras de evitar inadimplências complicadas caso tivessem problemas no futuro. Na época em que os problemas da Grécia se tornaram aparentes, em 2010-11, os precedentes estabelecidos pela Argentina e pelo Uruguai, combinados com uma disposição de investidores e tomadores de decisões políticas não apenas para falar sobre o que uma década antes não podia ser dito, mas também para realmente agir a respeito, fizeram toda a diferença.

"O mercado evoluiu", disse Mediratta. "Os credores agora se reúnem rapidamente e formam comitês antes que os países entrem em dívida." Poucos minutos depois, Humes atendeu um telefonema de um investidor preocupado com os últimos acontecimentos nas negociações entre a Grécia e seus credores europeus – a Grécia conseguiria pagar a próxima rodada de seus fundos de resgate ou acabaria inadimplente? A mídia estava cheia de manchetes alertando sobre a iminência da inadimplência à medida que a data de vencimento do pagamento se aproximava, mas Humes e Mediratta permaneceram calmos. Eles notaram uma mudança sutil na retórica europeia sobre a Grécia, que entenderam como um esforço para reformular o problema como menos terrível do que nas mensagens anteriores: a discussão havia mudado do valor total da dívida para um novo foco nos custos de juros, que era algo administrável. Esse era o tipo de montanha-russa de emoções com que eles lidavam diariamente. Como bombeiros ou cirurgiões de pronto-socorro, eles trabalhavam a partir da experiência, sabendo como olhar além do caos em busca de sinais que os orientariam a comprar ou vender. Eles haviam passado por oscilações semelhantes muitas vezes antes.

"No verão de 2011, a cada semana a Grécia perdia alguns pontos. Os investidores estavam ligando, perguntando se deveríamos comprar ou devemos operar a descoberto?", Mediratta lembrou. "Dissemos: 'Não faça nada. Está muito organizado'. Antes de se mover, você precisa ver uma capitulação: um momento de resolução. Esperamos por isso, e é quando entramos em ação e assumimos uma posição, quando a negação termina." Em outras palavras, eles esperaram até que outros entrassem em pânico e, então, entraram em ação. Mediratta observou, chamando a atenção para o fato de que seu negócio não era para os fracos: "Quando você apanha facas que caem, tende a perder um ou dois dedos".

Em maio de 2012, Humes deu uma entrevista ao *New York Times*, que o citou afirmando que investir na Grécia era atitude de "um acéfalo". Apenas alguns meses antes, investidores, incluindo Greylock, tinham concordado em dar baixa em três quartos do valor da dívida que possuíam, reduzindo a dívida do país em cem bilhões de euros. Mas os credores "oficiais" da Grécia não tinham intenção de amortizar qualquer parte da dívida remanescente, e não havia garantia alguma de que a Grécia seria capaz de honrar os pagamentos que devia aos detentores de títulos. Durante o verão, em meio às eleições gregas e a tantas incertezas, o preço dos títulos recém-reestruturados despencou. O site financeiro *Zero Hedge*, cujo lema é "em uma linha do tempo longa o suficiente, a taxa de sobrevivência de todos cai para zero", zombou de Greylock e Humes durante todo o verão.

Mas a lógica de Greylock era simples: a União Europeia e o Fundo Monetário Internacional dificilmente permitiriam que a Grécia afundasse, dado o provável custo para os contribuintes, que, em última instância, detinham a dívida. O novo governo do Syriza deixara claro que não pediria mais sacrifícios aos investidores privados que haviam se adiantado e que agora tinham relativamente poucas dívidas em comparação com a União Europeia e o Fundo Monetário Internacional, e que o problema da Grécia consistia principalmente em rolar a dívida quando necessário, uma vez que seus pagamentos anuais eram bastante modestos. Além disso, a dívida da Coreia do Norte estava sendo negociada a quatorze centavos por dólar – quase o mesmo preço da Grécia, quando esta estava anos-luz à frente em infraestrutura, educação e muitas outras medidas.

No final das contas, a aposta valeu a pena: a Greylock acabou quadruplicando seu dinheiro em um momento em que todos diziam para tomar outro caminho. Existem duas lições a serem aprendidas aqui. Primeiro, ter sistemas para ajudar a lidar com uma crise torna muito mais fácil contornar um problema que progrediu para o estado de pânico. Em segundo lugar, vale a pena entender a natureza do comportamento da matilha e ser capaz de ler os sinais em meio à turbulência.

O MELHOR E O PIOR

Tomar decisões em momentos de alto estresse traz à tona o melhor e o pior dos líderes. A memória melhora, os sentidos se aguçam, a adrenalina aumenta à medida que entramos em ação. Mas perdemos a oportunidade de considerar consequências, custos e benefícios não intencionais – e de raciocinar. A preparação que fizemos com antecedência faz toda a diferença.

Quando estamos diante da ameaça, as decisões que tomamos são distintas das que tomamos à distância, dado o privilégio do tempo, que nos permite raciocinar na busca de respostas e soluções. Essa é a diferença entre o tipo de pensamento que o economista comportamental Daniel Kahneman chama de Sistema 1 (as decisões intuitivas, subconscientes e instantâneas que tomamos de imediato) e o Sistema 2 (o processamento lógico e racional que fazemos quando temos o privilégio do tempo). Usando a estrutura de Kahneman, em situações de ameaça iminente, precisamos encontrar maneiras de ignorar o Sistema 1 e implementar estruturas em que (idealmente) empregamos o Sistema 2 criadas antecipadamente.

Quão bem lidamos com uma ameaça iminente depende das estratégias organizacionais que estabelecemos com antecedência. Embora romper o pensamento de grupo seja a chave para reconhecer os rinocerontes cinza desde o início, há evidências de que, para responder às crises, é útil ter uma estrutura de tomada de decisões centralizada e rígida.

Pesquisadores do Instituto Moynihan de Assuntos Globais da Maxwell School of Public Service da Universidade de Syracuse reuniram um banco de dados de crises anteriores que cruzou fronteiras e analisou com maior profundidade 81 dessas crises em todo o mundo. Os pesquisadores ainda agruparam esses eventos naqueles com mais ou menos de um elemento-surpresa e conforme a quantidade de tempo que os líderes tiveram para lidar com eles. A crise da moeda tailandesa em 1997, o desastre de Waco Branch Davidian e a resposta da OTAN à crise de Kosovo estavam entre os 39 casos que se julgou terem sido antecipados, em certa medida, com um quadro de tomada de decisão estendido. O Exxon Valdez e o ataque de 1975 ao SS Mayaguez, na costa do Camboja, estavam entre as sete situações de tomada de decisão que foram curtas, mas ainda assim anteciparam crises. Entre os 31 eventos "surpreendentes" estavam coisas como a queda de Alberto

Fujimori no Peru e a Guerra do Golfo de 1990, que duraram um longo período. Os ataques com antraz em Washington, o bombardeio de Madrid e a resposta da Administração Federal de Aviação ao 11 de Setembro foram eventos-surpresa de curto prazo.

A equipe do Instituto Moynihan descobriu que os tomadores de decisão ficavam mais satisfeitos com suas escolhas quando enfrentavam uma crise urgente do que quando tinham mais tempo para considerar várias opções. Nas situações "antecipadas", 64% dos formuladores de políticas com relativamente mais tempo para se preparar e 55% com menos tempo se julgaram malsucedidos. Nas situações de "surpresa", 53% dos formuladores de políticas se consideraram moderadamente ou altamente bem-sucedidos.

Por que isso acontece? Os cientistas políticos do Instituto Moynihan Margaret Hermann e Bruce W. Dayton sugerem que os tomadores de decisão ficam mais felizes com as escolhas que eles próprios fazem. "Os dados sugerem que as crises que são antecipadas pelos formuladores de políticas geralmente não são vistas como urgentes", eles concluíram em um artigo resumindo a pesquisa de crise. "Na verdade, o próprio fato de tal evento ter sido antecipado pode fornecer aos formuladores de políticas alguma sensação de conforto e, como resultado, menor necessidade de uma ação rápida." A dinâmica de um comitê pode assumir o controle, transformando planos para cavalos em planos para camelos, quando os líderes acreditam incorretamente que têm mais tempo para lidar com uma crise iminente do que na realidade têm. A complacência também é um problema. A administração Bush percebeu corretamente a gravidade do furacão Katrina como urgente, sugerem Hermann e Dayton, mas errou em assumir que os planos estavam em andamento, uma vez que não foi o primeiro, nem seria o último, furacão a atingir a costa. Em eventos menos comuns que geram "surpresa", eles argumentam que os líderes têm mais controle sobre quais partes interessadas devem participar de uma decisão e, portanto, podem agir de forma mais assertiva.

Esses *insights* ajudam a explicar por que o perigo é tão alto que os líderes acabam entrando em pânico com as ameaças do tipo Rinoceronte Cinza: acreditamos que lidamos com ameaças antecipadas melhor do que realmente lidamos na realidade. O problema com o Katrina foi que, embora houvesse um plano em prática, ele não foi seguido à risca. Certamente, se não tivéssemos mapeado com antecedência o que fazer em eventos como furacões e tornados, estaríamos muito mal. Mas também parece que é preciso melhorar os mecanismos para julgar se os planos delineados com antecedência vão funcionar. Portanto, há um paradoxo: ter tempo extra nos dá a oportunidade de tomar decisões racionais do Sistema 2, mas pode entorpecer nosso senso de urgência quando precisamos recorrer ao Sistema 1 para tomar decisões.

O *timing* de um Rinoceronte Cinza também desempenha papel importante em relação a se optamos por pensar no futuro ou deixamos rolar. Considere a regra de Dornbusch, batizada em homenagem ao falecido economista do MIT Rüdiger Dornbusch, especialista em crise financeira. "A crise leva muito mais tempo do que se imagina para se desenvolver, e então acontece muito mais rápido do que se pensava", disse, sobre o colapso do peso mexicano na Crise da Tequila, em 1994-95, e as ondas de choque que daí resultaram. "Essa é exatamente a história mexicana. Demorou uma eternidade, e depois tudo aconteceu em uma noite." A demora nos acalma, levando à complacência, de modo que ficamos menos propensos a colocar em prática as salvaguardas de que precisamos para agir rapidamente e ser capazes de mudar de rumo se os planos não derem certo. Não basta ter um plano em prática. Como Mike Tyson disse, "todo mundo tem um plano até levar um golpe. Então, como um rato, eles param e congelam".

COMITÊ PARA SALVAR O MUNDO

Na verdade, o medo motiva muitas das decisões que levam ao agravamento das crises. John Lipsky, ex-presidente interino do Fundo Monetário Internacional, vê o medo como a razão de tantos problemas financeiros acabarem sendo tratados em modo de crise – acima de tudo, o colapso financeiro de 2008. "Ainda não há uma organização para prevenção ou resolução de crises, apesar do que deveria ter sido um alerta", disse ele em uma entrevista. "Por que foi necessário formar um comitê em caráter emergencial para salvar o mundo?"

Tínhamos muitos avisos sobre o perigo de futuras crises financeiras, que se repetem desde que o sistema financeiro existe. Os colapsos financeiros dos mercados emergentes de 1995, 1997 e 2001 deveriam ter desencadeado melhores sistemas de resposta, mas o FMI e outras instituições financeiras não conseguiram ativar esses sistemas.

"A falta de comprometimento político reflete o medo do fracasso. Se você não criar expectativas de sucesso, não haverá fracasso. Você escolhe deixar as coisas como estão para não ser acusado de ter fracassado", disse Lipsky. "Você está tentando resolver um problema? Ou está tentando evitar que lhe digam, em quatro ou cinco anos, 'Você errou'?", ele perguntou.

"Tirar a emoção é prejudicial", disse Denise Shull, fundadora da firma de consultoria de risco e desempenho ReThink Group, que combina percepções de neuroeconomia, psicologia psicodinâmica e mercados. "Não basta saber o que deve ser feito; é preciso sentir." Falando em uma conferência em Nova York, Shull argumentou que a emoção central por trás das crises financeiras não é a ganância, mas o medo: o medo de perder.

COMO NOS AVALIAMOS

Se quisermos nos preparar melhor para lidar com crises futuras, precisamos ter uma compreensão precisa de nossas ações – como elas mudam sob estresse e como as vemos em retrospecto. Isso é mais difícil do que você imagina.

Therese Huston, psicóloga cognitiva da Universidade de Seattle, compilou evidências de que as estratégias de tomada de decisão mudam quando estamos sob estresse. Curiosamente, tanto homens quanto mulheres mudam a maneira como tomam decisões, mas o fazem de formas muito diferentes. Um estudo conduzido por Mara Mather, da Universidade do Sul da Califórnia, e Nichole Lighthall, da Duke University, por exemplo, concedia pontos aos participantes por inflar balões digitais, mas subtraía os pontos se os balões estourassem. A equipe comparou as decisões tomadas antes e depois de os participantes submergirem as mãos em água extremamente fria. Antes da água gelada, homens e mulheres bombeavam quase o mesmo número de tentativas para inflar os balões. Depois disso, no entanto, as mulheres pararam de bombear mais cedo, e os homens aumentaram o número de tentativas até 50% além das mulheres, mostrando que as mulheres respondem ao estresse tornando-se mais conservadoras, e os homens, tomando decisões mais arriscadas. Além disso, nem sempre estamos sempre cientes quando o estresse distorce nossas decisões, Huston alerta. Novamente, homens e mulheres diferem no que diz respeito à sua autoconsciência. Ela cita um estudo de 2007 realizado por Stephanie Preston, da Universidade de Michigan, no qual as mulheres tomavam melhores decisões do que os homens quando um evento estressante se aproximava e, em retrospecto, eram mais propensas a classificar suas más decisões como arriscadas. "Se quisermos que nossas organizações tomem as melhores decisões, precisamos observar quem está decidindo e com que força estão cerrando os dentes", escreveu Huston em um artigo do *New York Times* sobre sua pesquisa.

Essas descobertas são especialmente importantes no contexto dos riscos de pensamento de grupo discutidos no Capítulo 2. Ter mulheres como parte do processo de tomada de decisão ajuda a sinalizar e reconhecer os riscos. Quanto mais altos os riscos, mais essencial se torna preencher os papéis de liderança com uma diversidade maior de pessoas.

A neuropsicóloga Heather Berlin, da Universidade de Colúmbia, quer que percebamos o poder da atividade cerebral inconsciente em moldar nossos motivos e decisões. "Muitas vezes as pessoas não estão cientes de uma infinidade de situações que afetam suas decisões sobre o que fazem e dizem", escreveu ela. Mudanças inconscientes acontecem centenas de milissegundos antes de estarmos conscientes delas. Berlin também adverte que podemos reagir inconscientemente a rostos estressados, zangados ou com medo ao nosso redor, o que desencadeia reações na amígdala – a parte do cérebro responsável pelas emoções e pela motivação.

Assim, uma vez que os membros de um grupo de tomada de decisão entram no modo de pânico, as pessoas ao seu redor provavelmente entrarão em pânico também, sem necessariamente reconhecer que é isso que está acontecendo. Além disso, à medida que avaliamos nossas decisões, podemos criar mecanismos de defesa para evitar sentimentos como culpa e ansiedade. Parte do combate ao perigo de tomar decisões em modo de pânico é estar ciente do importante papel que a emoção desempenha nas escolhas que fazemos quando nos deparamos com uma crise iminente. Somos muito mais capazes de agir racionalmente e de maneira lógica quando não estamos nas garras do pânico e do medo.

FORÇANDO A CRISE

Embora o pânico e o medo distorçam nossa tomada de decisão, eles também podem desempenhar um papel importante em forçar-nos à ação. A hora mais escura é sempre a que precede o amanhecer. Isso geralmente é verdade quando lutamos contra a inércia e tentamos fazer com que mudanças aconteçam. Às vezes, o pânico é a única maneira de fazer com que os líderes prestem atenção, pelo menos no curto prazo. No início dos anos 1990, eu era repórter financeira da *Dow Jones*, escrevendo sobre a reestruturação dos mercados emergentes, na época em que os banqueiros estavam começando a usar esse termo em vez de "países menos desenvolvidos".

Meus colegas e eu costumávamos ficar maravilhados com a aparente paixão dos investidores pela falência. As coisas piores pareciam acontecer – escolha seu país: Venezuela, Rússia, Equador, Brasil – quanto mais investidores pareciam estar entrando, apostando que, quanto mais terrível a situação fosse, mais provável que as coisas melhorassem rapidamente. Enquanto Boris Yeltsin enfrentava a polícia russa em frente ao Parlamento, em 1993, os investidores em Nova York e Londres estavam comprando cada pedaço de papel russo que conseguiam. Por quê? Porque os investidores estavam contando com uma crise para forçar mudanças.

Nos mercados financeiros, investidores astutos ganharam ainda mais dinheiro do que o normal ao acelerar uma crise quando a viram chegando. George Soros afirma ter dores nas costas sempre que é hora de vender. Em 1992 ele percebeu que as diferenças entre as moedas francesa, alemã e britânica estavam criando tensões que provavelmente destruiriam o sistema monetário que foi o precursor do euro. Ele não apenas apostou nesse resultado, mas também o acelerou por meio de um ataque de venda a descoberto sobre a libra, que a forçou a sair do sistema monetário europeu. Soros, é claro, não estava tentando resolver o problema, apenas tentava ganhar dinheiro com isso. Mas o caso da libra esterlina mostra que há oportunidades para detectar um problema logo no início e direcionar o rebanho para o caminho desejado.

Quanto mais aguda a crise, mais provável é que as pessoas que podem tomar decisões o façam, embora, ainda assim, possa ser tarde demais. No popular programa de televisão *Grey's Anatomy*, a estagiária de cirurgia Isobel "Izzie" Stevens enfrentou esse dilema depois de se apaixonar por um de seus pacientes, Denny Duquette. O coração de Denny estava falhando, mas sua condição não era grave o suficiente para colocá-lo no topo da lista de transplantes. Izzie arriscou sua carreira cortando o fio de assistência ventricular de modo que o coração de Denny ficasse tão ruim que precisasse imediatamente de um transplante. Infelizmente, ele morreu, e o hospital a suspendeu.

O episódio dá o que pensar. É justificável piorar uma situação para aumentar as chances de salvá-la? É possível tornar uma crise ruim o suficiente para forçar as pessoas que têm poder a fazer algo – mas não tão ruim a ponto de matar o paciente? Quão cedo é cedo o bastante? E, uma vez que você tenha forçado decisões, como se certifica de que são as decisões corretas?

O PARADOXO DA FAMILIARIDADE

Investidores e médicos se condicionam a evitar agir emocionalmente em situações que aumentam a resposta ao estresse mas que exigem que eles mantenham a calma. Realizamos infindáveis simulações de incêndio em edifícios e demonstrações de segurança de aviões na esperança de que o conhecimento do que fazer em caso de incêndio ou pouso forçado seja firmemente incorporado. Policiais e bombeiros treinam exaustivamente com antecedência para embutir em seu subconsciente o conhecimento que lhes permite agir em crises usando o máximo possível do subconsciente, sem ter que fazer pausa e pensar "ativamente" em sua resposta. No entanto, mesmo esse treinamento falha, como aconteceu em 2014, quando a polícia respondeu a uma ligação dizendo que um homem estava na varanda de um vizinho com uma "arma". Os policiais pensaram que o homem apontava uma arma para eles e o mataram; ele segurava, na verdade, um bocal de mangueira de jardim. Quanto aos investidores, eles tomam milhões de decisões diariamente, agindo racionalmente na maior parte do tempo, mas, quando se trata de bolhas, eles falham.

Na reunião de Davos do Fórum Econômico Mundial em Dalian em 2008, logo após o colapso do Lehman Brothers, um amigo conversou com o vice-presidente de um grande banco dos Estados Unidos e percebeu duas coisas. Primeiro, o banqueiro não entendia absolutamente nada do que estava acontecendo nos mercados. Em segundo lugar, ele estava apavorado. Meu amigo ligou para o presidente do conselho da empresa que dirigia e disse que eles precisavam se preparar imediatamente para o pior. Eles abandonaram as empresas que permaneceram na negação. As vendas caíram em outubro, novembro e dezembro; outras empresas apresentaram justificativas para isso. Mas os negócios não se recuperaram em janeiro, e despencaram em fevereiro. Quando outras companhias começaram a reagir, a empresa do meu amigo já havia feito o dever de casa. Meu amigo evitou o modo de pânico porque reconheceu o pânico em outro lugar e planejou com antecedência.

As decisões bem-sucedidas que tomamos regularmente e em situações de estresse mostram que é possível evitar que o pânico nos domine. Mas, para nos proteger de momentos em que sabemos que nossas emoções vão superar nossa razão, precisamos de algo mais. Precisamos criar sistemas que ultrapassem as decisões humanas tanto na subida final da montanha-russa quanto no início e na aceleração da descida.

Esses sistemas funcionam de duas maneiras: criando hábitos e sistemas tão fortes que responder a tempo se torna algo natural, e criando gatilhos automáticos que tornam mais difícil correr para a beira do precipício.

SERÁ QUE PEGUEI EBOLA?

Entramos em pânico facilmente e tomamos decisões terríveis sobre riscos relativos, paradoxalmente nos colocando em maior risco. Veja, por exemplo, o surto de ebola de 2014. Ele mexeu com a imaginação e com os medos mais profundos de pessoas em lugares distantes dos países onde o vírus estava se espalhando desenfreadamente. Por causa do alto valor emocional da epidemia, a percepção de risco dos americanos era exponencialmente maior do que as chances da maioria das pessoas de contrair a doença. Essas percepções, infelizmente, foram impulsionadas por informações incompletas e imprecisas e por uma enxurrada de cobertura da mídia. No entanto, essa reação contrastou fortemente com as reações de muitas das agências encarregadas de cuidar de tal epidemia, e isso minimizou o risco em questão.

No outono de 2014, os Estados Unidos estavam no meio de um frenesi, com reações exageradas beirando o pânico total. Quando um médico voltou para Nova York vindo da Libéria, onde estava tratando pacientes com ebola, a histeria se seguiu, apesar do fato de a doença não ser transmitida por contato casual ou por qualquer pessoa que ainda não apresente sintomas. Mesmo Thomas Eric Duncan, o paciente que morreu em Dallas, no Texas, não infectou sua namorada, membros da família que moravam com ele ou as mais de cinquenta pessoas que entraram em contato com ele depois que começou a apresentar sintomas. (Duas enfermeiras que cuidaram dele durante o pior momento, com acessos de vômitos e diarreia, foram infectadas.) Como um gráfico útil exemplificou: "Questionário: Você tocou no vômito, sangue, suor, saliva, urina ou fezes de alguém que pode estar com ebola? Resposta: NÃO. Você não tem ebola". (De forma ousada, acrescentava: "Você assiste ao noticiário? SIM. Você tem ebola".)

Um dia depois de retornar de uma curta viagem ao Marrocos, acabei no pronto-socorro por causa de cintilações e moscas volantes nos olhos – pequenas hemorragias, descobri depois, provavelmente causadas pelas frequentes mudanças de pressão de muitas viagens aéreas. A equipe da recepção foi instruída a perguntar se alguém tinha estado na África recentemente. Minha irmã, que me levou ao hospital, disse depois que a melhor parte de uma noite desagradável tinha sido ver o pânico em seus rostos quando eu disse que, sim, tinha acabado de voltar da África no dia anterior, mesmo com os sintomas que descrevi não tendo absolutamente nada a ver com os do ebola. A equipe da recepção se acalmou um pouco quando lembrei a eles que o Marrocos ficava a mais de cinco mil quilômetros dos países que sofriam com a epidemia. (Na verdade, cerca de um mês depois, uma vítima de ebola chegou ao Reino Unido pelo aeroporto de Casablanca, de onde eu tinha embarcado. Mas, ainda assim, mesmo isso estava muito longe do que deve ter passado pela cabeça da equipe.)

Mais de nove mil mortes foram registradas e cerca de um terço das pessoas confirmaram ter o vírus, principalmente em Serra Leoa, na Libéria e na Guiné. O *New England Journal of Medicine* criticou a Organização Mundial da Saúde por não ter agido mais rapidamente. "Não só demorou mais de três meses para diagnosticar o ebola como a causa da epidemia (em contraste com o recente surto na República Democrática do Congo, que levou questão de dias), como também somente após cinco meses e mil mortes depois é que uma emergência de saúde pública foi declarada. Passaram-se mais quase dois meses antes que uma resposta humanitária começasse a ser implementada", escreveram Jeremy J. Farrar e Peter Piot em outubro de 2014. "Não é que o mundo não sabia: os Médicos Sem Fronteiras, que lideram a resposta e os cuidados aos pacientes com ebola, vêm defendendo uma resposta muito mais ampla há muitos meses. Em outras palavras, essa epidemia era uma crise evitável."

Ella Watson-Stryker viajou para Guiné, Serra Leoa, Monróvia e Libéria como parte da equipe de resposta ao ebola dos Médicos sem Fronteiras. "O vírus estava se espalhando havia meses e não foi relatado até que um médico morreu", ela relembrou em uma conversa na Escola de Assuntos Públicos e Internacionais de Colúmbia, da qual ambas somos ex-alunas. A equipe dos Médicos sem Fronteiras teve a tarefa difícil de ajudar a persuadir pessoas apavoradas a seguir medidas de segurança de partir o coração. "Tivemos que explicar que aquele não era um vírus criado pelo homem, não era uma conspiração do governo para matá-lo, não era uma forma de as ONGs ganharem dinheiro", disse ela. "E então tivemos que dizer a eles: 'Não cuidem dos enfermos, não enterrem os mortos'. As coisas que você normalmente faria para homenagear as pessoas que ama não podem ser feitas. É uma mensagem horrível que as pessoas não queriam ouvir, mas esse era o nosso trabalho."

A revista *Time* apresentou Watson-Stryker, representando "Os guerreiros do ebola", na capa da edição "Personalidade do Ano" de 2014. Não importava o quanto eles trabalhassem, as coisas só pioravam. Quanto mais leitos eram disponibilizados, mais rápido parecia que as instalações ficavam sobrecarregadas com novos casos. Mas os ministros regionais da saúde não quiseram ouvir. A Organização Mundial da Saúde não quis ouvir – e até ignorou o CDC. "Pedimos ajuda em abril. Pedimos ajuda novamente em junho. Quando dissemos que estávamos em uma situação sem precedentes, fomos informados de que estávamos exagerando. Disseram-nos para não exagerar na situação", contou Watson-Stryker. "As pessoas negavam que tinham a doença. Os governos esconderam o número de mortes. Eles negaram por meses."

A crise do ebola começou como tantos rinocerontes cinza: com negação e hesitação. O diagnóstico das respostas foi mais complicado. Os problemas iam muito além da situação imediata: eles estavam enraizados no fato de que não havia um sistema de saúde em funcionamento na África. O ebola estava enraizado em uma crise muito maior do que os desafios médicos que surgiram: um problema de governança, incentivos perversos, recursos mal direcionados, falha na vigilância e resposta à doença, um processo de tomada de decisão que foi deformado primeiro pela inércia e depois pela intensidade emocional do momento, uma falta de domínio e ação desde os níveis mais básicos até os corredores estéreis de organizações multinacionais. Os indivíduos com recursos que poderiam ter ajudado não se sensibilizaram até que o ebola ameaçou pessoas próximas. Os Estados Unidos de fato se engajaram totalmente somente depois que um médico americano, Kent Brantly, foi levado de volta aos Estados Unidos para tratamento após contrair ebola enquanto tratava de pacientes na África Ocidental; e quando Thomas Eric Duncan, que foi diagnosticado logo após chegar a Dallas, morreu vários dias depois.

Uma crise iminente é muito mais eficiente em nos empurrar para a ação do que uma ameaça que se desenrola lentamente. Mas o oposto também pode acontecer: as pessoas podem regredir ao estágio de negação. Foi o que aconteceu com o ebola, em parte porque os problemas subjacentes não foram resolvidos por tanto tempo. A falta de recursos para tratar até mesmo os problemas de saúde mais básicos criara um estado de desamparo tão grande que transformou uma infecção em epidemia. Quando não há hospitais, médicos, remédios, mesmo em face da malária crônica, cólera e outras doenças, por que seria diferente com essa doença?

Tal desamparo pode levar a um resultado ainda pior: uma reação contra os esforços para resolver o problema. Na Guiné, quando o pânico se instalou, uma simples negação passiva teria sido uma bênção em comparação com algumas das reações: pessoas que associaram o vírus à chegada de médicos estrangeiros atacaram e ameaçaram equipes médicas. Os custos de permitir que uma situação chegue ao estágio de pânico podem aumentar, sugando recursos de usos mais duradouros e muito mais produtivos e, assim, perpetuando um círculo vicioso no qual a falta de recursos leva a outras crises que, em seguida, sugam mais recursos.

No final de 2014, a Organização Mundial da Saúde estimou que o ebola custaria à África Ocidental cerca de US$ 32 bilhões, grande parte disso devido ao comércio e à atividade econômica perdidos, além de um custo humano que as mais de dez mil mortes não podem descrever. A construção antecipada de um sistema, segundo algumas estimativas, exigiria menos da metade de 1% do custo de lidar com a epidemia *ex post facto*. Em dezembro de 2014, o Congresso dos Estados Unidos aprovou US$ 5,4 bilhões para combater o vírus, quase tanto quanto todo o orçamento do CDC, que gira em torno de US$ 6,8 bilhões. É o custo de esperar que o pânico faça a mudança acontecer. A escolha não deve ser entre gastar para remediar ou não fazer nada, mas isso é o que acontece na maioria das vezes, porque nossos sistemas de tomada de decisão são ineficazes e só agimos quando a situação é desesperadora. Mas não tem que ser assim.

No entanto, esperar pelo pânico é o comportamento padrão. O CDC estima que apenas 16% dos países estão totalmente preparados para enfrentar ameaças à saúde pública. O que precisamos para combater as pandemias é, na maioria das vezes, o mesmo de que precisamos para combater os problemas diários de saúde: um sistema sólido que rapidamente leve os cuidados às pessoas que deles precisam – ou as leve até os cuidados.

Em muitos casos, tratar o ebola acaba sendo uma tarefa surpreendentemente fácil quando a infecção é detectada com rapidez: antibióticos (Cipro), analgésicos e sais de reidratação oral, combinados com práticas de desinfecção sistemáticas e isolamento de quem está doente, para evitar contágio. Nos países ricos, esse é um conjunto de tratamentos simples de ser fornecido. Mas, quando os recursos para fazer algo aparentemente tão simples não estão disponíveis, os resultados são trágicos. É por isso que na Libéria, em Serra Leoa e na Guiné, entre 50% e 70% das pessoas infectadas pelo vírus morreram, enquanto nos Estados Unidos oito das dez pessoas infectadas sobreviveram.

O prédio que abriga os Centros de Controle de Doenças é moderno e bem iluminado, com vista para o centro de Atlanta à distância, passando pelas copas das árvores e parques. Em tempos normais, a sala principal é relativamente silenciosa, com telas gigantes girando mapas e gráficos exibindo estatísticas de doenças mais recentes: inquéritos clínicos domésticos, casos cumulativos e mortes, tendências em indicadores de vigilância, clima, atividades de apoio logístico, eventos monitorados e mais. No dia em que o visitei, o nível de ameaça havia sido rebaixado para 1, a intensidade mais baixa, refletindo a confiança de que os Estados Unidos estavam conseguindo impedir que o ebola se infiltrasse por suas fronteiras. No entanto, uma ameaça menos emocionalmente impactante, mas muito mais perigosa, era iminente.

Entre três mil e 49 mil americanos morrem a cada temporada de gripe, um número que flutua muito. Mesmo o número mais alto é uma porcentagem muito menor em relação a todos os casos de gripe e ainda assim, muito mais do os mortos na última epidemia de ebola. Porém, embora os americanos estivessem muito angustiados em relação ao ebola, o CDC estima que apenas 40% deles foram vacinados contra a gripe. No final de dezembro de 2014, enquanto a histeria de ebola continuava, embora houvesse apenas duas mortes e dez casos nos Estados Unidos (apenas dois dos quais haviam sido transmitidos no país), o CDC havia declarado uma epidemia de gripe, com quinze crianças mortas.

A epidemia de ebola e gripe de 2014 são bons exemplos de como as emoções impulsionam nossa tomada de decisão. Como o ebola era novo nos Estados Unidos, acabou atraindo muita atenção. Por sua vez, a intensa cobertura da mídia gerou um clima de histeria. As redes sociais, em grande parte disseminando informações incompletas e imprecisas, fez o pânico se tornar viral (por assim dizer). Ainda assim, em termos de ameaça real aos americanos, o ebola não se comparava a uma típica temporada de gripe. O desenrolar da epidemia na África foi uma história diferente. Embora o número de mortes tenha diminuído até próximo aos números da malária, por exemplo, a rápida disseminação do vírus era o verdadeiro motivo de preocupação em lugares onde os cuidados médicos básicos e de prevenção não existiam. Se o vírus tivesse continuado com sua rápida disseminação, a situação poderia ter se tornado catastrófica. Apesar do atraso inicial na resposta no início de 2014, o aumento do tamanho da equipe médica e de ajuda na região fazia sentido, embora atrasado e com poucos recursos. A tragédia é que, se o dinheiro gasto na resposta ao ebola tivesse sido despendido antes na construção de infraestrutura médica básica, isso poderia ter não só impedido o vírus de se espalhar tanto quanto o fez, mas também fornecido os cuidados médicos necessários para prevenir e tratar muitas outras doenças. Também poderia ter evitado o desperdício de recursos em instalações construídas às pressas que acabaram não sendo usadas, como as onze unidades de tratamento construídas pelos militares americanos, nove das quais nunca trataram um único paciente de ebola. Duas dessas instalações que foram úteis trataram um total de 28 pacientes com ebola.

A grande ironia é que 2014 foi um dos anos em que a vacinação anual contra a gripe ficou aquém do esperado. A cada ano, 141 centros nacionais de gripe em 111 países estudam as cepas de vírus que circulam e enviam informações à Organização Mundial da Saúde para ajudar a prever quais serão as cepas mais prevalentes na próxima temporada de gripe. Meses antes do início da próxima temporada de gripe, de outubro a maio, a OMS faz uma recomendação e cada país decide quais cepas licenciar. Como a vacina leva meses para ser fabricada e os vírus sofrem mutações com o tempo, todo o processo envolve muitas suposições. No entanto, normalmente a vacina é de 60% a 70% eficaz. Em 2014–15, no entanto, as cepas de vírus circulantes sofreram mutações rápidas, e a eficácia da vacina foi estimada em apenas 23%. No final de janeiro, 69 crianças morreram na temporada de gripe e quase doze mil pessoas foram hospitalizadas. A gripe e a pneumonia (frequentemente a gripe progride para esse quadro) somaram quase 9% de todas as mortes, significativamente acima da taxa de 7,2%, que já é considerada epidemia.

Enquanto isso, o sarampo, que havia sido praticamente erradicado dos Estados Unidos, estava de volta. Os americanos não apenas tinham se tornado complacentes, como acontece com frequência depois da resolução de um problema, como também muitos pais eram abertamente hostis à vacinação. Um relatório, que desde então foi amplamente desacreditado e cujo autor teve a licença médica revogada, havia ligado o autismo às vacinas, criando pânico entre os pais e catalisando um movimento antivacinação. Os casos de sarampo em 2014, como nos anos anteriores, ocorreram principalmente em crianças não vacinadas. O "paciente zero" foi uma criança não vacinada na Disneylândia. Logo havia mais de 150 casos em dezesseis estados.

Infelizmente, nem sempre avançamos; às vezes, os rinocerontes cinza crescem quando invertemos o curso, retornando da ação para a negação.

CRIANDO HÁBITOS

Quando neva, limpamos as calçadas e as entradas de automóveis e colocamos sal por uma questão de hábito. Quando um tornado se aproxima e as sirenes tocam, nos dirigimos ao porão. Quando a temporada de gripe começa, alguns de nós – mas, infelizmente, não o suficiente – tomam vacinas para se proteger.

A vacina anual contra a gripe é exemplo de um processo regular que, mesmo com todas as suas falhas, mostra o tipo de pensamento que poderia prevenir tantos outros rinocerontes cinza. As crises financeiras, por exemplo, têm muito em comum com os vírus. Poderíamos nos beneficiar da aplicação dos mesmos princípios usados pelos epidemiologistas no tratamento ao vírus anual da gripe. Eles examinam sistematicamente os sinais de alerta e têm roteiros bem ensaiados para saber como reagir.

Ter mais confiança na nossa capacidade de prever a escalada de ameaças até virarem crises profundas nos ajudará a perder menos tempo no estágio de negação e a agir mais rapidamente. Diante do que sabemos sobre a natureza humana, nem sempre teremos sucesso. É por isso que precisamos encontrar maneiras de superar nossa resistência natural àquilo que não queremos ouvir ou ver. Novos sistemas em carros autônomos podem "ver" coisas que os humanos não podem. Mais importante, não estão sujeitos aos tipos de coisas que os seres humanos fazem mesmo sabendo que não devem fazer. Eles não mandam mensagens de texto enquanto dirigem. Eles não são adolescentes cujos altos níveis de testosterona dão uma sensação de invencibilidade que os leva a tomar decisões erradas. Carros autônomos não tomam acidentalmente a medicação errada e adormecem ao volante. Os sistemas de direção autônoma em outras áreas da vida e na tomada de decisões podem nos ajudar a priorizar ameaças e superar nossa incapacidade de ver e agir.

Cada vez mais testes regulares emitem sinais de alerta e exigem ação quando esses sinais piscam em vermelho. Atualmente, a escala de Apgar é bastante difundida na saúde infantil. Desenvolvida em 1952 pela Dra. Virginia Apgar, a escala foi criada com o intuito de decidir rapidamente se um recém-nascido precisa de atenção médica especializada imediata, sendo um bom exemplo de sistema de alerta que compele à ação. No primeiro minuto e em cinco minutos após o nascimento, a equipe de obstetrícia verifica o Apgar do bebê: aparência, pulso, gesticulação, atividade e respiração. Eles esperam pontuações acima de 7, o que indica que o bebê está bem de saúde. Bebês com pontuação entre 4 e 6 às vezes precisam de ajuda para respirar; abaixo de 3, muitas vezes necessitam de cuidados urgentes.

E se criássemos algo semelhante para a economia: pontuações que vão além dos indicadores econômicos regulares que usamos agora e acionam ações? Precisamos de medidas concretas e difíceis de negar e ignorar. Após a crise de 2008, legisladores começaram a aplicar o que pode ser considerado uma pontuação de Apgar para a economia.

Os testes de estresse projetados para bancos após a crise de 2008 são outro exemplo. A cada ano, o Federal Reserve Board exige que trinta bancos com US$ 50 milhões ou mais em ativos passem pela *Comprehensive Capital Analysis and Review* (CCAR, na sigla em inglês, significando Análise Compreensiva e Revisão de Capital) – um nome sofisticado dos testes de estresse. O teste certifica que os bancos tenham capital suficiente em mãos em caso de crise, exerçam os processos internos adequados para avaliar a adequação do capital e possam analisar seus planos de pagar dividendos ou recomprar ações. Apenas os bancos aprovados têm permissão para pagar dividendos ou realizar recompras. Após a primeira rodada de testes, em 2009, o Federal Reserve ordenou que dez bancos que faliram (de dezenove) levantassem um total de US$ 75 bilhões em capital.

A Europa, mais lenta para adotar seus próprios testes de estresse, acabou por fazê-lo em 2013, com um aviso de que os bancos que falhassem nos testes teriam que preparar "estratégias específicas e ambiciosas" para reagir, como vender ativos, fundir-se com outro banco ou forçar credores privados a reduzir o que lhes era devido.

Em 2013 o Banco da Inglaterra mudou da meta de mirar no PIB nominal para mirar na inflação e, mais tarde, na taxa de desemprego, como gatilho para quando consideraria um aumento das taxas de juros. Com a inflação consistentemente baixa e enfrentando preocupações com a deflação, o Federal Reserve Bank dos Estados Unidos começou a usar a taxa de desemprego como sinal de quando afrouxaria seu estímulo monetário.

Todos esses formuladores de políticas buscaram em novos lugares informações que pudessem ajudá-los a tomar melhores decisões com base no que provavelmente aconteceria a seguir. Quando foi criado pela primeira , em 1934, o conceito de Produto Interno Bruto era uma nova forma de orientar os formuladores de políticas, que antes estavam completamente no escuro. Matthew Bishop e Michael Green chamaram a criação do conceito do PIB de "uma das lições menos difundidas, mas mais importantes, da Grande Depressão". O PIB nos ajudou a alcançar um melhor planejamento, mas somente essa medida, hoje em dia, não é suficiente. Um relatório de 2009 da Comissão sobre Medição de Desempenho Econômico e Progresso Social, presidida por Joseph Stiglitz, advertiu que o PIB deixa de fora mudanças importantes na qualidade de bens e serviços, padrões de vida e sustentabilidade. No livro *Brave New Math* (Nova matemática destemida, em tradução livre), Peter Marber afirma que um dos motivos que levaram os formuladores de políticas a não reagir a outros sinais de alerta mais rapidamente em 2007–08 foi o fato de o PIB estar forte, então eles não olharam além.

Um exemplo de outro sistema que "dirige" por nós: fundos mútuos equilibrados que se reequilibram automaticamente. Eles rastreiam quando uma parte de nosso portfólio com melhor desempenho fica maior do que a alocação que desejamos e vendem títulos para transferir fundos para outro lugar.

Existem muitos bons sistemas de alerta, especialmente para o clima. Embora haja sempre aqueles mais resistentes e que os ignoram, a grande maioria das pessoas presta atenção aos avisos de tornados em todo o meio-oeste ou aos avisos de furacões na costa leste. Os sistemas de advertência de tsunami foram desenvolvidos no Pacífico nos anos 1920 e no Atlântico nos anos 1940 e 1960. Da mesma forma como os testes de estresse bancário desenvolvidos recentemente, todos esses sistemas foram criados após desastres: o terremoto e tsunami na Ilha Aleutian, em 1946, e o terremoto Valdivia, em 1960. Após o tsunami de 2004, um sistema de alerta no oceano Índico também foi instalado. Desde que o terremoto que gera o tsunami aconteça a uma distância suficiente da costa, o sistema pode salvar muitas vidas. No caso dos tsunamis, falsos alarmes são um inconveniente, mas não, não fazem as pessoas perderem dinheiro. Já os falsos alarmes em crises financeiras, por outro lado, podem se tornar profecias autorrealizáveis. Em ambos os casos, se as pessoas não derem ouvidos a um aviso verdadeiro, acabarão pagando um alto preço por isso.

SISTEMAS AUTOAJUSTÁVEIS

Precisamos agir no sentido de criar sistemas que nos protejam das más decisões durante um momento de crise, seja nas finanças, seja na saúde, no clima ou em qualquer lugar na vida, na política e nos negócios.

John Cochrane, da Booth School of Business, da Universidade de Chicago, propôs um sistema "bancário restrito", retomando uma proposta feita por um grupo de economistas da universidade que sugeriu que as funções de tomada de depósitos e empréstimos dos bancos fossem separadas. A ideia era controlar melhor os ciclos de crédito, evitar corridas aos bancos, economizar juros sobre o governo e, assim, reduzir drasticamente a dívida federal e reduzir a dívida privada, como um estudo de 2014 feito por dois economistas do FMI concluiu que a proposta faria.

De acordo com a versão atualizada de Cochrane do Plano de Chicago, os bancos e fundos do mercado monetário seriam autorizados a investir apenas em dívidas de curto prazo com o menor risco possível, ou seja, títulos do Tesouro. Qualquer outra negociação bancária teria que ser financiada por meio de *equity*. Além disso, para compensar os riscos à sociedade gerados pelos empréstimos, os bancos pagariam um imposto pigouviano, em homenagem ao economista inglês Arthur Pigou (que também emprestou seu nome a um clube de economistas que apoiavam um imposto sobre o carbono), sobre dívidas pendentes. A *The Economist*, ao relatar a proposta, apontou que seria difícil mudar do sistema existente para o proposto. Também questionou se novas fragilidades poderiam surgir à medida que outras instituições substituíssem os bancos na concessão de empréstimos. No entanto, observou que a proposta merecia uma consideração séria.

Para Cochrane, o Rinoceronte Cinza é a corrida aos bancos. "A regulamentação atual garante passivos bancários em casos de propensão a corridas aos bancos e, em vez disso, tenta regular os ativos bancários e seus valores", escreve ele. "Uma regulamentação de responsabilidade muito mais simples, baseada em regras, poderia eliminar a corrida aos bancos e crises, ao mesmo tempo que permitiria explosões e quedas inevitáveis." O que é interessante sobre a versão moderna do Plano de Chicago é que ela torna impossíveis as corridas aos bancos, impedindo alguns dos comportamentos de pânico que essencialmente nos jogam direto no caminho do rinoceronte.

Outros países experimentaram sistemas de autoajuste. A Alemanha e a Suécia implementaram medidas automáticas de estabilização, que surgiram durante as profundas crises financeiras de 2008-09. O Chile, que depende muito dos preços das *commodities*, tem um fundo de estabilização do cobre que guarda dinheiro em uma reserva para eventuais crises quando os preços estão altos, de modo que o governo possa sacar em tempos difíceis. (A Venezuela tentou fazer isso com um fundo de petróleo, mas grande parte do dinheiro desapareceu, por culpa da corrupção generalizada do país.)

As pessoas que têm facilidade em reconhecer rinocerontes cinza financeiros e prosperam na volatilidade não serão os maiores fãs de tal sistema, mas podem se consolar com o fato de que nenhum sistema é capaz de remover completamente o risco. A necessidade de melhorar os sistemas de resposta rápida para pandemias é o seu próprio Rinoceronte Cinza.

Para fazer com que os líderes ajam mais cedo, podemos aumentar a ameaça, como alguns investidores fizeram, manipulando os mercados, forçando a mudança a chegar mais cedo do que tarde. O surgimento das mídias sociais possibilitou outras maneiras de criar senso de urgência, como evidenciado pela Primavera Árabe e pelo pânico nas redes sociais em relação ao vírus ebola. Podemos aprender com os ensinamentos da epidemiologia e avisos de furacões, tornados e tsunamis: vacinando e estabelecendo roteiros de ação. Esforços recentes para melhorar a supervisão financeira e as redes de segurança tentaram fazer isso – não por coincidência, logo após um tsunami financeiro. Mesmo assim, poderíamos nos sair muito melhor se tivéssemos uma combinação de sinais melhores e um piloto automático em funcionamento quando simplesmente não somos capazes de ver os sinais.

A melhor forma de sair do caminho de um Rinoceronte Cinza é encontrar uma maneira de pular totalmente o estágio de pânico e passar do diagnóstico à ação o mais rápido possível.

Aprendizados do capítulo 6

- O comportamento de rebanho em tempos de pânico nos joga bem no caminho de um Rinoceronte Cinza. O pânico pode ampliar os problemas originais e transformar um único rinoceronte em um desastre. Ele pode nos fazer andar para trás, da negação para a hostilidade e agressão francas, atrapalhando qualquer progresso que tenha sido feito em direção a soluções.
- Crie proteções contra a exuberância irracional. Coloque em movimento respostas "automáticas" às ameaças caso nosso reflexo de negação esteja nos impedindo de fazer por conta própria.
- Aumente as apostas mais cedo. Não deixe para amanhã o que você pode fazer hoje, por assim dizer – e quanto mais cedo você puder criar um senso de urgência, menor será o custo de resolver um problema.
- Aprenda com a epidemiologia e avisos de furacões, tornados e tsunamis: vacine, defina roteiros de respostas e treine as pessoas para agirem automaticamente – como os moradores do meio-oeste se abrigando no porão quando as sirenes de tornado soam ou professores tomando a vacina anual contra a gripe.
- Cuidado com o chifre do rinoceronte. Considerado (erroneamente) um afrodisíaco, o chifre deve ser usado com cautela. Forçar uma crise pode reduzir o custo total e acelerar a resolução, mas também pode causar imensos estragos.

7

AÇÃO:
A HORA "H"

O ar em torno da cervejaria MillerCoors, de Milwaukee, tem um forte aroma de lúpulo e malte. O aroma chega até a Interestadual 94, onde ainda é tão forte que você nem precisa ler as placas para saber que está perto da saída para a rua 35. A cervejaria remete aos imigrantes alemães que moldaram Milwaukee no século 19. Embora sua fundação seja uma parte importante da história da cidade, hoje essa cervejaria também é um exemplo de como uma empresa olhou para o futuro, viu um perigo claro e agiu para resolver o problema antes que ele piorasse.

A cervejaria fica a apenas alguns minutos de carro do lago Michigan, na região dos Grandes Lagos, que juntos contêm seis quatrilhões de galões de água, ou 20% da água doce do mundo. Essa abundância de água é um dos motivos da existência dessa enorme quantidade de cervejarias na região centro-oeste dos Estados Unidos. Mas mesmo um recurso tão abundante como a água não é ilimitado, e os oito estados da região dos Grandes Lagos têm consciência disso. Em 2008 o Congresso aprovou, e o presidente George W. Bush sancionou, um acordo iniciado por esses oito estados, em parceria com as províncias canadenses de Ontário e Quebec, para limitar o desvio da água dos lagos para outros fins senão para o uso agrícola e industrial, que já está sobrecarregando o sistema, e que com a mudança climática se agravou. Na década de 1990, os níveis médios de água nos lagos começaram a cair drasticamente à medida que as mudanças nos padrões climáticos elevaram a temperatura da água e do ar, aumentando a evaporação. Em 2013 os lagos Michigan e Huron atingiram o patamar mais baixo já registrado desde 1918 com base nos dados da Administração Oceânica e Atmosférica dos Estados Unidos.

A realidade da escassez da água influenciou a forma como a cervejaria Milwaukee a utiliza. O Pacto dos Grandes Lagos foi assinado em 2008, e nesse mesmo ano a MillerCoors deu início a uma iniciativa em toda a empresa para reduzir o consumo de água. A SABMiller, empresa multinacional de bebidas, formou um empreendimento conjunto, no outono de 2007, com a Molson Coors, sediada no Colorado, a sétima maior cervejaria do mundo. As empresas estavam preocupadas individualmente com o consumo responsável da água, e o empreendimento conjunto refletiu isso.

Eles identificaram uma dura realidade: caso falhassem na resposta à ameaça crescente de escassez da água, era muito provável que perdessem grandes oportunidades de mercado. Como Kim Marotta, diretora de sustentabilidade da MillerCoors, costuma dizer, o núcleo da estratégia se resumia a um conceito simples: "Sem água, sem cerveja".

Ex-defensora pública formada em marketing, Marotta sempre se preocupou profundamente com o impacto de seu trabalho na vida de outras pessoas. A água tem sido o foco central de seu trabalho na MillerCoors, onde supervisionou projetos de gestão desse recurso dentro das cervejarias e com produtores de cevada, projetos que abrangem desde a redução de resíduos até a agricultura sustentável e a redução do uso de água em todos os estágios de fabricação e distribuição dos produtos. "É o núcleo de tudo", ela me disse em seu escritório na unidade da cervejaria de Milwaukee, onde a água é usada em todas as etapas do processo, desde a limpeza até a infusão, fervura e fermentação.

A MillerCoors enviou uma equipe de eficiência hídrica em uma missão de aprendizado na América do Sul, onde estão algumas das cervejarias mais eficientes em consumo de água da SABMiller, e ficou surpresa com o que aprenderam. "Não era tecnologia nem projetos de capital", disse Marotta. "São as pessoas. Aquela era a hora 'H'." A equipe trouxe essas lições de volta para cada unidade da MillerCoors nos Estados Unidos e começou a colocá-las em ação. "Montamos grupos e pedimos a todos dentro das cervejarias que contribuíssem com ideias sobre como poderíamos reduzir nosso consumo de água. Sabíamos que, se mudássemos a cultura e empoderássemos nosso pessoal, seríamos capazes de transformar a situação. Imediatamente, no mês seguinte, começamos a ver reduções no nosso consumo de água", disse ela.

Dentro da cervejaria de Milwaukee, quando o grão moído é convertido em açúcar e fermentado, o cheiro doce é inebriante. A primeira etapa da fermentação ocorre em gigantes tonéis de cobre. A água quente é adicionada ao mosto de cevada para quebrar o amido em açúcares fermentáveis. Quando o teor de açúcar atinge o ponto ideal, o mosto é separado em líquido e sólido para criar o extrato de malte. O mosto usado vai para a alimentação do gado, eliminando a necessidade de água para cultivar grãos adicionais para alimentá-los. Na época em que eu visitava a fábrica, sete das oito cervejarias MillerCoors tinham zerado o envio de resíduos para aterros; quando este livro for impresso, a oitava cervejaria também deverá ter atingido o desperdício zero.

O líquido então vai para as chaleiras para ser fervido, reduzido e infundido com o lúpulo. Em seguida, é transferido para outro tanque, onde a levedura é adicionada para fermentar a mistura ao longo de oito a dez dias em temperaturas cuidadosamente controladas. A última etapa consiste em transferir a cerveja para garrafas ou latas antes de serem despachadas.

Antigamente, a equipe aumentava o aquecimento das chaleiras, diminuía quando a água fervia e aumentava e diminuía novamente, sem controlar a quantidade de água que evaporava. Essa conduta desperdiçava água, energia, e nem ao menos produzia uma cerveja mais saborosa. Com a nova técnica, eles instalaram medidores de calor e vapor nas chaleiras e testaram até atingir as temperaturas ideais. Estudaram quanto tempo levava para limpar completamente o equipamento e foram capazes de reduzir a quantidade de água usada para enxaguar, garantindo que tudo estava limpo. Mudaram de métodos de lubrificação úmida para seca. Substituíram a água por ar ionizado para limpar as latas. E encontraram maneiras de reutilizar a água (é lógico que não na própria cerveja).

O maior impacto dos esforços de economia de água da empresa foi na economia de energia usada no transporte e aquecimento da água. Mas os esforços conquistados dentro das cervejarias apenas arranharam a superfície do problema, porque o maior consumo de água não estava na produção da cerveja. Mais de 90% da água utilizada para produção da cerveja é na cadeia de abastecimento agrícola: a cevada, o lúpulo e outros grãos usados.

Embora a MillerCoors tivesse exemplos de cervejarias que reduziram drasticamente o consumo de água, ela também tinha um histórico de trabalho com produtores de cevada para economizar água. Alguns de seus 850 produtores vendiam cevada para a empresa havia meio século. Eles desenvolveram uma cevada resistente à seca e ao vento, elevando a produção de cerca de cem toneladas para entre 140 e 160 toneladas por acre. Os produtores no sudeste de Idaho avaliaram como o uso de pivôs e bicos havia afetado a bacia hidrográfica e experimentaram novas estratégias. Eles avaliaram quando precisavam irrigar e quando não. Trocaram as peças do sistema, baixando a altura dos bicos para reduzir a evaporação. Fizeram experiências com irrigação de volume variável, aumentando ou diminuindo o volume de água com base nas necessidades das plantações e desligando a água quando chovia. Testaram diferentes culturas acompanhantes para melhorar a saúde do solo. Ao estimar o tempo do pico de produção, descobriram que estavam irrigando uma semana a mais sem necessidade. Aquela semana fez uma grande diferença, pois cada rotação dos aspersores consumia dois milhões de galões de água. Eles desligaram os canhões finais que regavam a cevada nas bordas do campo. Já que a MillerCoors não comprava essa cevada por não ter qualidade compatível, não se justificava a irrigação.

Com essas mudanças relativamente simples, os agricultores da MillerCoors do Silver Creek Valley em Idaho reduziram o uso de água em 550 milhões de galões em 2014. "Há muitas frutas ao alcance da mão", disse Marotta. A empresa então perguntou se havia uma oportunidade de adotar práticas pontuais e ajudar outras fazendas a aprender com elas e aumentar sua escala. A MillerCoors criou duas fazendas-modelo de cevada para ensinar outros agricultores a aprender com as práticas que ela havia testado, e está construindo um banco de dados para ajudar a medir como diferentes técnicas conseguem reduzir o consumo de água.

TRAZENDO MUDANÇAS NA ESCALA

Andy Wales lidera o desenvolvimento sustentável na SABMiller e ajudou a empresa a se tornar líder na identificação dos custos e riscos associados ao consumo de água, na redução de seu próprio impacto e no estabelecimento de metas ainda mais ambiciosas.

Wales cresceu em Birmingham, na Inglaterra, em uma família religiosa e em uma comunidade onde muitas pessoas passaram grande parte da vida tentando ajudar outras pessoas. Como estudante da Universidade de Sussex tentando decidir o que fazer com sua vida, ele abraçou a mesma conduta, supondo que acabaria trabalhando para a Oxfam ou o

Greenpeace ou outra organização não governamental para salvar o mundo. Depois de se formar e passar temporadas trabalhando para organizações de ajuda em Moçambique e Mumbai, surgiu uma preocupação persistente sobre quão eficiente era todo o modelo de ajuda humanitária para o desenvolvimento. Com isso, ele decidiu criar um negócio para ver se existia outra forma de mudar o mundo com mais eficiência e em uma proporção maior. Ele se inscreveu no *Forum for the Future*, um programa de bolsa de estudos que escolhia apenas uma dúzia de pessoas por ano e as conduzia por uma série de estágios de um mês em uma ampla variedade de organizações. Wales ficou na revista *The Economist*; com a Câmara Municipal de Glasgow tratando de política urbana; e com os Liberais Democratas no Parlamento, trabalhando em transportes ecológicos.

Então essa tarefa se tornou um trabalho, e depois uma carreira. Interface FLOR é uma empresa de carpete em placas de US$ 1 bilhão cujo fundador, Ray Anderson, em um momento brilhante a conduziu por uma transformação radical de sustentabilidade, de 1994 até sua morte, em 2011. Quando Ray Anderson leu o livro de Paul Hawken *The Ecology of Commerce* (A ecologia do comércio), de 1993, o efeito foi poderoso. "Eu não estava nem na metade do livro quando o entendimento que buscava se tornou claro, unido a um poderoso senso de urgência para fazer algo", disse ele. "A mensagem de Hawken era uma faca no meu peito." Em 2009 a Interface FLOR havia mudado para energia 100% renovável em suas operações europeias. Reduziu o consumo de água em 75%, as emissões de gases do efeito estufa em 44% e o uso de energia em 43%. Apenas 0,5% dos produtos usados na empresa eram reciclados. Mas agora suas placas usam 51% de materiais reciclados, e seus têxteis, 100%. Wales concluiu rapidamente que trabalhar nas empresas era "a maneira mais eficiente e dinâmica de fazer mudanças em grande escala".

Quando Wales chegou à SABMiller, em 2007, ele tinha a missão de ajudar a empresa a reduzir drasticamente o consumo de água. Medir era a ferramenta mais importante para saber onde a empresa precisava reduzir seu consumo de água. "Até saber a quantia exata, é realmente difícil tomar uma decisão clara", disse ele.

A SABMiller começou medindo a quantidade de água usada na produção das cervejas que fazia, que variava dramaticamente em cada país. No Peru, por exemplo, a Backus usava 61 litros de água para fazer cada litro de cerveja. Destes, 4,3 litros eram usados dentro da cervejaria; o restante, nas safras para produção dos insumos da cerveja. Já a Sarmat, da Ucrânia, também usava 61 litros de água para fazer cada litro de cerveja, sendo 6,9 litros dentro da cervejaria. A Tanzânia, por outro lado, usava quase três vezes mais água no geral para fazer cerveja. E a África do Sul mostrou um uso geral de água muito maior, de 155 litros por litro de cerveja, mas teve a melhor eficiência dentro da cervejaria, com apenas 4,1 litros de água para cada litro de cerveja. A empresa percebeu rapidamente que havia oportunidades para reduzir significativamente o consumo de água, aprendendo com as cervejarias mais eficientes. Em 2008 a SABMiller definiu metas para reduzir o uso de água na cervejaria em 25% para cada litro de cerveja, até 2015. Atingiu essa meta um ano antes e, em seguida, definiu prontamente uma meta nova e mais ambiciosa para 2020.

Embora a empresa já tivesse caminhado para aumentar sua eficiência hídrica, o momento crucial para impulsionar mudanças em grande escala veio em 2009. "A empresa sabia que a água era importante", disse Wales. Mas o momento crucial veio com a publicação do relatório "Mapeando Nosso Futuro Hídrico", do 2030 Water Resources Group, de 2009, que previa que em 2030 cerca de 40% do mundo enfrentaria problemas de água. "Foi quando a SABMiller percebeu o tamanho das oportunidades econômicas que estariam em risco se não atacássemos o problema", disse Wales. "A água mudou de uma questão relativamente fanática e especializada – e eu sou um desses fanáticos – para uma questão central de crescimento."

Muhtar Kent, CEO da Coca-Cola, Peter Brabeck-Letmathe, da Nestlé, Graham Mackay, chefe da SABMiller, e outros CEOs apoiaram a mensagem do relatório e estabeleceram parcerias com governos e organizações não governamentais. A adesão do CEO foi um momento-chave para transformar a água em uma questão global. Como os governos nacionais olham principalmente para os riscos nacionais e regionais, muitas vezes deixam de ver a escala global e a interconexão do problema, afirmou Wales. "Mas os CEOs veem os mesmos riscos de médio prazo surgindo em todo o mundo e podem agregá-los aos negócios globalmente", disse ele. E, ao contrário da mudança climática, onde as ONGs lideram, as empresas e organizações não governamentais entenderam a urgência de tratar da questão da água ao mesmo tempo. Logo as pessoas perceberam como a preparação, o aquecimento e o resfriamento da cerveja estão conectados à consciência ambiental da empresa e, ainda mais, à sua eficiência. Wales estima que só em 2013 a SABMiller tenha economizado US$ 90 milhões ao se tornar mais eficiente no uso de água e energia.

Isso tornou cada gerente de linha responsável pelo consumo consciente. Também analisou sistemas maiores. Trabalhando com a Nature Conservancy em Bogotá, a SABMiller percebeu que os preços da água estavam subindo significativamente com a crescente expansão da pecuária leiteira pelo rio Paraná, que gerava mais resíduos. Para resolver o problema, a empresa criou um abono por serviços ecológicos – no caso, o controle de resíduos – para incentivar as fazendas a transferir seu gado para áreas mais planas, longe de encostas íngremes, a fim de reduzir o escoamento dos resíduos para o rio. Essa solução relativamente simples veio da vontade da empresa de trabalhar em vários setores, uma vez que foi a Nature Conservancy que identificou o problema e a solução. "Ninguém teria pensado nisso sem essa abordagem de sistemas", disse Wales. A ideia funcionou tão bem que os parceiros começaram a introduzir bonificações semelhantes por serviços ambientais em Quito, Lima e em outros lugares de Bogotá. "É um desafio interligado. Se você fizer isso isoladamente da agricultura e da energia, o planejamento não terá sucesso", disse ele. "Você não pode fazer isso sozinho. Precisamos fazer parte de uma solução compartilhada que a comunidade aceite."

A SABMiller expandiu seu trabalho para oito países, em grande parte por meio da Water Futures Partnership, do escritório da World Wildlife Federation's no Reino Unido e da fundação alemã Deutsche Gesellschaft für Internationale Zusammenarbeit (GIZ). A SABMiller concluiu logo no início que a sustentabilidade da água era não apenas uma coisa legal de se fazer; era também essencial. Ela viu quantas empresas dependem da água para fabricar seus produtos, de bebidas até tecnologia, têxteis, energia e empresas de bens de consumo. Para os mais esclarecidos dessas companhias, logo ficou óbvio que, quando se trata de água, o maior risco não é o custo, a regulamentação ou o crescimento mais lento, mas a própria sobrevivência.

Por que mais empresas não reconhecem o problema? Primeiramente, Wales acredita que havia uma falha de comunicação. Até recentemente, as questões hídricas não eram frequentemente apresentadas de uma forma clara e reconhecível que as empresas pudessem compreender e na qual pudessem confiar. Devido ao trabalho de organizações e indivíduos para identificar e quantificar os riscos associados à escassez de água em face da crescente demanda, cada vez mais empresas estão reconhecendo que a escassez desse recurso representa um risco para seus investimentos. Em segundo lugar, a própria natureza dos recursos hídricos cria o problema da "tragédia dos bens comuns": um dilema clássico da ciência política em que os interesses das pessoas como indivíduos parecem contradizer os interesses do grupo como um todo. Isso impede a cooperação e promove um comportamento egoísta e, em última análise, autodestrutivo. Terceiro, muitas pessoas que são atraídas pelo mundo corporativo provavelmente não querem trabalhar em um ambiente complexo com conflitos de interesses. É importante desenvolver a capacidade de ter essas conversas. E, finalmente, é muito fácil para as pessoas presumir que não é seu trabalho "consertar" o problema da escassez da água.

A água e as mudanças climáticas são exemplos claros dos desafios do Rinoceronte Cinza onde ainda existe alguma ação – em alguns casos, ação significativa e notável. No entanto, não sabemos se o que está sendo feito até agora é realmente suficiente. Também não existe um consenso sobre a melhor abordagem. Enquanto parece óbvio, para mim e para muitos outros, que as empresas que dependem da água para produzir, processar e distribuir precisam consumir a nossa água de forma mais responsável, há também pessoas que criticam os esforços corporativos para promover a eficiência hídrica como uma tentativa velada de privatizar a água. Ironicamente, muitos desses críticos provavelmente compartilham os objetivos de reduzir o desperdício de água e poluição, sejam corporativos ou não.

E, no mínimo, a pressão hídrica tem mais probabilidade de restringir o consumo industrial da água. Isso incentiva as empresas pioneiras na discussão da sustentabilidade da água a fazer mudanças por conta própria, para que não sejam forçadas a mudar em circunstâncias que estão fora de seu controle.

Apesar das críticas, a água é um exemplo importante de como alguns líderes reconheceram um perigo claro e passaram pelos estágios de negação, hesitação e diagnóstico; começaram a implementar sistemas para medir o risco da escassez da água e levantar as bandeiras vermelhas apropriadas; e chegaram a um senso de urgência que os impulsionou a agir. Mas, se o resto de nós quiser sair do caminho, esses líderes terão que inspirar bilhões de pessoas a se juntar a eles, e há um longo caminho a percorrer.

Para muitos povos, a falta de água é uma ameaça distante no horizonte. Mas, em muitas partes do mundo, não está longe, mas sempre presente – e um lembrete de que estaremos lutando contra esse horizonte muito em breve se não fizermos algo. As pessoas têm maior probabilidade de responder a uma ameaça quando ela está praticamente em cima delas e quando suas opções são limitadas. Mesmo que isso seja melhor do que esperar até ser pisoteado, é uma estratégia arriscada que é, na verdade, uma corrida contra o tempo.

ORAÇÃO PELA CHUVA

Mais de quatro bilhões de pessoas em todo o mundo já vivem em áreas com escassez ou falta de água. O mundo agora consome mais de seis vezes mais água por ano do que em 1900, considerando que a população cresceu e o consumo de água *per capita* aumentou. Em 2030, segundo algumas estimativas, o mundo precisará de 50% a mais de alimentos e energia. Na próxima década e meia, de acordo com o 2030 Water Resources Group, a demanda por água potável será 40% maior do que a oferta.

Já surgiram crises agudas em todo o mundo. Em 2007, em meio a uma das piores secas da história do sudeste, a água ficou tão escassa em Atlanta que o governador da Geórgia, Sonny Perdue, organizou uma oração de múltiplas religiões nas escadarias da capital do estado em novembro. "Oh, Pai, reconhecemos nosso desperdício", disse ele. Com uma estimativa de apenas noventa dias de abastecimento de água para a cidade até outubro, o estado já havia proibido praticamente toda a irrigação de gramados na metade norte e pedira aos moradores e empresas uma série de outras medidas de conservação, incluindo banhos mais curtos. Havia implorado ao governo federal que parasse de permitir o desvio de água para a Flórida e o Alabama. A situação levou o estado a aprovar um plano de conservação de água no início de 2008.

Um ano depois, o estado emitiu diretrizes para a conservação da água com mensagens conflitantes, incluindo um comunicado à imprensa com uma declaração da Dra. Carol Couch, diretora do Departamento de Proteção Ambiental: "O objetivo final da conservação da água não é desencorajar o uso da água, mas maximizar os benefícios de cada galão usado" – uma definição claramente confusa sobre conservação. As próprias diretrizes começavam com a declaração de que "a conservação deve ser fundamental para o planejamento" e incluíam iniciativas como reformas de banheiros, "*kits* de higiene", sensores de chuva e, o mais importante, rastreamento do consumo da água. O plano marcou o início das etapas em direção a aumentos modestos na eficiência do consumo, embora grande parte do plano da Geórgia envolvesse processos para impedir que sua água fosse para a Flórida e o Alabama, e também o início de uma "captação de água" no Tennessee. Em abril de 2013, o estado de Geórgia autorizou seu procurador-geral a processar o Tennessee em uma tentativa de mover a fronteira da Geórgia com aquele estado uma milha ao norte, para que um lago pudesse ser colocado em sua jurisdição. Por sua vez, a Flórida processou a Geórgia, em outubro de 2013, pelos direitos sobre a água envolvendo o lago Lanier.

As duas maiores cidades do Brasil, São Paulo e Rio de Janeiro, têm enfrentado uma terrível escassez de água, devido ao crescimento astronômico da população e à pior seca em oito décadas. No início de 2015, São Paulo esgotou duas de suas três reservas e só tinha água suficiente para abastecer a população por apenas algumas semanas.

A crise da água de que os californianos tinham conhecimento havia muito tempo se tornou impossível de ignorar em 2014, quando uma seca de três anos, a pior em um milênio, deixou as bacias dos rios Sacramento e San Joaquin com onze trilhões de galões abaixo dos níveis normais. O governador declarou estado de emergência. As perdas nas plantações e na pecuária e o bombeamento adicional para abastecimento de água custaram US$ 2 bilhões e mais de dezessete mil empregos. Mesmo sem a seca, no entanto, a Califórnia já estava em apuros. Recebia menos de um terço da precipitação de chuva anual de Chicago e menos de um quarto da de Nova York – e ainda o estado era a capital das frutas e vegetais do país. As decisões foram cautelosas sobre o uso da água disponível para garantir os compromissos entre agricultura e consumo urbano. A Califórnia tinha investido fortemente em trazer água de lugares distantes para criar e sustentar suas cidades e fazendas. Para compensar o custo mais alto da água, muitos agricultores mudaram para culturas com margens mais altas, como as de amêndoas. Mas, em um exemplo clássico de consequências não intencionais, essas safras também tinham consumo intensivo de água, portanto, aumentavam o problema. A grande questão permanece: por que metade da produção dos Estados Unidos é cultivada em uma das regiões mais áridas do país?

MEÇA E MUDE

Peter Brabeck-Letmathe, presidente da Nestlé, expôs o que empresas, governos e ONGs estão cada vez mais começando a reconhecer como um grande risco: "Nas condições atuais e da forma como a água está sendo administrada, vamos ficar sem água muito antes de ficarmos sem combustível". A empresa de soluções ambientais Veolia Water estimou que, se as empresas não mudarem a forma como gerenciam o uso da água, impressionantes US$ 63 trilhões em investimentos – metade do tamanho de toda a economia global – podem estar em risco. Outras empresas e legisladores estão finalmente entendendo. Em 2013, 2014 e 2015, CEOs e líderes entrevistados pelo Fórum Econômico Mundial identificaram a água como um dos principais riscos globais. Como empresas líderes chegaram à conclusão de que precisavam investir na sustentabilidade da água? Parte do motivo foi o surgimento de grandes crises em todo o mundo, onde as empresas não podiam funcionar devido à escassez de água; parte foi o fato de que o aumento da consciência atingiu um ponto crítico.

Em meados dos anos 2000, a Coca-Cola e a Pepsi perderam suas licenças de funcionamento em partes da Índia que sofriam de grande escassez de água. Em 2012, cerca de 53% das empresas na *Fortune 500* relataram que haviam passado por interrupções nos negócios por causa de problemas relacionados à água.

A chave para todos, tanto para perceber o que precisava ser feito quanto para dar os primeiros passos para resolver o problema da água, era a medição.

O Carbon Disclosure Project, que surgiu para incentivar as empresas a rastrear e reduzir emissões de gases de efeito estufa, lançou em 2008 o Water Disclosure Project, a fim de ajudar a rastrear o que as empresas estavam fazendo para gerenciar melhor o uso da água. Quase seiscentos investidores que controlam mais de US$ 60 bilhões em ativos agora usam o relatório anual do projeto para monitorar o que as empresas estão fazendo para reconhecer e responder ao risco da escassez da água. É um grande começo, mas ainda é apenas uma fração dos investidores mundiais. Em 2014 o Carbon Disclosure Project pediu a mais de duas mil empresas que relatassem a quantidade de água que consumiam. Cerca da metade respondeu. O projeto analisou um subconjunto menor das maiores empresas desse grupo. Dessas 174 empresas do Global 500, apenas 38% relataram que rastreavam o consumo de água. Das empresas pesquisadas, 68% relataram que a escassez de água era um grande risco; curiosamente, 75% viram oportunidades na conservação da água.

Em 2007 o secretário-geral da ONU estabeleceu o CEO Water Mandate para criar um movimento internacional de empresas comprometidas com a abordagem da crise global da água. Os membros reduzem seu próprio uso de água, incentivam seus fornecedores e parceiros a melhorar também a gestão da água, unem-se à sociedade civil e organizações intergovernamentais para promover a sustentabilidade hídrica e pressionam por políticas públicas e estruturas regulatórias justas e coerentes. É crucial, para todo esse trabalho, a transparência, particularmente no relato das atividades e no consumo da água.

O CEO Water Mandate comprova que algumas empresas reconheceram a extensão do problema. No entanto, as ações das companhias que lideram os esforços deixam claro o quanto ainda há a fazer para responder ao desafio da escassez de água. No momento em que este livro foi escrito, apenas 120 empresas haviam endossado o CEO Water Mandate. Existem mais de 45 mil companhias listadas em bolsas de valores em todo o mundo, e isso nem inclui as muitas outras que não estão listadas.

A União Europeia agiu para exigir que mais de seis mil empresas divulgassem seus impactos ambientais. Mesmo assim, esse é um começo muito modesto. Onde a seca atingiu duramente, a ausência de bons dados torna ainda mais difícil alocar de forma justa a água escassa. Na Califórnia, por exemplo, os agricultores têm resistido aos esforços que obrigam a relatar o consumo hídrico, o que faz com que ninguém saiba ao certo para onde vai toda a água. As estimativas são de que a agricultura use 80% da água do estado. "Talvez a característica mais importante das informações sobre o uso da água na agricultura da Califórnia seja a sua pobreza de dados", concluiu o Pacific Institute em um relatório de 2015. "Existem grandes incertezas em relação ao uso da água na agricultura devido à falta de medições e relatórios consistentes, atrasos na liberação de informações e desorganização sobre as definições." Mesmo no epicentro de uma seca épica, ainda não temos as informações de que os legisladores e líderes empresariais precisam para tomar boas decisões e enfrentar uma ameaça que não está apenas se aproximando, mas já chegou.

O MOMENTO EM QUE A FICHA CAIU

A General Mills, empresa global de alimentos com sede em Minneapolis, analisou 75 locais agrícolas críticos e identificou os quinze que estavam em maior risco. Destes, a empresa começou a desenvolver planos de administração para as oito localidades com maior potencial de impacto em seus negócios. A "ficha caiu" com os campos em El Bajío, no México. A equipe ficou surpresa ao saber que o aquífero subterrâneo estava diminuindo mais de dois metros a cada ano. Em outras palavras, em duas décadas não haveria mais água suficiente para o cultivo.

"Foi nesse momento que a ficha caiu para mim", disse o CEO da General Mills, Ken Powell, ao saber como era terrível a situação em El Bajío. Não era uma questão de responsabilidade social corporativa; era uma questão de sobrevivência. "Nosso negócio simplesmente não pode prosperar sem ela", disse ele a um grupo de líderes empresariais, governamentais e sem fins lucrativos reunidos pela Nature Conservancy. "Sabemos que esse é um grande problema que requer uma grande resposta."

A situação de El Bajío foi o que convenceu a General Mills a se comprometer a reduzir o consumo de água em 20% até 2015. Em 2006 a empresa definiu metas específicas para reduzir o consumo hídrico onde pudesse. Ela começou a relatar seu consumo de água por meio do banco de dados do Carbon Disclosure Project.

Trabalhando com a Fundação FEMSA, a General Mills ajudou os fazendeiros de El Bajío a mudar da irrigação por sulcos para a irrigação por faixas, o que reduziu o consumo de água quase pela metade. Esse foi um passo importante, mas representou apenas 0,2% do consumo de água na área. Além do mais, a General Mills reconheceu que, como a maioria de seus insumos é proveniente da agricultura, 99% da água que utiliza anualmente – um volume capaz de submergir todo o estado de Illinois em mais de seis metros de água – é consumida fora das suas fábricas de processamento. Dessa forma, se quiser preservar a água, precisa garantir que seus fornecedores também a consumam de maneira responsável. A empresa está fazendo experiências com outras iniciativas, como o uso de composto de aves em vez de fertilizantes, e encorajando outros fornecedores a passarem a utilizar a irrigação por gotejamento, em um esforço para reduzir o uso de água e aumentar a produtividade das plantações.

A SABMiller e a General Mills não estão sozinhas. Outras empresas investiram em segurança hídrica, fazendo uma aposta que renderá frutos no médio prazo e arriscando enfurecer investidores focados em retornos de curto prazo. A Coca-Cola Company e seus engarrafadores juntos gastaram quase US$ 2 bilhões em eficiência e qualidade da água. A Levi's introduziu o *jeans* "sem água", um nome um tanto impróprio, já que eles simplesmente usam menos água, mas já é um bom começo para uma indústria de algodão com uso intensivo de água.

O que mais as empresas, cidades e nações podem fazer? Podem investir em infraestrutura, recuperar a natureza, reduzir o consumo, compartilhar dados, chegar a acordos sobre como usar a água de maneira mais eficiente e justa. Em seguida, precisam encorajar os outros a fazer o mesmo, o que é o maior desafio.

Colocar a água na agenda global tem sido um desafio, apesar da natureza urgente da questão, disse Dominic Waughray, chefe de parcerias público-privadas e membro do Comitê de Gestão do Fórum Econômico Mundial. Waughray tem trabalhado para reunir defensores públicos e privados em suas plataformas para aumentar a conscientização e inspirar ações sobre o consumo de água com mais sabedoria. "É um dilema clássico dos recursos de propriedade comum. A dificuldade, portanto, é fazer com que todos se reúnam para criar uma solução comum", disse Waughray. "É necessário que haja algum tipo de catalisador para reunir os setores público, privado e a sociedade civil para resolver esses problemas de propriedade comum." A solução não é um conserto técnico, envolve a engenharia de uma mudança profunda de atitude em escala global.

Waughray refletiu sobre como a consciência sobre a escassez de água evoluiu na última década. "Antigamente, você tinha uma palestra ou reunião sobre água no Fórum, e ninguém aparecia", disse ele. Agora, no entanto, as discussões sobre segurança hídrica atraem regularmente grandes multidões. Como isso aconteceu? "O melhor conselho que já recebi foi de um professor brasileiro para quem disse que estava trabalhando em um projeto de água. Ele me olhou com olhos sábios e disse: 'O único conselho que posso oferecer são as palavras do presidente Lula: a arte da política é criar as condições para o sucesso quando aquelas condições não existem'. Achei esse conselho impressionante." Para começar a lidar com os problemas do Rinoceronte Cinza, você deve primeiro alterar as condições que mantêm o *status quo* em vigor.

Ele descobriu que, dentro de empresas que priorizaram a eficiência hídrica, a mudança sempre começa com os indivíduos. "Os observadores de rinocerontes são as pessoas que geralmente agem no limite de suas próprias instituições, ou líderes que podem sentir os riscos no horizonte", disse Waughray. "Eles precisam ter, dentro da organização, capital humano suficiente e inteligência emocional para encorajar as pessoas a colaborar e fazer algo a respeito." Esses líderes constroem e mantêm redes de colegas influenciadores entre as instituições. "As condições para a mudança podem muitas vezes tomar forma a partir da influência de um grupo cada vez mais conectado de indivíduos e de como eles começam a se mover juntos. É importante quando você pode reunir seus pares, CEO com CEO, e criar uma rede ou grupo informal."

Quando a rede para a mudança surge, por onde eles começam? Os influenciadores mais bem-sucedidos têm o compromisso de se ater a um problema, e há um plano de ação de longo prazo para conceber o sucesso. Eles usam a pesquisa para criar um caso sobre por que certa questão é um problema, como essa questão coloca os investimentos, empregos e a economia em risco, e, então, descobrem o que fazer a respeito. Eles encontram uma maneira de passar as possíveis soluções técnicas de modo que elas atraiam um público mais amplo – por exemplo, fazer com que pessoas que você não associa a um problema expressem preocupação a respeito e usar um evento internacional para estimular essa preocupação. Eles fornecem informações importantes para os governos e incentivam a competição amigável entre eles para usar essas informações. "É apenas em um estado pré-competitivo que você pode obter associações de interesse surpreendentes, digamos, Pepsi-Cola e Coca-Cola trabalhando juntas, ou o ministro da energia e o ministério da agricultura, já que os governos são tão competitivos quanto qualquer empresa", disse Waughray. Quando você reúne concorrentes semelhantes e colaboradores na busca de soluções, surgirá uma competição para colocar essas soluções em prática. "Nenhum ministro quer estar na frente de seus colegas e não ter nada a dizer sobre um problema muito difícil de resolver, apesar de todos estarem cientes de sua existência."

CONFLITO DE ÁGUA

O falecido senador de Illinois Paul Simon, conhecido por suas gravatas-borboleta e sua atitude corajosa do meio-oeste, identificou a água como uma ameaça emergente no livro *Tapped Out* (Sem dinheiro), de 1998, um clássico no relato dos primeiros estágios de reconhecimento de um Rinoceronte Cinza.

O livro *Silent Spring* (Primavera silenciosa), de Rachel Carson, publicado originalmente como uma série da revista *New Yorker* em 1962, ainda é reconhecido como o "toque de clarim" que ajudou a lançar o movimento ambientalista. "Em uma época em que o homem esqueceu suas origens e é cego até mesmo para suas necessidades mais essenciais de sobrevivência, a água, junto com outros recursos, tornou-se vítima de sua indiferença", escreveu em uma breve advertência.

Ainda na década de 1980, os ambientalistas mal reconheciam a escassez de água. No início da década de 1990, a *National Geographic*, o Rotary International, o Worldwatch Institute, a *Time*, o Banco Mundial e o Fórum Econômico Mundial estavam começando a chamar a atenção para uma ameaça iminente.

Líderes de nações áridas do Oriente Médio – com 5% da população mundial, mas apenas 1% da água doce do planeta – reconheceram o perigo no início, após uma série de discussões sobre a água em meados do século 20. Israel e Síria discordaram sobre o mar da Galileia, a drenagem do pântano de Hialeah, o desvio do rio Jordão e o papel da água na precipitação da Guerra dos Seis Dias, em 1967. Anwar Sadat e o rei Hussein, da Jordânia, advertiram que a água tinha o poder de causar guerra. Boutros Boutros-Ghali, ministro das Relações Exteriores do Egito na época, emitiu um alerta que agora se tornou quase banal: que as guerras do futuro seriam travadas pela água, não pelo petróleo. Na verdade, a frase é tão comum que gerou uma miniguerra própria, com especialistas em água contestando a afirmação.

Mais de duzentas bacias hidrográficas em 148 países cruzam as fronteiras nacionais; muitas outras cruzam fronteiras de estados dentro das nações. Entre 1950 e 2000, elas geraram mais de 1.800 conflitos. O linha do tempo da cronologia de conflitos de água do Pacific Institute continua a catalogar muitos conflitos a cada ano dentro de países e além de suas fronteiras. Em suma, o potencial de conflito, o custo de não usar a água como forma de cooperação, é enorme.

Paul Simon aplicou um cálculo de custo-benefício simples, mas elegante, sobre as vantagens de encontrar maneiras de evitar uma crise global de água. "Se gastássemos anualmente 5% em pesquisa de dessalinização a mais do que gastamos em pesquisa de armas, em pouco tempo poderíamos enriquecer a vida de toda a humanidade muito além de tudo o que foi conquistado", escreveu Simon sobre os Estados Unidos. Ele estava propondo uma forma de calcular custos, benefícios e compensações impulsionados não pela política, mas pelo bom senso.

Da mesma forma, a *National Geographic* calculou que seriam necessários menos de US$ 10 bilhões em investimentos para fornecer água dessalinizada suficiente para atender às necessidades de Israel, Jordânia e Cisjordânia. "Para comparar, a guerra do Golfo para libertar o Kuwait custou aos países árabes US$ 430 bilhões."

MÁSCARAS BORDADAS

Dinâmicas semelhantes às da água entraram em jogo em conversas mais amplas sobre meio ambiente e mudanças climáticas, práticas comerciais e políticas.

Formada em engenharia, a empreendedora social sino-americana Peggy Liu trabalhou como consultora da McKinsey, depois mudou-se para o Vale do Silício como gerente de produto e, em seguida, tornou-se empresária. Em 2004 ela se mudou para Xangai como investidora de capital de risco, mas logo ficou fascinada com os desafios que a China enfrentava para atender às necessidades de sua economia em rápido crescimento, que esbarrava na realidade dos recursos finitos.

Em 2007 ela organizou o Fórum do MIT sobre o Futuro da Energia na China, o primeiro diálogo público sobre energia limpa entre funcionários do governo dos Estados Unidos e da China. A partir daí surgiu a Colaboração Conjunta Estados Unidos-China sobre Energia Limpa, que ela preside, para ajudar a China a se tornar o mais rápido possível um país verde. "A China está em guerra com a energia", diz.

"Se nos próximos dez anos a China não acertar, o que fizermos em qualquer outro lugar do mundo não importa. A proporção da China é gigante. E as soluções também são gigantes. Estamos esbarrando em verdadeiras fronteiras planetárias."

Depois de um retiro a cerca de uma hora de distância de Pequim, sentamo-nos para conversar na Reunião Anual dos Novos Campeões do Fórum Econômico Mundial em Tianjin, conhecida também como Summer Davos. Quando saí do aeroporto, meus olhos e nariz ardiam com a lendária poluição do ar urbano da China. Mesmo no local onde nosso grupo ficou, ao pé da Grande Muralha, o ar pairava pesado e cinzento. Naquela noite, porém, começou a chover e soprou uma forte brisa. Na manhã seguinte, acordamos com uma breve trégua da poluição – e com um raro céu azul. Os moradores nos disseram que não viam o ar tão limpo havia anos. Mas, um dia depois, a poluição das usinas da região começou a cair novamente.

Liu verifica seu aplicativo de qualidade do ar todos os dias. "Duas vezes eu tive que tirar meus filhos da China porque a poluição era muito forte", disse ela. "Não importa se você tem filtros de ar em todos os cômodos, ou máscaras contra poluição do ar – você não deve se esforçar ou mesmo respirar." Ela pegou seus filhos e os levou para sua casa em Xangai quando o Índice de Qualidade do Ar ficou acima de seiscentos; o governo considera até cinquenta como "bom" e 101 como "prejudicial à saúde para grupos sensíveis". Em janeiro de 2012, o AQI (Índice de Qualidade do Ar) em Pequim atingiu novecentas partes por milhão, levando a China a intensificar esforços para tentar resolver o problema com o empenho de US$ 275 bilhões em cinco anos. No dia em que conversamos, o AQI era de cerca de 220 em Tianjin. Quando Liu sai, ela usa uma máscara bordada, e seus filhos usam máscaras verdes. "Cores de menino", disse ela com um sorriso.

"Uma das perguntas que me fazem é: a China realmente quer ser verde? Ou apenas está se pintando de verde?", ela continuou. "As pessoas que fazem essa pergunta nunca visitaram a China e não entendem a escala da poluição – poluição do solo, poluição da água, poluição do ar, questões de segurança alimentar, seca, questões de resiliência." E está claro para ela que os líderes chineses entendem, mas também estão correndo contra o tempo. "Não tenho dúvidas de que a China lidera todos os países emergentes e a maioria das nações desenvolvidas", disse ela. "Todos os líderes falam sobre isso em seus discursos. Está incluído no Plano Quinquenal. Esses não são alvos pequenos. A história vai olhar para o passado da China e se surpreender com a ferocidade com que eles lidaram com esse problema. A história também olhará para trás e dirá que foi tarde demais."

Naquela semana, a Organização Meteorológica Mundial emitiu um novo relatório alertando que as emissões de dióxido de carbono haviam aumentado em um ritmo alarmante no ano anterior, nunca visto antes. As concentrações de dióxido de carbono na atmosfera eram de 142% dos níveis anteriores à Revolução Industrial, enquanto as de metano eram 253% maiores. O secretário-geral da WMO, Michel Jarraud, ecoando as palavras de Liu, advertiu: "Nosso tempo está acabando".

DESIGN MÚLTIPLO

No dia seguinte, o Índice de Qualidade do Ar estava piscando vermelho, em 157, em Tianjin enquanto eu moderava uma sessão inspiradora com o professor da Universidade de Stanford William McDonough, cujo trabalho de vida foi dedicado a usar o design não apenas para reduzir o desperdício, mas também para reaproveitá-lo, e Mark Herrema, da Newlight Technologies, que fabrica plástico não a partir de ar fino, mas espesso – gases emitidos por combustíveis fósseis e fontes de metano que poderiam ser conhecidos como poluição, mas são extraídos por meio de tecnologias de captura de carbono.

McDonough exala um otimismo tão contagiante que é difícil não ficar animado também com sua mensagem central, a personificação do princípio que vimos no Capítulo 5: que, para inspirar as pessoas a agir, é preciso transformar um problema em oportunidade. "Uma toxina é um material no lugar errado", diz McDonough. Quando criança no Japão, ele ouvia carros de boi levando uma carga de resíduos para os campos dos fazendeiros. O bater dos cascos e o barulho das rodas permaneceram com ele e se tornaram sua inspiração contínua para transformar "lixo" em matéria-prima, que é, como ele diz, "mais barato que grátis".

O livro de McDonough com Michael Braungart, *Cradle to Cradle: Remaking the Way We Make Thing*, de 2002, mostra como as empresas podem transformar o que antes era visto apenas como resíduo em matérias-primas econômicas e projetar seus produtos desde o início para ter uma vida circular. Em vez de ir "do berço ao túmulo", McDonough imagina produtos que são reaproveitados no final de seu ciclo de vida. *Cradle to cradle* traz um novo significado para o velho ditado "Quem guarda tem".

"A natureza encontrou uma maneira de retirar o CO_2 da atmosfera e colocá-lo no solo", McDonough disse. "E se projetássemos materiais que podem voltar à natureza com segurança?" Ele ressalta que o cádmio e o chumbo têm um bom uso quando são usados para soldar computadores, mas, quando vazam para a biosfera, tornam-se neurotoxinas e cancerígenos. "O chumbo em um computador é solda; chumbo no cérebro de uma criança é a morte."

O mesmo princípio se aplica ao carbono, que causa poluição e mudanças climáticas, mas também é uma fonte de vida. "Posso devolver carbono e nitrogênio para o solo? Podemos criar oxigênio por meio do *design*?", McDonough pergunta. Mas ele quer levar esse princípio um passo adiante: "Não vamos apenas reduzir seus malefícios, vamos também aumentar seus benefícios. Precisamos pegar o velho paradigma de 'extrair, produzir, descartar' e invertê-lo". Em outras palavras: descartar, produzir, extrair.

Mark Herrema transforma essa ideia em realidade com uma tecnologia tão impressionante que, na primeira vez que McDonough me falou sobre ela, não registrei bem sua essência, porque não parecia possível fazer plástico a partir do jato de ar espesso e evitar que o carbono vá para a atmosfera. A hora "H" de Herrema que se tornou a Newlight Technologies foi quando leu um artigo de jornal sobre a quantidade de metano que as vacas emitem na atmosfera quando arrotam e respiram. Até ler aquele artigo, ele se sentia da mesma forma que muitas pessoas sentem sobre a contribuição humana para a mudança climática. Parecia muito abstrato e irreal. Mas, quando ele leu que cada vaca emitia seiscentos litros de metano no ar todos os dias, uma luz acendeu. Ele multiplicou uma vaca por um rebanho, e um rebanho por muitos rebanhos, e então pensou em todos aqueles arrotos de vacas perto do tamanho das usinas de energia, e de repente a magnitude do problema ficou clara.

"Temos uma quantidade enorme de material indo para o ar", disse ele. Mas o verdadeiro avanço veio quando ele levou adiante seu experimento mental. "Se todas as coisas que estamos fazendo no mundo vêm do carbono, mas estamos emitindo todo esse carbono no ar, deve haver algum tipo de conexão aqui. E se, em vez de olhar para as emissões de carbono como algo ruim ou pensar no fogo como algo que pode destruir, pensássemos nele como uma fonte de luz?", ele perguntou. "Se a natureza existe pelo armazenamento de carbono, por que não podemos fazer algo semelhante?" Ele pensou nas gigantescas florestas de sequoias criadas pela fotossíntese; nos recifes de corais criados pela extração de carbono da água; e nos organismos que vivem no fundo do oceano que se alimentam de gás metano. Assim começaram muitos anos de noites sem dormir e uma década de frustração antes do momento decisivo em que sua equipe deu um grande passo para tornar mais econômica a criação de plástico a partir do carbono coletado.

A Newlight cria biocatalisadores, organismos que geram enzimas que interagem com emissões ricas em carbono para transformá-las em plástico. De uma garagem a um laboratório e a um laboratório maior, ao longo de uma década e depois de milhões de dólares em investimentos em pesquisa e desenvolvimento, a empresa finalmente encontrou uma maneira de transformar carbono em plástico a um custo menor do que o do plástico tradicional subproduto do petróleo. "De repente, você tem um paradigma em que não precisa nem perguntar se você se preocupa com as mudanças climáticas", disse Herrema. Já que o plástico verde custa menos que o tradicional, ele muda completamente os termos da conversa sobre como fabricar as coisas. Agora, a Newlight está produzindo a primeira cadeia de plástico verde para quase metade do plástico usado nas capas de telefones celulares da Sprint e nas sacolas plásticas usadas pela Dell em seus computadores. A empresa estava fazendo exatamente o que McDonough estava falando – pegando o "maléfico" e criando algo benéfico. Era como os raios de luz passando pelas árvores que Herrema adorava observar ao lado de sua casa: a luz atingia as folhas e ajudava a transformar o carbono em vida.

COLOCANDO ATIVOS NO LUGAR CERTO

A Desso, empresa global de carpetes e gramados esportivos com sede na Holanda, é outro exemplo de como transformar resíduos em oportunidades de inovação. Seu CEO, Alexander Collot d'Escury, fazia parte de uma equipe que começou em 2008 para transformar todos os produtos da Desso de acordo com os padrões do *Cradle to Cradle*. Desde que se tornou CEO, em 2012, Collot d'Escury e sua equipe continuaram a encontrar novas maneiras de incorporar materiais inesperados, como o carbonato de cálcio redesenhado – em outras palavras, giz –, na água potável local que a Desso agora usa em seus tapetes. Mais da metade dos tapetes da Desso vem de fontes recicladas tão diversas como redes de pesca e tapetes velhos. Ao defender uma lei em toda a Europa que exigiria que as empresas aumentassem a reciclagem de embalagens e proibissem a prática de enviar material reciclável para aterros sanitários até 2025, ele observou que pouco mais de um terço dos 2,5 bilhões de toneladas de resíduos gerados na Europa a cada ano é reciclado. A lei proposta encontrou forte oposição de alguns grupos comerciais, que estariam em desvantagem frente a empresas mais ágeis que já adotaram o pensamento da "economia circular". O conglomerado holandês Unilever deixou de ser membro da Business Europe por causa da oposição da organização comercial à valiosa iniciativa.

A McKinsey estimou que a abordagem da economia circular poderia gerar até US$ 1 trilhão em economias de custos globais anuais até 2025. Entre os exemplos citados em um relatório de 2014: ao fabricar telefones celulares que eram mais fáceis de desmontar e aumentar os incentivos para devolvê-los, as empresas poderiam cortar os custos de fabricação pela metade. Os cervejeiros poderiam ganhar quase US$ 2 por hectolitro de cerveja com a venda de grãos usados. E o Reino Unido poderia ganhar US$ 1.295 para cada tonelada de roupas recicladas. Muitas empresas abraçaram a economia circular.

Privahini Bradoo, um jovem líder global do Fórum Econômico Mundial, fundou a BlueOak como uma forma de coletar lixo eletrônico. Só nos Estados Unidos, os consumidores jogam fora 3,2 milhões de toneladas de lixo eletrônico a cada ano, dos quais mais de 80% acabam em aterros, gerando mais de 70% das concentrações de metais tóxicos. O mundo produz 50 milhões de toneladas de lixo eletrônico a cada ano. As empresas gastam US$ 12 bilhões por ano em busca de novos depósitos de minério. No entanto, a cada vinte minutos, os usuários dos Estados

Unidos descartam uma tonelada de telefones celulares. A quantidade de lixo eletrônico abandonado a cada ano contém cobre equivalente a um terço da produção global das minas. E enquanto os fabricantes de dispositivos eletrônicos, principalmente os da China, se preocupam em como adquirir metais raros (e chamados de "raros" não por acaso), o mundo não recicla nem mesmo 1% dos metais raros contidos nos aparelhos eletrônicos que jogamos fora. A BlueOak está transformando esse problema em uma oportunidade, construindo minirrefinarias para extrair metais preciosos e elementos químicos de terras raras do lixo eletrônico. A visão da empresa é "revolucionar a forma como tratamos os eletrônicos em fim de vida: convertendo o lixo eletrônico de hoje em uma fonte sustentável de metais essenciais e terras raras para as tecnologias do amanhã". A empresa foi reconhecida pelo Google e pela Harvard Business School e atraiu alguns dos maiores nomes do capital de risco.

Esse tipo de pensamento tem sido um sucesso não apenas em *startups*, mas também em empresas multinacionais bem estabelecidas. A Unilever anunciou, no início de 2015, que atingiu sua meta de reduzir a zero a quantidade de resíduos enviados a aterros por sua rede global de mais de 240 fábricas em 67 países, produzindo produtos para marcas que incluem Magnum, Knorr, Dove e Domestos. Em vez de enviar resíduos industriais para aterros, a Unilever os transformou em materiais de construção de baixo custo na África e na Ásia; na Índia, transformou lixo orgânico em composto usado para hortas comunitárias; na Indonésia, usou resíduos para fornecer energia para fazer cimento. A iniciativa criou centenas de empregos e economizou 200 milhões de euros.

O anúncio foi parte de uma grande iniciativa do CEO da Unilever, Paul Polman, que chegou à empresa em 2009 com um plano para dobrar o tamanho da empresa e reduzir drasticamente seu impacto ambiental. Até então, a empresa estava oscilando. Polman surgiu com um ambicioso plano de incorporar a sustentabilidade em todos os seus produtos a fim de economizar custos e fortalecer sua marca. A empresa cortou quase um milhão de toneladas de suas operações de fabricação e logística e economizou quase US$ 400 milhões entre 2008 e 2013. Assim, ao abordar o Rinoceronte Cinza ambiental, Polman também enfrentou um Rinoceronte Cinza corporativo: dando à Unilever uma nova vantagem no mercado enquanto cortava seus custos.

O ANO EM QUE "ENTENDEMOS"?

Percorremos um longo caminho desde a publicação do *Silent Spring* até o primeiro Dia da Terra, em 1974, quando Pogo fez a famosa declaração: "Nós encontramos o inimigo, e ele somos nós".

Quando eu era criança, na década de 1970, meus pais mantinham o termostato baixo, não só por causa do meio ambiente, mas também porque estavam criando uma família com o salário de um professor e porque os pais de minha mãe haviam passado pela escassez na Segunda Guerra Mundial e nunca a tinham esquecido. Mas foi quando fiquei mais velha que pude comparar a economia de energia com salvar o planeta. Porém, as coisas deram uma volta completa: argumentar que precisamos salvar o planeta nos leva a um beco sem saída. É muito abstrato, muito distante no futuro, muito pouco relevante para muitos homens. Mas, quando se trata de dólares e centavos, para economizar dinheiro e aumentar os lucros sendo eficiente, ou para evitar riscos óbvios nos negócios, essa é uma história totalmente diferente e que pode impulsionar a ação.

Os eventos climáticos cada vez mais extremos dos últimos anos – do furacão Katrina e da supertempestade Sandy às visitas persistentes do vórtice polar, junto com o encolhimento dramático da cobertura de gelo marinho do Ártico e secas históricas na Califórnia e no Brasil – ajudaram a nos acordar para as mudanças climáticas. Lentamente, as vozes das pessoas profundamente preocupadas com os efeitos das mudanças climáticas ultrapassaram as vozes dos que negam esses alertas. As seguradoras têm pressionado seus clientes não apenas a prestar atenção, mas também a tomar medidas para se protegerem, não porque sejam abraçadores de árvores ou amantes de foca, mas porque há um interesse comercial.

Uma publicação declarou 2014 como "o ano em que as grandes empresas adotaram ações contra as mudanças climáticas". Os exemplos citados foram convincentes. Membros da família Rockefeller, descendentes do magnata do petróleo e do carvão John D. Rockefeller, anunciaram que iriam se desfazer da indústria de combustíveis fósseis e reinvestir em energia limpa. (A decisão pareceria prudente, já que os preços do petróleo caíram drasticamente no início de 2015.) O CEO da Apple, Tim Cook, disse aos céticos da mudança climática que fossem embora caso não gostassem da promessa da empresa de reduzir as emissões de gases do efeito estufa.

Será que 2014 foi o ano em que o mundo finalmente "entendeu" as mudanças climáticas?

Depois de ver um vídeo da calota polar ártica derretendo e desbloqueando "novos oceanos" do gelo, o secretário de Estado de Ronald Reagan, George Schultz, rompeu com a prudência convencional republicana e falou por uma ação governamental para combater a mudança climática.

O papa Francisco preparou um apelo às igrejas em todo o mundo para combater as mudanças climáticas. Em outubro, ele disse, em um encontro de ativistas sociais latino-americanos e asiáticos: "O monopólio das terras, o desmatamento, a apropriação da água e os agrotóxicos inadequados são alguns dos males que arrancam o homem de sua terra natal. As mudanças climáticas, a perda de biodiversidade e o desmatamento já mostram seus efeitos devastadores nos grandes cataclismos que testemunhamos". Enquanto a cobertura jornalística inicial ignorava o elefante na sala – o impacto do crescimento populacional e o chamado da Igreja para ser frutífero e se multiplicar confiando na capacidade do planeta de sustentá-los –, o papa disse mais tarde que não era necessário "procriar como coelhos" para ser um bom católico.

Os Estados Unidos e a China, que juntos respondem por mais de um terço das emissões globais de gases de efeito estufa, em 2014 finalmente assinaram um acordo para reduzir essas emissões. Os Estados Unidos estabeleceram uma nova meta para reduzir, até 2025, as emissões líquidas de gases do efeito estufa de 26% a 28% abaixo dos níveis de 2005. A China se comprometeu com metas para começar a reduzir as emissões de CO_2 o mais rápido possível antes de 2030 e aumentar a parcela de combustíveis não fósseis de toda a energia para cerca de 20% no mesmo ano.

Ao mesmo tempo, a porcentagem de americanos que acreditam que o aquecimento global é real aumentou. Um estudo da Universidade de Yale e da Universidade George Mason descobriu que a porcentagem dos entrevistados que acreditavam que a mudança climática era real aumentou de 57% em janeiro de 2010 para 64% em abril de 2014. O presidente Obama fez das mudanças climáticas o tema principal de seu discurso anual de 2015, observando que quatorze dos quinze anos mais quentes já registrados ocorreram neste século. O Congresso logo declarou a mudança climática uma realidade, embora não tenha chegado a reconhecer que os homens são os responsáveis por ela.

Estamos vendo alguma ação em questões ambientais que vão desde a escassez de água até poluição e resíduos e gases de efeito estufa, mesmo com o relógio disparado. Quanto mais próximo o desastre, maior a probabilidade de agirmos, mesmo que seja menos provável que possamos fazer o suficiente para sair do caminho. Ao mesmo tempo, quanto mais pudermos enquadrar as ameaças em questão como oportunidades, maior será a probabilidade de, pelo menos, retardar o rinoceronte.

Aprendizados do Capítulo 7

- O momento em que você age pode ser tarde demais.
- Medição. Fazer um balanço do tamanho do problema pode tornar o caminho claro para resolvê-lo.
- Faça por partes. Se você não pode resolver todo o problema, escolha uma parte administrável. Da mesma forma, divida a decisão na menor unidade efetiva possível – um estado *versus* um país, uma cidade *versus* um estado, uma empresa *versus* um setor, uma única unidade de uma empresa.
- Transforme uma ameaça em uma oportunidade. Nossos vieses cognitivos nos tornam mais propensos a responder à possibilidade de ganho do que a simplesmente evitar um problema.
- Pode ser necessário drama para chamar a atenção, mas, muitas vezes, surpreendentemente, pouco drama para obter resultados. Como a MillerCoors descobriu, mudanças comportamentais simples levaram a grandes economias.

8

Após o atropelamento:

Uma crise é algo terrível de se desperdiçar

Em uma tarde clara e ensolarada do fim de junho, os escavadores reviravam o terreno ao lado do rio Bow, na cidade de Calgary, próximo a uma pequena rua residencial rodeada de casas de alto padrão com jardins paisagísticos e perfeitamente tratados. Do outro lado da cerca de arame que bloqueava o local da construção, a poucos passos das escavadeiras, em uma via pavimentada, uma fita amarela visava manter os pedestres e ciclistas seguros do desmoronamento de terra às margens do rio que ocorrera durante a enorme inundação em 2013.

Essa faixa de terra em particular, localizada no final da Eighth Avenue SE em Inglewood, o bairro mais antigo da cidade, suportou o impacto das forças de destruição que na maioria das vezes permanecem adormecidas. A área fica ao longo de uma curva majestosa no encontro dos rios Bow e Elbow, o coração de Calgary. Não muito tempo atrás, a extensão da margem do rio era muito maior do que agora. Mas, durante a enchente, a força da água – quase 1.800 metros cúbicos por segundo – colidiu com as margens, em vez de seguir seu meandro normal ao redor da curva. Em menos de 24 horas, cerca de sessenta metros (mais de 150 pés) de terra desapareceram na água. Ainda mais teria ido se os trabalhadores da cidade não tivessem agido rapidamente para colocar quarenta barreiras de concreto pré-moldado e dois mil sacos de areia no rio para proteger o que restou da margem e as casas ao lado dela.

Ao longo da costa, pilhas de pedras gigantescas evidenciam os esforços da cidade para evitar que mais terra das margens seja levada no futuro. Em toda a cidade, as equipes instalaram 10.700 toneladas de pedra para servir como proteção contra a erosão no rio Elbow e 96 mil na curva – tanto que eles tiveram que se esforçar para encontrar pedregulhos suficientes, porque o suprimento se esgotou. Dois diques recentemente instalados de rocha foram prolongados na água para desviar o fluxo do rio nas tempestades futuras. Partes da margem do rio tinham plantações em fileiras assentadas para ajudar a prevenir a erosão futura, e dezenas de novas plantas aguardavam plantio. O condutor vertical próximo ao final do caminho era novo; o antigo fora levado embora. Um pouco mais adiante, onde o rio faz uma curva em direção ao santuário dos pássaros, a margem parecia uma fatia de bolo, com grama verde no topo e terra nua embaixo, causado pela erosão da terra. As andorinhas carregavam o material do ninho para os buracos que haviam feito na terra recém-exposta, tornando impossível fortalecer a margem, porque as aves haviam sido recentemente designadas como espécie em extinção.

Passou-se quase um ano desde que as chuvas fortes do final da primavera coincidiram com a neve derretida descendo os rios Elbow e Bow. A união dos dois rios era a razão pela qual Calgary nascera na pradaria. Por esse motivo, grande parte do centro da cidade, um potencial econômico para a província de Alberta e, também, para grande parte do Canadá, encontra-se em uma planície de inundação. Os moradores de Calgary estão tão cientes de sua história quanto do fato de que a própria fonte da identidade de sua cidade se tornou sua maior ameaça. O desastre natural mais caro de todos os tempos no Canadá, a tempestade de 2013, custou cerca de US$ 6 bilhões, incluindo US$ 445 milhões em danos à infraestrutura pública. Quase cem mil pessoas foram evacuadas. As redes de telefone silenciaram, o transporte público parou e cerca de 35 mil pessoas ficaram sem energia. Cerca de quatro mil casas e empresas foram danificadas. Milagrosamente, apenas uma pessoa, uma mulher que ignorou a ordem de evacuação, morreu.

Enquanto eu visitava a cidade de Calgary e conversava com as autoridades municipais sobre sua resposta à inundação de 2013, foi impressionante como a maioria deles foi clara ao discutir a força da pressão da água no rio. No rio Bow, várias pessoas me disseram, o volume de água atingiu o pico em mais de 1.700 metros cúbicos por segundo – o registro mais alto da história e treze vezes a vazão média – acima do rio Elbow. Na confluência dos dois rios, onde presenciei os danos causados em Inglewood, o volume subiu para 2.400 metros cúbicos por segundo.

A inundação de 2013 foi o segundo estado de emergência declarado na cidade de Calgary. O primeiro foi uma inundação em 2005, que danificou quarenta mil casas e forçou a evacuação de 1.500 pessoas. Três pessoas morreram. As águas levaram embora centenas de milhões de dólares em danos, e apenas US$ 165 milhões foram cobertos por programas federais. As duas inundações juntas fornecem uma visão intrigante sobre como uma cidade responde a uma crise para evitar danos semelhantes no futuro e sobre onde os gestores provavelmente tropeçarão.

GOOGLE MAPS ANABOLIZADO

Após a enchente de 2005, a província de Alberta reuniu uma força-tarefa e encomendou um estudo sobre como evitar danos de futuras enchentes. Conhecido como Relatório de Groeneveld, recomendava dezoito medidas, no valor de US$ 305 milhões, para amortecer futuras enchentes. Curiosamente, muitas das medidas vieram de um relatório preliminar de 2002 que se seguiu a inundações menores em 1997 e 1998. Esse documento nunca progredira da forma de um rascunho para se tornar recomendações formais. Embora o Relatório de Groeneveld tenha realmente sido divulgado, a maioria de suas recomendações, como na versão anterior, começou a acumular poeira.

Construído no topo de uma colina e cravejado numa encosta, o Centro de Operações de Emergência de Calgary parece algo saído de um filme de James Bond. Embora não fosse formalmente parte do Relatório de Groeneveld, o ímpeto para a criação do centro foram as enchentes de 2005. A Câmara Municipal aprovou a criação do EOC, oficialmente chamado assim após as enchentes, e sua construção começou em 2009. Chris Arthurs, diretora de Operações de Recuperação da cidade de Calgary, diz que a cidade foi criticada pelo custo de US$ 47 milhões do centro quando foi concluído, em 2012, menos de um ano antes da nova enchente. "Mas não mais!", ela disse quando chegamos ao centro.

A construção "de fraldas" não apenas fica em uma altitude elevada, mas também está equipada com bombas d'água para garantir que não sofra inundações. Está fora das rotas de voo e bem longe das rotas de trânsito onde mercadorias perigosas possam passar de trem ou caminhão. A estrutura, construída em um antigo local de *bunker*, tem mais de doze mil metros por andar subterrâneo, 32 câmeras de segurança, três sistemas de telefone e rádio amador, uma torre de rádio e linha digital, um tanque de cinquenta mil litros e suprimento de alimentos permanente para pelo menos sessenta pessoas por 72 horas. Tem quatro geradores – embora precise de apenas dois – que podem fornecer energia ao local por uma semana a dez dias. "Mas, se desligar as luzes, poderia durar três semanas", disse Tom Sampson, vice-chefe da Agência de Gerenciamento de Emergências de Calgary (CEMA), que desde então foi promovido a chefe.

No ponto central das operações, onde os socorristas se reúnem para emergências, a parede oposta tem telas gigantes com novas informações e mapas. Sampson traz um mapa da cidade com imagens de satélite e informações cruzadas com 212 pontos de dados de taxas e licenças para serviços públicos, chamadas de emergência, estações de metrô, locais com materiais perigosos, escolas, bibliotecas...

E a lista continua. "É como o Google Maps anabolizado", disse Sampson. Ele escolhe um prédio da vista aérea, aumenta o *zoom*, muda para uma vista lateral, gira e com mouse mede a altura de uma das janelas. Ele afasta o *zoom*, seleciona uma elevação de um metro e meio no rio e clica com o mouse. Grandes áreas do bairro se enchem, com uma tela roxa mostrando o que será inundado, cada casa individualmente em cada quarteirão. Ele então cruza as referências de escolas, bibliotecas e outros possíveis locais de evacuação da comunidade, mostrando quais estão fora de perigo e quais seriam inundados. É uma das poucas recomendações do Relatório de Groeneveld que se tornou realidade a tempo de fazer a diferença.

Essa ferramenta de modelagem de processos desempenhou papel fundamental durante a enchente de 2013, quando ajudou o EOC e a empresa de energia a identificar um grande risco: a subestação de energia 32, que o EOC identificou com risco claro no caso de uma enchente. A Enmax construiu um arrimo para proteger a subestação, com resultados poderosos. Fotos tiradas durante a enchente mostram as águas revoltas batendo contra as bordas de um retângulo de concreto onde a subestação estava localizada. Se a Enmax não estivesse tão preparada, Sampson apontou, "Não apenas centenas de milhões de dólares teriam sido perdidos, mas também dezesseis comunidades teriam que ser retiradas". Foi um exemplo de trabalho de preparação funcionando como deveria. "Nos últimos dois anos, praticamente não necessitamos de treinamento, porque havia muitos eventos reais acontecendo", disse Sampson. A cidade teve que lidar com um descarrilamento de trem, tempestades de vento, três disparos de alarme... ah, e também um dilúvio.

A QUALQUER CUSTO

Apesar do impacto da enchente, Calgary lutou com as mesmas forças que atrapalharam os esforços para responder e prevenir futuros desastres após a enchente de 2005. Quando visitei o gabinete do prefeito, uma cópia do jornal *Calgary Herald* no mural de notícias lembrava aos visitantes o tamanho do trabalho a executar. "Ajuda contra inundações deve cair em US$ 1 bilhão", dizia a manchete.

Eleito em 2010, o prefeito Naheed Nenshi nunca viu o Relatório de Groeneveld antes da enchente de 2013. "Eu nem sabia que ele existia", ele disse. "Estranhamente, abrimos o EOC – eu nunca tinha estado no EOC até a enchente, e entrei nele pela primeira vez." Na verdade, ele me disse, com certa tristeza, que até votara contra o crédito orçamentária final que criava um terceiro servidor de TI para *backup* no centro, porque achava que a cidade não precisava de um terceiro. "Mas é claro que os dois primeiros inundaram durante o dilúvio", diz ele, plenamente consciente da clareza que essa visão traz. Ele me mostrou fotos em seu celular do centro de operações de emergência de Londres, claramente orgulhoso de que a versão do Reino Unido parecia bastante inferior em comparação com a de Calgary.

Enquanto conversávamos sobre os desafios de responder e planejar apropriadamente para futuros desastres após as enchentes, ele pegou uma bola massageadora gigante passando-a de uma mão para a outra. Filho de imigrantes da Tanzânia, Nenshi é o primeiro muçulmano a se tornar prefeito de uma grande cidade da América do Norte. Formado em Harvard, ex-consultor da McKinsey e professor da escola de negócios, ele é um especialista em políticas que não se leva muito a sério. Eu o conheci quase seis meses antes da enchente, em um *workshop* na reunião anual de 2013 do Fórum Econômico Mundial em Davos, onde nos unimos para liderar um *workshop* sobre o futuro da governança. Recomendamos transparência e conectividade como marcas de governos de sucesso do futuro. Nenshi aplica o mesmo espírito ao orçamento participativo e outras estratégias de "megaengajamento" para obter *feedbacks* dos moradores. Quem diria que essas ideias entrariam em ação de forma tão dramática apenas alguns meses depois?

A resposta de Nenshi às enchentes de Calgary rendeu a ele amplo reconhecimento por sua dedicação e comunicação aberta e constante. Sua conta no Twitter tem mais de 250 mil seguidores e o incluiu em uma lista do BuzzFeed de 2013 de líderes mundiais patetas "porque ele é o melhor absoluto no Twitter... como, o rei do Twitter... ou talvez prefeito do Twitter seja mais apropriado". Ele abraçou essa posição com seu bom humor característico.

Sua administração ajudou a trazer a cidade de Calgary de volta rapidamente com um *slogan* "A qualquer custo". A cidade preparou seu famoso rodeio anual apenas duas semanas após a enchente, embora o trecho do rio que passava pelo centro de exposições tivesse invadido suas margens e inundado barracas e os níveis mais baixos de assentos. Quando inundações ocorreram em Toronto não muito tempo depois do desastre de Calgary, uma campanha no Twitter solicitando a ajuda de Nenshi aumentou depois que um repórter do *Toronto Sun* tuitou que o prefeito de Toronto, Rob Ford, estava em seu SUV com seus filhos usando o ar-condicionado para se refrigerar depois que sua casa ficou sem energia. ("Quanto dinheiro os cidadãos de Toronto precisam oferecer a Calgary para trocar Ford por Nenshi?", perguntou um seguidor irônico.) Após a enchente de Calgary, a província de Alberta se ofereceu para comprar todas as casas na zona de inundação por valor de mercado. Nenshi também fez uma proposta muito atraente aos residentes cujas casas foram danificadas pela inundação: "Se você se inscrever para receber ajuda em desastres, nós lhe daremos fundos extras para prevenção – mas vocês devem fazer as prevenções", disse ele. (Isso pode incluir a movimentação de aparelhos elétricos acima do nível de inundação, vedação de rachaduras, vedação de janelas abaixo do nível de inundação ou aplicação de revestimentos à prova d'água.)

Um ano após a enchente, a cidade enfrentou um dilema no planejamento para evitar danos futuros como o de 2013. O prefeito e sua equipe já haviam concluído que o plano de US$ 317 milhões para reconstruir e fortalecer as margens dos rios não seria suficiente para proteger a cidade. Alguns dias antes, a equipe de prevenção de enchentes da cidade havia apresentado um relatório ao Conselho Municipal recomendando cerca de US$ 1 bilhão em projetos para tornar a cidade menos vulnerável a futuros desastres.

"Várias pessoas da comunidade estavam muito nervosas nesse ano: vamos ter outra inundação? E, não importa o que aconteça, mesmo que você possa dizer estatisticamente que é uma chance em cem de que isso não aconteça nesse ano, você não pode afirmar, e as pessoas também não", disse Nenshi. "Tivemos um inverno lastimável, longo e horrível aqui – todo mundo na América do Norte teve –, e provavelmente éramos as únicas pessoas na América do Norte que não estavam ansiosas pela chegada da primavera. Estávamos nervosos. Cada nuvem no céu, cada vez que a temperatura aumentava muito, ficávamos preocupados com o derretimento da neve. Recebo as previsões de enchentes várias vezes ao dia. Sei exatamente a correnteza do rio. Mas ainda olho atentamente para o céu e, toda vez que atravesso o rio, ainda paro para dar uma olhada em como está o nível."

Mesmo assim, o impacto emocional das enchentes ainda não se converteu em investimentos reais em prevenção, o que envolveria muitos anos de construção e quantias significativas de dinheiro. Os três itens de maior valor entre os quais Calgary estava tentando decidir eram obras importantes: um duto para desviar a água do centro da cidade; um reservatório de distribuição e armazenamento próximo a Springbank, que ajudaria não apenas em inundações, mas também em épocas de seca, que são mais comuns em Alberta; e uma barragem seca em McLean Creek, cujo principal efeito seria ajudar a drenar as águas das enchentes, mas era improvável que ajudasse muito em uma seca.

Nenshi pegou um pedaço de papel e esboçou um mapa de como seria o duto, redirecionando a água do Elbow por cinco quilômetros, através de um túnel vinte metros abaixo do centro da cidade, para um ponto mais baixo na curva. "Em anos de grande fluxo, quando necessário, podemos levar água daqui para cá", disse ele, desenhando uma flecha de um ponto para o outro, "protegendo esta parte do fluxo do rio Elbow e basicamente protegendo o centro de Calgary".

Nenshi continuou: "Muitas pessoas estão felizes em ter essa discussão. Alguns que não foram afetados simplesmente dizem 'não faça isso'. E aqueles de nós que foram afetados pelas enchentes dizem 'apenas faça, não me importa quanto custe; nunca mais quero passar por isso'. Todos os três são pontos de vista legítimos. Se você tomar essas três medidas de mitigação juntas, elas custariam até US$ 1 bilhão. Estou precisando de infraestrutura: preciso fazer uma linha de metrô, preciso fazer estradas, preciso fazer estações de tratamento de água. Já tenho US$ 25 bilhões em necessidades não financiadas. Para a província gastar US$ 1 bilhão em infraestrutura que talvez nunca venhamos a usar...", ele parou, deixando a conclusão inevitável pairar no ar. "Se tivermos sorte, nunca será usado. É uma questão de política pública realmente interessante. Estaríamos gastando US$ 1 bilhão contra uma chance em cem para evitar danos de US$ 5 bilhões."

Olhando desse ângulo, o cálculo não faz sentido. Mas, como Nenshi bem sabe, essa pode não ser a equação certa. O custo financeiro está considerando o custo humano? Há muitas incertezas.

Seria realmente tão improvável, uma chance em cem, considerando que a cidade de Calgary acabava de ter, em apenas uma década, tempestades que costumam ocorrer a cada duzentos anos, com os cientistas prevendo um aumento ainda maior do número de tempestades violentas? Na verdade, o governo canadense logo determinaria que trabalhar com o padrão de um em cem anos não era bom o suficiente. Muitos dos comentários do público, como parte do processo de *feedback* que Calgary empreendeu, pediram mais. "Quando a cidade concede aprovações para construir sobre ou adjacente à atual linha de inundação considerando um risco de um para cem, a cidade está pedindo problemas", escreveu um cidadão. "A inundação 1/100 é uma previsão estatística que não inclui as inundações realmente grandes que podem ocorrer em um futuro próximo ou distante." Outras comunidades, de fato, haviam trabalhado com níveis mais altos. O sistema de desvio da inundação do Rio Vermelho de Winnipeg protege até 1/700. A província de Alberta requer proteção de até 1/1.000. A Holanda se fortaleceu contra uma enchente de 1/1.250, um nível que revisa a cada cinquenta anos.

A definição técnica de uma enchente de cem anos é que há uma chance de 1% de acontecer em um ano. Mas, como cada inundação pode modelar limites de bacias hidrográficas, ela pode mudar as chances de inundações futuras. Outros fatores também entram em jogo. O Painel Intergovernamental sobre Mudanças Climáticas, que agrega as opiniões dos principais cientistas, prevê que eventos climáticos extremos ocorrerão com mais frequência por causa das mudanças na atmosfera causadas pelo aquecimento global. Junto com chuvas mais intensas, virão inundações mais frequentes e mais fortes. Nas áreas costeiras, o aumento do nível do mar tornará os danos mais graves; em áreas onde rios e lagos são alimentados pelo derretimento de geleiras e neve, as inundações também se tornarão mais severas. A agência de seguros do Canadá, em um relatório de 2012, previu que tanto as secas quanto as inundações vão piorar. Por outra estimativa, o que agora é uma enchente de uma em cem anos poderia, dentro de três décadas, ser uma a cada 35 ou 55 anos. Um estudo da AECOM de 2013 para a Agência Federal de Gerenciamento de Emergências previu uma chance em duas de um aumento significativo nas enchentes ao longo das costas e rios nos próximos noventa anos.

A matemática fica ainda mais complicada quando você tenta calcular a economia de danos evitados, o que é terrivelmente difícil. Em 1968, apesar dos protestos confusos, o canal do rio Vermelho, em Winnipeg, foi construído para um nível de 1/90 anos a um custo de US$ 63 milhões. Quando o "Dilúvio do Século" de 1997 aconteceu, o canal limitou os danos em Winnipeg, mesmo com as tempestades devastando Grand Forks, na Dakota do Norte. No entanto, estava claro que a tempestade havia sobrecarregado o canal até o limite de sua capacidade e que qualquer coisa pior iria inundá-lo. A maior inundação da história de Manitoba, em 1826, foi 40% maior do que o volume de água de 1997; se isso acontecesse novamente, a província sofreria US$ 5 bilhões em danos. Sendo fiel ao perfil prático canadense, em 2005 o governo federal, a província de Manitoba e Winnipeg juntos gastaram mais US$ 627 milhões para expandi-lo para 1/700. As autoridades estimam que o canal evitou mais de US$ 32 bilhões em danos ao longo de sua vida, com US$ 12 bilhões em custos evitados apenas em uma enchente ocorrida em 2009. Manitoba se destacou por ter reconhecido a importância de prevenir em vez de remediar.

A experiência da província excedeu o retorno que os especialistas em desastres estimam que esse trabalho de prevenção produz. A Agência Federal de Gerenciamento de Emergências dos Estados Unidos e o Conselho de Prevenção Multihazard, por exemplo, estimam que cada US$ 1 gasto para tornar as comunidades menos vulneráveis a desastres naturais economize US$ 4. E depois existem os custos de ocasião. De acordo com Judith Rodin, da Fundação Rockefeller, que fez da prevenção uma peça central do trabalho da fundação, 25% das pequenas e médias empresas nunca reabrem após desastres.

"Qualquer entidade pode se prevenir", escreveu Rodin no livro *The Resilience Dividend: Being Strong in a World Where Things Go Wrong* (O dividendo da resiliência: ser forte em um mundo onde as coisas dão errado), lançado em 2014. "Frequentemente, no entanto, o pensamento de prevenção realmente não funciona até que um evento galvanizador ou um grande choque – como o furacão Sandy – coloque a necessidade em evidência. Mas não deveríamos esperar que as coisas deem terrivelmente errado para trabalharmos a fim de torná-las mais certas."

A matemática é sempre favorável a evitar o desastre. Infelizmente, o cálculo político é muito diferente. "Tivemos a enchente em junho passado e as eleições municipais em outubro", lembrou Nenshi. "Foi logo depois. Posso contar em uma mão quantas pessoas perguntaram: 'O que você vai fazer a respeito da prevenção de enchentes?'. Não foi uma questão eleitoral de forma alguma." De fato, seu secretário de imprensa tinha acabado de me dar um novo artigo da *The Walrus* sobre a enchente de Calgary que até cita um estudo de 2009 cujos autores concluíram que os eleitores recompensam os titulares por ajudar nos desastres, mas não pela preparação para esses desastres. "Agora estamos no aniversário de um ano, e muitas dessas emoções vieram à tona", ele disse. "Se não tomarmos a decisão de investir rios de dinheiro para prevenção de enchentes nos próximos, digamos, 24 meses, então será muito difícil para o governo conseguir esse tipo de investimento."

Tão problemático quanto o risco de desperdiçar o momento logo após um desastre, como se provaria, era o risco de fazer algo pelo simples ato de fazer algo, mas sem previsão ou coordenação suficiente.

No final de setembro, o primeiro-ministro de Alberta, Jim Prentice, anunciou que a província construiria a barragem seca – em Springbank, não no local de McLean Creek que a cidade de Calgary estava considerando. Surpreendentemente, ele não consultou os residentes da cidade ou especialistas em enchentes. Nenshi emitiu uma declaração crítica em resposta. "Isso representa um verdadeiro distanciamento do plano original, no qual o reservatório desempenharia um papel nos anos de enchentes e secas", escreveu. "Essa barragem seca serviria apenas durante uma enchente e não permitiria uma gestão abrangente da água, o que a província havia declarado anteriormente ser seu objetivo para esse projeto."

CONSEQUÊNCIAS NÃO INTENCIONAIS

Enquanto escrevo este livro, o resultado ainda está por vir. No entanto, a interferência política em um processo de planejamento cuidadoso é muito típica. A consequência dessa dinâmica é que as decisões que tomamos depois de uma crise têm maior probabilidade de variar do zero para uma visão míope, ineficaz e bizarra.

Depois dos ataques terroristas de 11 de setembro, o governo Bush implementou muitas políticas antiterrorismo, incluindo os agora familiares (mas não por isso menos complicados) procedimentos de segurança de aeroportos que custaram incontáveis bilhões em tempo perdido. Passamos a dar por certo o ritual entediante e surreal de tirar os sapatos no aeroporto, apesar – ou talvez por causa – do fato de que é improvável que valham a pena a irritação e o tempo perdido. Shaun Rein estimou na *Forbes* que o tempo extra que os viajantes perdem nos aeroportos americanos nas medidas de segurança pós-11 de setembro custa entre US$ 20 bilhões e US$ 30 bilhões a cada ano. Mas as pessoas convivem com a inconveniência porque parece que alguém tomou alguma providência, sendo ou não o melhor uso dos recursos.

Em outros casos, as decisões involuntariamente têm um efeito empobrecedor da vizinhança. Sachsen-Anhalt, na Alemanha Oriental, fez um extenso trabalho para reabilitar barragens e diques ao longo do rio Elba depois que inundações catastróficas em agosto de 2002 mataram vinte pessoas, causaram danos no valor de mais de onze bilhões de euros, forçaram mais de sessenta mil evacuações e afetaram mais de trezentas mil pessoas. Diques foram rompidos pela água em 131 locais. A resposta foi criar um sistema de previsão de enchentes e um plano de longo prazo, bem como reparos em muitos dos diques.

Quando uma nova tempestade chegou, em junho de 2013, o rio Elba subiu quase quatro vezes seu nível normal – ainda mais alto do que em 2002. Muito menos diques se romperam pelo rio, e houve muito menos enchentes do que no passado, mesmo o nível da água muito mais alto. Mas isso apenas empurrou os danos rio abaixo. Ao sul de Magdeburg, no centro da província e em uma curva acentuada onde o rio Elba encontra o rio Saale, uma barragem estourou.

Comunidades devastadas por enchentes estão repletas de planos práticos e bem planejados para prevenir futuras enchentes. Em muitos casos, apenas uma fração do que foi proposto é feita.

A Ilha de Galveston – apelidada de "estrela solitária equivalente aos Hamptons" – não fica nem três metros acima do nível do mar em seu ponto mais alto. Em uma viagem de campo do colégio a Galveston, minha classe aprendeu sobre um esteio da história do Texas: a Grande Tempestade de 1900, um ciclone tropical que devastou a ilha e, com mais de seis mil mortos, ainda é de longe o desastre climático mais mortal na história dos Estados Unidos. Em dois anos, Galveston havia construído um paredão de dezesseis quilômetros de comprimento e cinco metros de altura para conter o Golfo do México do lado leste. No entanto, o mar continua a invadir a ilha, com erosões de três a cinco metros por ano. Os pântanos da ilha, que ajudam a reduzir as tempestades, diminuíram em um terço desde a década de 1950. O furacão Ike atingiu a ilha em 2008, resultando em mais de US$ 50 milhões em danos. Mais de 80% das casas foram afetadas pela tempestade.

No entanto, novos desenvolvimentos continuam surgindo, e Galveston continua buscando fundos para proteger a praia. Um mapa de risco geográfico da ilha projetado para 2062 está cheio de faixas vermelhas, principalmente as atuais áreas úmidas, praias, mares e pântanos, indicando um potencial de risco iminente. A cidade afirma que seu sistema de esgoto pode resistir a um furacão de categoria 5. Segundo algumas estimativas, custaria mais de US$ 100 milhões para proteger Galveston. Se você adotar uma abordagem simples de economia de probabilidade, a matemática chega ao ponto de equilíbrio se os residentes esperarem uma tempestade que costuma acontecer de cem em cem anos que custe US$ 10 bilhões. Para Galveston, a melhor teoria parece ser que vale a pena reconstruir. Algumas comunidades tomam uma decisão racional de não evitar que os danos ocorram, mas, em vez disso, de ser capazes de se recuperar mais rapidamente.

UM CHAMADO PARA ACORDAR

"Desde o início dos tempos, as pessoas chamam os desastres de 'chamados para acordar'. Eles são mais parecidos com a função soneca", disse Irwin Redlener, fundador do Centro Nacional de Preparação para Desastres, a uma audiência na Escola de Relações Públicas e Internacionais da Universidade de Columbia.

Sandy era o chamado de que a cidade de Nova York precisava?

Os nova-iorquinos tiveram dias de aviso quando o radar rastreou o furacão Sandy em direção à costa leste, em outubro de 2012, junto com uma tempestade vindo do oeste que se fundiu para criar uma "supertempestade". A cidade também estava bem ciente do aumento dos perigos das tempestades causadas pela elevação do nível do mar e das tempestades cada vez mais violentas causadas pelo aumento da temperatura do mar. No século passado, o mar havia subido mais de trinta centímetros; cientistas do clima preveem que o nível do mar pode subir mais de sessenta centímetros até 2050. Urbanistas e cientistas climáticos previam havia anos que Nova York estava cada vez mais vulnerável a uma tempestade gigante que poderia inundar áreas de baixa altitude e causar a interrupção generalizada e destruição que os nova-iorquinos em áreas de baixa altitude iriam experimentar após o furacão Sandy – ou que podemos ver em filmes apocalípticos de ficção científica. Um relatório de 1995 do Corpo de Engenheiros do Exército havia previsto que uma tempestade de categoria 4 poderia criar ondas de quase dez metros, ou mais do que o dobro daquelas conduzidas por Sandy. Um estudo de 2006 do Instituto Goddard de Estudos Espaciais da NASA previu que uma tempestade de categoria 3, considerando um aumento de apenas 45 centímetros nos níveis do mar, criaria destruição muito parecida com a que a cidade de Nova York experimentou com o furacão Sandy, uma "mera" tempestade de categoria 1.

Os mapas do tempo forneciam informações sobre semanas, depois dias e depois horas dignas de atenção, com detalhes de alta resolução.

Mas o verdadeiro aviso prévio – os estudos detalhados sobre a elevação do nível do mar e a potencial destruição das tempestades – passou despercebido. Em 2007, a cidade solicitou que a FEMA atualizasse seus mapas de inundação para a área, que não eram revisados desde 1983, apesar do amplo desenvolvimento ao redor da orla. O processo de remapeamento começou finalmente em 2009. No entanto, como em tantas ameaças óbvias, mas não necessariamente iminentes, o maior problema da necessidade de melhorar a infraestrutura para se proteger de tempestades foi ignorado.

O prefeito Michael Bloomberg foi denunciado por gerenciar indevidamente uma tempestade de neve relativamente pequena em dezembro de 2010, então ele estava particularmente atento à necessidade de ser proativo na preparação enquanto o furacão Sandy subia pela costa leste em direção à cidade. Muitas pessoas obedeceram às ordens de evacuação quando o furacão (posteriormente rebaixado para supertempestade) Sandy se aproximou, mas outros permaneceram onde estavam. Essa decisão custou a vida de 110 pessoas no nordeste dos Estados Unidos. Já fazia muito tempo que um furacão não atingia a costa – o mais recente havia sido o Agnes, em 1972 –, e a ordem de evacuação do ano anterior parecia ter sido em vão. Em agosto de 2011, o furacão Irene levou a cidade a emitir sua primeira ordem de evacuação obrigatória, cobrindo 375 mil pessoas. Mais tarde, a cidade estimou que cerca de 60% da população realmente partiu. Quando Irene se revelou, na melhor das hipóteses, uma tempestade fora de estação, as pessoas passaram a levar menos a sério os pedidos de evacuação. Um estudo da cidade relatou que apenas 29% dos entrevistados nas zonas de evacuação haviam realmente saído. Um terço não acreditou que a tempestade seria severa o bastante para causar danos ou pensaram que suas casas estariam seguras. Em outras palavras, estavam no primeiro estágio de negação de um Rinoceronte Cinza.

Depois da tempestade, a negação não era mais uma opção. A tempestade inundou mais de oitenta quilômetros quadrados na cidade de Nova York e danificou quase noventa mil edifícios, mais de trezentas mil unidades habitacionais e 23.400 negócios. Grande parte da cidade foi fechada por quase uma semana, enquanto outras partes ficaram paralisadas por meses ou mesmo anos. Um conhecido meu teve que fechar seu próspero restaurante. Um amigo cujo escritório ficava no centro financeiro teve que trabalhar em um escritório temporário por quase um ano. Outros amigos tiveram que encontrar alojamento temporário por semanas e meses; amigos em Rockaways quase perderam suas casas; outro amigo teve que fechar seu restaurante definitivamente. O custo de reconstruir e reparar a infraestrutura pública de Nova York foi estimado em US$ 13 bilhões, e o custo da perda de atividade econômica, em US$ 6 bilhões. Esperava-se que as seguradoras privadas cobrissem US$ 19 bilhões em perdas e o governo federal outros US$ 12 a US$ 15 bilhões.

Com o resultado do furacão Sandy, as autoridades municipais procuraram a Holanda, que havia se organizado, após a enchente do Mar do Norte, em 1953, para se proteger do tipo de tempestade que ocorre uma vez a cada dez mil anos. Pouco mais de seis meses depois, o prefeito Bloomberg traçou um plano abrangente de US$ 20 bilhões para tornar a cidade mais resistente às tempestades. Resta saber quanto do plano se tornou realidade ou – como tantos planos bem pensados após um desastre – desapareceu na terra das boas intenções. A primeira parte do plano, detalhado em um relatório de mais de quatrocentas páginas, incluía melhor mapeamento, previsões e esforços para alertar o público. A segunda recomenda proteções costeiras, incluindo quebra-mares nas áreas expostas, anteparos na beira da água, comportas em Staten Island, Rockaways e em outros locais vulneráveis; preservação de pântanos, recifes, falésias costeiras vivas e molhes; construção de bancos e diques e barreiras locais contra tempestades. De forma mais polêmica, o prefeito lançou a ideia de um quebra-mar gigante, que custaria entre US$ 20 e US$ 25 bilhões e levaria décadas para ser concluído. A cidade também propôs apertar os padrões de segurança de construção e substituir ou reformar os edifícios existentes. Finalmente, planejou reformar os seguros, tornando-os mais acessíveis aos residentes de baixa renda, trabalhando com a FEMA para expandir as opções de preços, espalhando a conscientização sobre a importância de se fazer seguros.

Pouco mais da metade dos cerca de 36 mil edifícios (ou 163 mil casas e apartamentos) na zona de inundação de alto risco de Nova York tinha seguro federal contra inundações quando o furacão Sandy aterrissou, de acordo com um estudo da RAND. Cerca de dois terços dos que eram obrigados a ter seguro contra inundações (geralmente porque tinham hipotecas garantidas pelo governo federal) realmente tinham. Apenas cerca de um quinto dos que não eram obrigados a ter seguro contra inundações tinha.

Em junho de 2013, a FEMA divulgou um novo mapa, cobrindo uma área mais ampla com alto risco de inundações, que basicamente dobrou o número de casas em que seria necessário fazer seguro contra inundações. A RAND estimou que nove em cada dez casas na área expandida não haviam sido construídas de acordo com os padrões de várzea e que mais de um terço não tinha seguro quando Sandy chegou. Não apenas mais edifícios exigirão seguro, mas também o custo desse seguro será, em muitos casos, entre doze e 23 vezes o que era antes da enchente.

Seja em zonas de risco de inundação ou incêndio, as pessoas estão ali no caminho. Às vezes parece que, quanto menos uma ação atende aos seus interesses, mais provável é que insistam nela. Um estudo de 2013 da CoreLogic identificou 1,2 milhão de residências em treze estados no oeste dos Estados Unidos que estavam em alto ou muito alto risco de queimadas pelos incêndios florestais cada vez mais frequentes e poderosos. A empresa de análise de negócios estimou que US$ 189 bilhões em valores de propriedade estavam em risco. O número cresceu quase 50% em relação a 2012. De maneira perturbadora, o relatório também observou que, de 1990 a 2008, os americanos construíram dez milhões de novas casas em zonas de alto risco de incêndios florestais, ou 58% de todas as novas casas construídas durante esse período. No condado de Ravalli, no vale de Bitterroot, no oeste de Montana, que sofreu graves incêndios florestais em 2000, os eleitores não apoiaram as medidas de zoneamento voltadas para a segurança. Seu Conselho de Comissários rejeitou os novos mapas que refletiam os riscos de se viver em áreas onde os assentamentos urbanos estão nas bordas de áreas selvagens e são altamente vulneráveis aos incêndios. Mais de três quartos dos moradores do condado vivem em um território tão perigoso, e temem que um novo mapa aumente seus custos de seguro e, por sua vez, deprecie os valores das propriedades.

Às vezes, chamar a atenção para o óbvio é como gritar dentro de um furacão. Após os terremotos no Haiti e no Chile em 2010, nos quais os custos humanos e financeiros diferiram amplamente por causa dos passos que cada país dera – ou não – para se preparar, Donald Rubin, cofundador do Museu de Arte Rubin, iniciou a Campanha por Edifícios Seguros, para prevenir desastres futuros como o do Haiti. Reconhecendo a aparente futilidade dos códigos de construção em países onde há poucas leis, ele propôs códigos e inspeções apoiados e fiscalizados contratualmente pelos quais apenas os construtores os que cumprem obtêm seguro e capital. Ele esperava ver um movimento em grande escala para as estruturas seguras que poderiam preservar bilhões de dólares e milhões de vidas. Em vez disso, estava frustrado com o quão difícil era para uma boa ideia ganhar força.

No ambiente digital, e não no natural, a mesma hesitação em agir após uma crise continua a ter consequências.

Hackers de uma ramificação anônima atacaram o serviço de jogos *on-line* da Sony, o PlayStation Network, na primavera de 2011, afetando mais de cem milhões de contas. No entanto, quando os *hackers* atacaram a Sony novamente, em dezembro de 2014, causando um alvoroço sobre o filme *A entrevista* e sua trama, que envolvia o assassinato do líder da Coreia do Norte, a Sony ainda não havia se protegido bem contra-ataques desse tipo. Era vulnerável a vazamento de informações e cavalos de Troia. Ela falhou em treinar funcionários e implementar sistemas adequados de armazenamento de dados e *backup*. No entanto, a Sony estava longe de estar sozinha entre as empresas. Uma lista parcial de alguns dos maiores nomes atingidos por *hackers* apenas em 2014 inclui Target, Neiman Marcus, Yahoo Mail, AT&T, eBay, UPS, Home Depot, Apple iCloud, Goodwill Industries, JPMorgan Chase, Dairy Queen e várias agências governamentais dos Estados Unidos. Apesar da experiência da Sony, outras grandes empresas, organizações e até mesmo o governo não mostraram sinais claros de usar as lições da crise digital para fazer mudanças cruciais.

DECISÕES DIFÍCEIS

O desafio, após um atropelamento, é evitar uma reação exagerada e uma reação insuficiente. Tudo se resume à forma como os líderes e comunidades avaliam o risco e valorizam a segurança, e se os líderes estão dispostos a arriscar capital político para fazer a coisa certa quando sabem que provavelmente não se beneficiarão. Certamente o primeiro-ministro de Manitoba, Duff Roblin, foi brilhante no seu entendimento para a construção do canal do rio Vermelho, em Winnipeg, mas na época a obra foi ridicularizada como "o fosso de Duff". O primeiro-ministro de Alberta, caso seu plano para a futura prevenção da cidade de Calgary se concretize, provavelmente não pagará muito caro por uma decisão de curto prazo; nem vai ganhar muito em concordar com a proposta de Calgary.

Aprendizados do Capítulo 8:

- Calibre sua resposta. Pese os custos, benefícios e possíveis consequências indesejadas. Analise alternativas de um ponto de vista geral. Não reaja exageradamente ou insuficientemente e esteja ciente da necessidade de fazer ajustes à medida que avança. Cuidado para não criar incentivos perversos – "risco moral" – ao reduzir artificialmente o custo do comportamento de alto risco.
- Uma crise é uma coisa terrível de se perder. Use a pressão criada por uma crise para fazer as mudanças que a inércia ou a conveniência política tornariam muito difíceis.
- Esteja ciente de que você pode semear a próxima crise. Às vezes, o único caminho para sair de uma crise cria riscos para o futuro; esteja preparado para reavaliar as decisões assim que o calor da crise passar.
- Pense em resiliência. Às vezes, será impossível evitar ser atropelado; ser capaz de se recuperar torna-se essencial.
- Não há melhor momento do que depois que uma crise acontecer para implementar sistemas que podem ajudar a prevenir a próxima. Mas muitas vezes até isso não é suficiente.

9

Rinocerontes no horizonte:

Pensando no longo prazo

Uma vez a cada trimestre, a empresa de consultoria The Future Hunters reúne clientes e especuladores do governo, academia e empresas para passar a maior parte do dia pensando sobre as tendências que nos movem em direção ao futuro. Eles compartilham análises cuidadosamente preparadas baseadas em informações relacionadas a tendências obtidas em notícias e transformadas em cerca de 75 resumos a cada mês, que a equipe da The Future Hunters registra cuidadosamente, fazendo referências cruzadas para rastrear como as tendências se cruzam. O grupo discute e amplia as informações para imaginar cenários futuros em conversas descontraídas, animadas e instigantes que têm implicações tremendas sobre a maneira como o mundo trabalhará e o reflexo nos negócios e em nossa vida diária. As discussões são amplas, abrangendo desde novas tecnologias até dados demográficos, análises cognitivas, organização social e gestão de risco.

O CEO, Edie Weiner, negocia as principais discussões com os vice-presidentes Erica Orange e Jared Weiner, e o fazia também com Arnold Brown, cofundador da empresa, até sua morte repentina, em

2014. Brown era executivo de relações públicas em uma seguradora quando o Instituto do Seguro de Vida, um grupo de comércio da indústria na cidade de Nova York, designou Brown para analisar os potenciais impactos no mercado de seguros de alguns eventos turbulentos da década de 1960: a guerra no Vietnã, os assassinatos de Martin Luther King Jr. e John F. Kennedy, os protestos contra a guerra e a contínua sombra nuclear da Guerra Fria. Mais tarde Brown trouxe Weiner, e junto eles começaram um monitoramento sistemático de artigos, resumindo-os com uma abordagem coerente para a análise de tendências. Quando em 1977 o instituto se mudou para Washington, Brown, Weiner e Hal Edrich, seus sócios naquela época, permaneceram em Nova York e começaram seu próprio negócio.

Seu universo logo se ampliou de seguradoras para grandes corporações em uma ampla gama de setores que pediram ajuda para prever quais tendências tinham maior probabilidade de afetar as perspectivas dos negócios e o que poderiam fazer naquele momento para se preparar. A maioria de seus clientes não era *startups* ou gigantes da tecnologia, e sim indústrias tradicionais que sabiam que grande parte de suas atividades poderia se tornar obsoleta se não planejassem o futuro pensando com mais criatividade.

Sua própria empresa evoluiu também. Orange foi para a faculdade com Jared, filho de Edie Weiner. Edie tornou-se mentor de Orange e manteve contato mesmo depois que ela se mudou para Washington. Após alguns anos, Orange viveu o que se chama "crise dos 25 anos". Ela ligou para Edie pedindo conselhos, e ocorreu aos dois que suas formações em psicologia e ciência política e suas habilidades para o reconhecimento de padrões a adequavam perfeitamente a uma carreira de consultora. Então, ela entrou para a empresa e acabou se tornando tão inestimável para Edie quanto o próprio Edie fora para Arnold Brown décadas antes. Orange acabou se casando com Jared, que também se juntou à empresa.

A consultoria é muito mais reconhecida hoje do que nos dias em que você poderia contar o número de consultores corporativos nos dedos de uma mão. "Hoje cada empresa na Fortune 1000 tem algum grau de perspectiva futura", disse Edie Weiner. Mas muitas empresas parecem apenas estar seguindo o fluxo. "Os Conselhos gastam várias horas por ano em reuniões para examinar o futuro com seriedade? A resposta é basicamente não."

As definições das empresas sobre o futuro também mudaram. Além disso, o tempo foi comprimido. "Nos primeiros anos, as empresas sentiam que poderiam fazer planos de cinco e dez anos confiantes de que com isso previam o futuro", disse Weiner. "Então eles abandonaram o planejamento estratégico. Agora era tudo 'marketing', e dois anos se tornou um longo prazo. Os mercados contemplaram esse pensamento de curto prazo. Tudo ficou mais curto. E muitas empresas não queriam antever mais que dois ou três anos."

A principal preocupação de Weiner sobre o futuro é a mudança demográfica, que liga os indivíduos às principais tendências econômicas e políticas e se inter-relaciona com outras mudanças, particularmente com o papel crescente da tecnologia e da inteligência artificial. A geração *baby boomer* está se movendo para uma explosão da aposentadoria, o que causará efeitos na economia inteira à medida que grande parte da força de trabalho sai e começa a recorrer a previdência e infraestrutura da saúde, nenhuma das quais com capacidade para lidar com essa mudança. "Uma das coisas que temos de considerar é o que acontecerá quando o mundo industrial estiver envelhecendo significativamente e não houver a juventude para substituí-lo na aposentadoria", ela disse.

A mudança demográfica também explica a competência tecnológica do Japão. A redução da natalidade no Japão pós-Segunda Guerra Mundial o impulsionou a experimentar novas tecnologias e liderar a primeira onda de automação. "Embora possamos ver isso como um desenvolvimento tecnológico, é de fato uma tendência demográfica", disse Weiner. Hoje o envelhecimento e o encolhimento da população do Japão o pressionam a explorar a robótica e a inteligência artificial. Weiner prevê a próxima geração de inteligência artificial e robôs como tendo enorme capacidade sensorial e a habilidade de emoção. Ela é cética em relação às afirmações apocalípticas sobre o impacto da inteligência artificial na raça humana, mas reconhece que a próxima geração tecnológica mudará nosso mundo dramaticamente. "Não é o fim do mundo, mas é o fim do mundo que conhecemos", disse ela. "O fato é que os telefones celulares trouxeram o fim do mundo que conhecíamos."

Isso é parte do que ela chama de economia de meta-espaço, o produto de uma transformação de longo prazo como resultado da combinação de tecnologias disruptivas e criação de eficiências. Ao contrário da economia agrária, da economia industrial ou da economia pós-industrial, a economia meta-espaço emergente é impulsionada por fatores intangíveis ligados à economia digital. Novas profissões serão criadas, e a renda disponível será gasta neste mundo novo. O ritmo dessas mudanças está dificultando a atualização do trabalhador formal, e novas habilidades, competências e processos de trabalho estão sendo adotados. E isso nos leva de volta aos dados demográficos. "Muitas pessoas são dispensadas do trabalho, mas muitos novos negócios são criados", disse Weiner. "Se você não fizer nada a respeito, acabará com a seguinte situação: alto desemprego entre os jovens do sexo masculino, excesso de títulos acadêmicos e educação de má qualidade para os jovens, violência, terrorismo e uma população de jovens alienados."

Uma das minhas partes favoritas nas reuniões da Future Hunters sobre tendências tem sido ver as palavras que a equipe cria para novos conceitos, como a economia de meta-espaço. Ao longo dos anos, eles cunharam mais de cem termos que nos ajudam a visualizar e conceituar novas tendências.

Dentro da economia de meta-espaço, a ascensão dos esportes e jogos digitais gerará novos heróis: "e-tletas". Vamos nos preocupar com o *e-doping*; os alunos receberão bolsas de estudo e-tletas. Os robôs se tornarão um novo grupo demográfico do mercado. A impressão 3-D vai evoluir para a "impressão 4-D", de coisas que podem se autorreplicar e mudar de forma com o tempo.

O "precariado" é a combinação de precário e proletariado, representando a classe crescente de trabalhadores temporários que carecem dos benefícios do trabalho formal, incluindo seu subconjunto *millenium*, o "milenato". Há um "risco na lacuna", risco que antes não era previsível ou atribuível a qualquer indivíduo ou organização responsável. E também o "templosion", ou a implosão de tudo em tempo comprimido, já que a forma como vivenciamos o tempo foi de algo que antes era linear e sequencial para algo multicamadas e simultâneo, com multitarefas de produtos, serviços e novos ciclos da vida profissional e intolerância com o tempo perdido.

Uma das favoritas de Orange é o conceito de olhos alienígenas: ver o mundo objetivamente como se você o estivesse experimentando pela primeira vez. "Nós acumulamos todas essas informações, o que é nosso maior ativo, mas também nosso maior passivo", disse Orange. "Por isso, pedimos aos nossos clientes que busquem os olhos alienígenas e se perguntem como o futuro pareceria se fôssemos de outro planeta." Olhos alienígenas é um antídoto para outro conceito da Future Hunters: incapacidade erudita, ou a bagagem de conhecimento acumulado que o torna incapaz de mudar um conceito, um conceito que deveria justamente ocupar seu lugar ao lado dos preconceitos cognitivos que nos impedem de responder aos rinocerontes cinza.

A maneira excêntrica como a Future Hunters usa as palavras desmistifica a necessidade de expressar um conceito de forma estabelecida. "Para realmente entender para onde o futuro está indo, você não pode se apegar ao vocabulário existente", disse Orange. Ela vê as palavras como parte de um conjunto de tecnologias de pensamento que nos ajudam a ver o futuro com mais clareza, nos ajudando a criar estruturas.

Palavras são importantes. Elas oferecem uma maneira de entender conceitos que são abstratos, direcionando suas implicações no mundo real, da mesma forma que a capacidade de articular o conceito do Cisne Negro fez as pessoas pensarem mais sobre como elas e seus negócios poderiam se tornar mais resilientes em face a eventos altamente improváveis e de alto impacto. Da mesma forma que agora o Rinoceronte Cinza leva os líderes a se concentrarem em eventos bastante prováveis e de alto impacto.

MANTENDO OS RINOCERONTES NO HORIZONTE

A melhor maneira de evitar ser pisoteado por uma manada de rinocerontes cinza é manter uma distância segura: quando eles estiverem no horizonte, não se aproxime muito. Para negócios, organizações, empresas e para cada um de nós, isso significa usar esses tempos de relativa calma – e até tempos de turbulência – para pensar sobre o futuro, considerar possíveis cenários e traçar estratégias para lidar com eles.

A sala de emergência é a forma mais cara de obter atendimento médico. Do mesmo modo, esperar até o último minuto é a pior maneira de cuidar das nossas necessidades. Como vimos nos capítulos anteriores, o custo de esperar muito tempo pode ser imenso. Entretanto, é difícil pensar no futuro quando às vezes é uma luta para conseguir chegar ao final da semana, ou ao dia do pagamento, ou ao final do trimestre. Eu gostaria de ganhar um trocado toda vez que, enquanto pesquisava para este livro, ouvia que as pessoas simplesmente não pensam em longo prazo porque há tanta pressão no dia a dia que torna impossível se concentrar no futuro. Apesar de acontecer com menos frequência, algumas empresas, organizações, governos, líderes e indivíduos pensam, sim, em longo prazo. E nós podemos aprender com eles. Então como podemos alterar essa concepção de que pensar em longo prazo é um luxo e não uma prioridade?

Às vezes pregar peças em nós mesmos ajuda: definir metas de curto prazo para chegar às metas de longo prazo e até mesmo definir prazos para essas metas de forma estratégica. Yanping Tu e Dilip Soman, da Booth School of Business da Universidade de Chicago, ofereceram a dois grupos de agricultores na Índia um prêmio se economizassem determinada quantia em um período de seis meses. Aqueles que tiveram o prazo estabelecido para o mesmo ano acertaram suas contas mais rapidamente do que aqueles cujo prazo era para o ano seguinte, ainda que o período de tempo fosse o mesmo.

A visão do guru da gestão Stephen Covey em *Os 7 hábitos das pessoas altamente eficazes* é tão importante para as empresas e países quanto para cada um de nós: separe as tarefas em urgentes, importantes e não urgentes nem importantes. As tarefas importantes e urgentes devem estar no topo da lista, mas precisamos separar um tempo para as tarefas importantes, mas não urgentes, mais do que para as tarefas urgentes, mas não importantes. Depois que comecei a ver o trabalho dessa forma, o meu fluxo de tarefas diárias mudou e me ajudou a fazer um trabalho melhor ao focar no que era mais importante – não me importando com o que clamava por minha atenção no dia a dia. E descobri que, ao abordar prioridades sistêmicas e maiores, economizei tempo e produzi mais. O mesmo princípio se aplica a organizações, empresas e órgãos governamentais de todos os tipos.

Os militares dos Estados Unidos realizam "jogos de guerra" e outras simulações de eventualidades e tendências que têm potencial de grande impacto, e esse pensamento também se espalhou para outros ramos do governo. Desde 2003, a Organização de Política Nacional de

Inteligência reúne funcionários do Estado, do Tesouro, da Defesa e da Inteligência a cada dezoito meses para antever os principais riscos dos próximos três a cinco anos.

Algumas empresas – como as seguradoras que trabalharam com a The Future Hunters –, pela sua própria natureza, necessitam de um pensamento de longo prazo. Suas projeções financeiras e atuariais são projetadas para o futuro, mas seus executivos ainda devem permanecer alertas a tendências, como o aumento da ocorrência de condições meteorológicas extremas, que podem alterar as projeções estatísticas traçadas ao longo das décadas. O CEO típico de uma empresa de petróleo e gás pensa no futuro por décadas. Ele precisa disso, já que leva anos para construir uma infraestrutura necessária para a perfuração. A Shell tem todo um grupo de planejamento de cenários que, desde a década de 1970, tem usado projeções para explorar resultados plausíveis e previsíveis em geopolítica, geoeconomia e mercados, energia e outras tendências de oferta e demanda dos recursos. Tais projeções estão longe da perfeição e podem ser prejudicadas por eventos inesperados de curto prazo, mas essas empresas consideram o pensamento de longo prazo como essencial para suas estratégias.

Ainda assim, como vimos nos capítulos anteriores, reconhecer apenas as tendências não é suficiente; a não ser que a empresa aja diante de um perigo óbvio, sua previsão pode ser em vão.

PENSAMENTO ELEMENTAR

Em todo o mundo, muitas das empresas mais antigas se redefiniram conforme as tecnologias progrediam, tornando alguns produtos obsoletos e lançando outros. A IBM, por exemplo, celebrou um século da fundação da Computing-Tabulating-Recording Company como fabricante de escalas, relógios de ponto e máquinas de tabulação, que se tornaria a então IBM em 1924. Thomas Watson Sr., ao assumir a liderança da empresa, em 1914, teve que reunir um grupo de empresas que haviam sido adquiridas, mas ainda não se aglutinado. Sua mensagem se concentrou em propósitos e valores, temas que acompanham as estratégias de muitos pensadores de longo prazo. "Queremos que todos vocês se reúnam, se sustentem e empurrem na mesma direção", disse Watson.

Watson tomou uma decisão corajosa nas profundezas da Grande Depressão: em vez de recuar, ele investiu em um laboratório de última geração. Como vimos no Capítulo 6, não é fácil ir contra a maré, seja se afastando da tigela de ponche da festa durante os períodos bons, seja dando um salto de fé. Esse tipo de pensamento anticíclico requer transcender o momento e olhar para o futuro, usando valores e um forte senso de propósito como bússola.

Quase meio século depois, Thomas Watson Jr. ecoou a mensagem de seu pai ao se dirigir ao público de Nova York. "Acredito genuinamente que qualquer organização, para sobreviver e alcançar o sucesso, deve ter um conjunto sólido de crenças sobre as quais pressupõe todas as suas políticas e ações", ele disse. "Depois, acredito que o fator específico mais importante no sucesso corporativo é a adesão fiel a essas crenças. E, finalmente, acredito que, se uma organização for enfrentar os desafios de um mundo em mudança, ela deve estar preparada para mudar tudo sobre si mesma, exceto suas crenças, conforme atravessa a vida corporativa."

A própria IBM teve que se agarrar a esse conceito muitas vezes, principalmente na década de 1990, quando viu seu antigo domínio no mercado de computadores pessoais evaporar, e, mais tarde, quando novas tecnologias como *smartphones* e *tablets* mudaram completamente a forma como pensamos sobre os computadores.

"Em 1984 éramos a torrada de Wall Street", escreveu Bridget van Kralingen, gerente-geral da IBM para a América do Norte, em uma reflexão imensamente honesta na Forbes. "Menos de uma década depois, estávamos torrados." Em 1993 a empresa estabeleceu um novo recorde – US$ 8 bilhões –, o maior prejuízo de todos os tempos de uma empresa na América. Em uma transição dolorosa, ela mudou de *hardware* para *software* e serviços. Gastou mais de US$ 30 bilhões comprando mais de duzentas empresas para se expandir em análises e outras linhas de negócios de alto valor. Por alguns anos, escrevi usando um dos últimos *laptops* ThinkPad que a IBM fez antes de vender o segmento de computadores portáteis para a empresa chinesa Lenovo.

Na verdade, muitas empresas de longa data, principalmente as tecnológicas, estão muito diferentes de quando começaram. A Nokia era uma fábrica de celulose e papel em 1871 e foi para o mercado de borracha, cabo e eletrônica antes de entrar no mundo das telecomunicações, em 1963, com um radiocomunicador. Ela fabricou seu primeiro telefone celular em 1987 e, em 1992, iniciou a saída de suas outras linhas de negócios. Em 2014, bem depois de atingir o ápice e cair no mercado de telefonia móvel, ela vendeu essencialmente todos os seus negócios de dispositivos para a Microsoft e embarcou em outra transição para redes de banda larga móvel, mapeamento e inteligência de localização, e novas tecnologias.

DE VOLTA AOS FUNDAMENTOS

O Dr. Kazuo Inamori é fundador da Kyocera, fabricante de componentes eletrônicos de cerâmica, painéis solares e telefones celulares, o que o tornou o vigésimo oitavo homem mais rico do Japão. Ele teve uma adolescência de adversidades que começou com a reprovação no exame de admissão para o ensino médio, passou por um quadro de tuberculose e terminou com sua família perdendo a casa em um ataque aéreo. Depois de trabalhar com novas formas de cerâmica, ele fundou a Kyoto Ceramics, aos 27 anos de idade, em 1959, depois de deixar o emprego em outra companhia por causa de um desentendimento com um gestor (a empresa que ele fundou se tornaria Kyocera em 1982).

Com isso, Inamori já tinha um histórico de lidar com desafios quando, nos anos 1990, a Kyocera enfrentou uma série de crises: um de seus maiores clientes faliu, outro mudou para um material mais barato, e sua base de clientes estava estritamente concentrada no Japão e precisava se diversificar. Ele se afastou para deixar uma nova geração de líderes administrar a empresa, assumindo o título de fundador e presidente emérito em 1997. Naquele ano, um diagnóstico de câncer de estômago mudou sua vida. Ele sobreviveu a uma operação para remover o tumor e decidiu realizar seu sonho de estudar zen-budismo em tempo integral. Mais tarde, foi ordenado sacerdote.

Inamori escreve sobre a filosofia de gestão que o ajudou a atravessar os tempos difíceis, um exemplo de como se voltar para um pensamento mais amplo e de longo prazo pode transcender as intensas pressões causadas pelas crises imediatas. "Nessas circunstâncias difíceis, eu sempre voltava aos fundamentos e me perguntava: 'Qual é a coisa certa a se fazer como ser humano?'. Tudo que faço em meu trabalho se baseia nesse princípio fundamental", escreveu ele no livro Respect the Divine and Love People (Respeite o divino e ame as pessoas). "Observar essa regra, dia após dia, trouxe-me resultados surpreendentes."

Em fevereiro de 2010, o governo japonês, que havia tido de socorrer a Japan Air Lines três vezes em menos de uma década, procurou Inamori e pediu-lhe que voltasse à atividade, para comandar a empresa. No ano anterior, a companhia havia perdido US$ 3 bilhões; suas ações estavam caindo, e ela estava prestes a ser retirada da bolsa; as dívidas haviam chegado a US$ 29 bilhões, e a empresa acabou pedindo falência. Ele concordou em fazer o trabalho sem remuneração. As coisas ainda pioraram muito, mas a crise, como tantas vezes acontece, abriu caminho para que a empresa fizesse mudanças drásticas. Inamori demitiu um terço da força de trabalho e cortou salários e benefícios. Depois de tudo, a empresa reagiu e foi recolocada na bolsa em 2012, um marco que permitiu a ele deixar o cargo em 2013.

Inamori é conhecido por sua filosofia de negócios, que inclui a necessidade de tratar bem os funcionários e os materiais e descartar o pensamento de curto prazo em favor de uma visão de longo prazo de seus valores. "Uma empresa pode continuar a existir no longo prazo enquanto for necessária para a sociedade", ele disse.

Em 2005, o SoftBank, empresa japonesa de serviços de internet, estava enfrentando o peso de um Rinoceronte Cinza: a perda de US$ 1 bilhão e uma queda no preço das ações para um décimo do seu teto no auge da febre pontocom. Como a IBM durante a Grande Depressão, o SoftBank olhou para o futuro distante para garantir sua sobrevivência. O fundador e CEO da empresa, Masayoshi Son, pensou no futuro mesmo quando a companhia estava sendo pisoteada, e fez uma aposta de longo prazo que não apenas a tirou do buraco, mas também a impulsionou para se tornar uma das maiores empresas do mundo. Ele então anunciou um plano de negócios de trezentos anos, para enfatizar a importância de pensar no futuro. Certamente, a manchete de trezentos anos fez com que o plano de trinta anos declarado da empresa, que já estava além do escopo do pensamento da maioria das pessoas, soasse praticamente como um plano de curto prazo, que provavelmente era o objetivo real. Este é um exemplo de estratégia de negócios de tentativa e acerto: sinalize uma meta muito mais ambiciosa para ancorar o pensamento das pessoas mais perto do seu alvo.

A ênfase do SoftBank em pensar muito à frente não é incomum na Ásia, onde as empresas têm um histórico particularmente forte de pensar no longo prazo. Dizem que a empresa mais antiga do mundo é a Kongō Gumi, uma companhia de construção japonesa que data do ano 578. O Banco da Coreia fundou 5.576 grandes empresas em todo o mundo com mais de cem anos: 3.146 delas no Japão, 837 na Alemanha, 222 na Holanda e 196 na França. Pesquisadores japoneses descobriram ainda mais dessas empresas duradouras. Em 2009 a Tokyo Shoko Research estimou mais de 21 mil empresas japonesas com mais de cem anos. A maioria deles era pequena, precisamente, apenas 1.662 empresas com receitas anuais de mais de US$ 1 milhão e 338 empresas de capital aberto com mais de cem anos. Mesmo assim, o Japão tem tantas empresas de longa data que existe até uma palavra para elas em japonês: *shinise*.

Embora empresas de longa data sejam comuns na Ásia, as companhias ocidentais estão começando a repensar o valor da estratégia de longo prazo após um declínio acentuado no século passado. Na década de 1920, de acordo com Richard Foster, da Universidade de Yale, o tempo médio de vida de uma empresa norte-americana era de 67 anos. Hoje é de apenas quinze.

No entanto, existem exceções. A Berkshire Hathaway, junto com seu líder, Warren Buffett, o "Oráculo de Omaha", é talvez a empresa americana mais conhecida por abraçar o pensamento de longo prazo. Fundada em 1839 em Rhode Island como Berkshire Fine Spinning Associates, com duas fábricas têxteis, ela continuou como uma empresa têxtil até os anos 1960, quando Buffett começou a investir nela e então viu a derrocada dos têxteis. Ele assumiu a companhia e começou a diversificá-la, começando com seguro: algo apropriado para uma empresa que se tornaria tão associada ao pensamento de longo prazo. Como muitas outras companhias duradouras, a Berkshire Hathaway agora se parece muito pouco com a fábrica de têxteis de suas origens; seus domínios são amplamente diversificados em finanças, serviços públicos, mídia, logística e varejo.

Phil Libin, presidente executivo da Evernote, empresa que oferece uma maneira conveniente de armazenar e pesquisar notas e áudios tanto manuscritos como digitais, tem divulgado seus planos de construir uma "*startup* de cem anos", o que significa que continuará a existir em um século e também permanecerá inovadora e interessante daqui a cem anos. Não foi uma má escolha ter a Berkshire Hathaway como modelo.

CEM ANOS

Marc Mertens nasceu na vila central austríaca de Laakirchen, com oito mil habitantes. Sua primeira investida no mundo dos negócios foi um bar na garagem da casa de seus pais. O empreendimento foi tolerado no início, já que os pais preferiam saber onde ele e seus amigos estavam. "A generosidade deles acabou quando planejamos trazer bandas para a garagem", ele disse. Em vez disso, começou uma empresa de planejamento de eventos. Depois de se mudar para Los Angeles, em 2002 lançou uma agência de publicidade. No começo da carreira, trabalhou para muitas marcas comerciais importantes, mas em algum momento percebeu que queria ter mais impacto do que simplesmente vender "muita água com açúcar".

Então, relançou sua empresa como a consultoria criativa A Hundred Years, que agora tem escritórios em Los Angeles e Viena. Ele foi consultor de empresas como Boeing, Disney, One.org, NASA e TED para ajudá-las a desenvolver estratégias de longo prazo que se adaptem às mudanças tecnológicas, econômicas e de realidades sociais.

A Hundred Years oferece uma sugestão simples: reserve quinze minutos por dia para imaginar como gostaria que fossem os próximos cem anos e o que é preciso fazer para chegar lá. Uma semana depois de me encontrar com Mertens pela primeira vez, um pacote chegou ao meu escritório com uma ampulheta de quinze minutos, um lembrete engenhoso de um objetivo simples, mas essencial. Eu ainda a mantenho na minha mesa.

"A Hundred Years é muito mais do que pensar fora da realidade", disse-me Mertens. "Raramente pensamos em um futuro daqui a dez anos. Mas cem anos, para nós, é uma forma de ver o que é possível." Onde os outros veem algo assustador, ele vê uma oportunidade. Pensar no longo prazo significa que todas as ideias que tivermos acabarão por ficar fora de nosso controle. Portanto, pensar no futuro nos força a pensar grande, a pensar além de nós mesmos.

"As pessoas têm medo do futuro. De certa forma, não é nenhuma surpresa que estejamos com medo se olharmos para as notícias dramáticas e imediatistas", disse Mertens. "Mas é uma loucura ter medo do futuro se você pensar em cem anos atrás. Nosso escritório em Los Angeles fica em frente à fábrica Ford do Modelo T, onde cem anos atrás esses carros começaram a sair da linha de montagem. Hoje estamos olhando para carros elétricos. Uau, isso é mais fácil do que o que eles tiveram de fazer para abastecer esses motores movidos a óleo – todas as pesquisas necessárias para bombear o óleo do solo, transportá-lo através do oceano e tê-lo disponível em todas as cidades", disse Mertens. "Como podemos ter medo do futuro se permanecermos agarrados aos avanços que fizemos no século passado, mesmo sem a internet? Não tínhamos a mesma quantidade de informações." Hoje temos outras restrições, mas muito mais recursos à nossa disposição.

"O maior desafio para o pensamento de longo prazo é que olhamos para os problemas de longo prazo, em vez de nos capacitarmos para pensar sobre o que podemos alcançar", disse Mertens. Ele vê uma tensão existencial entre a realidade de curto prazo e o propósito de longo prazo: o curto prazo representa mera sobrevivência, mas o longo prazo representa a paixão e a própria razão de existir. Pensando bem, o curto e o longo prazo não precisam ser separados, diz Mertens. As empresas podem usar uma lente de cem anos, em vez do padrão típico trimestral, para identificar novas oportunidades de negócios e reduzir seus riscos.

Trazer uma visão de longo prazo para a estratégia de uma empresa força-a a se concentrar em seu propósito, o que pode beneficiar os recursos humanos e o engajamento dos funcionários. "As pessoas querem trabalhar para organizações que tenham significado e propósito", disse Mertens. Isso também é essencial para o marketing da geração do milênio. "Se o objetivo da sua marca é apenas ganhar mais dinheiro, você terá dificuldade de fazer isso. Vai ser difícil ter adeptos e fazer com que as pessoas se unam em torno de sua marca." Para Mertens, o pensamento de longo prazo significa retirar a linguagem do marketing e focar no núcleo de uma organização: entender sua história de fundação, em que é realmente bom e como a empresa pode traduzir seus pontos fortes em impacto de longo prazo e vantagem competitiva.

CAPITAL PACIENTE

Acompanhando as tendências, a Hundred Years identificou que um número crescente de empresas e países está buscando, com sucesso parcial, promover o pensamento e a ação de longo prazo. Suas ideias abrangem incentivar programas para encorajar a manutenção de ações em empresas por mais tempo, incorporar pensamento de longo prazo em indicadores específicos de desempenho, evitar relatórios de resultados trimestrais e criar um novo conjunto de indicadores.

Em um artigo histórico na *Harvard Business Review* de 2011, Dominic Barton, diretor global da McKinsey & Company, defendeu uma nova forma de "capitalismo para o longo prazo". A empresa de consultoria fez pesquisas apontando que leva de cinco a sete anos para investir em e construir um novo negócio lucrativo. Os analistas da McKinsey derrubaram os componentes de valor embutidos nos preços das ações das empresas mais estabelecidas e descobriram que entre 70% e 90% do valor das ações estavam vinculados a fluxos de caixa que a empresa não esperava por três ou mais anos. Sua conclusão foi clara e preocupante: "Se a maior parte do valor da maioria das empresas depende dos resultados dos próximos três anos, mas a gestão está preocupada com o que pode ser relatado daqui a três meses, então o capitalismo tem um problema". Ele defende mudanças de incentivos e estruturas empresariais para que as equipes se concentrem no longo prazo; culturas campeãs nas quais os interesses de todos os acionistas são essenciais para maximizar o valor corporativo; e devolução do poder de governar aos conselhos, para que eles governem como proprietários, ao invés de se sentirem em dívida com os fundos de cobertura e as oscilações do mercado focadas no curto prazo. Barton reforça que suas propostas não são novas, mas ele expõe que a urgência desse desafio é nova e intimidadora. "Os líderes empresariais hoje estão diante de uma escolha: podemos reformar o capitalismo ou podemos permitir que o capitalismo seja reformado para nós, por meio de medidas políticas e da pressão de um público furioso", escreveu.

O B Team – uma aliança de líderes empresariais e cívicos, incluindo Richard Branson, da Virgin Atlantic; o CEO da Unilever, Paul Polman; a fundadora do Huffington Post, Arianna Huffington; a ex--primeira-ministra da Noruega Gro Harlem Brundtland; o ex-presidente da Irlanda Mary Robinson; o professor Muhammad Yunus, do Grameen Bank; Zhang Yue, da China's Broad Group; o presidente emérito do Tata Group, Ratan Tata; e outros – igualmente promete que vai "liderar no longo prazo". Um de seus objetivos é eliminar, onde legalmente for possível, a prática padrão das empresas de relatar resultados trimestralmente e substituí-la por novas medidas contábeis e de relatórios que monitorem melhor o valor social e ambiental.

O Fundo Acumen, que arrecada doações de caridade para investir em ajudar empresas a mudar a forma como o mundo combate a pobreza, organiza o que chama de "capital paciente". O Acumen descreve em seu *site*: "O capital paciente tem alta tolerância ao risco, tem visão de longo prazo, é flexível para atender às necessidades dos empreendedores e relutante em sacrificar as necessidades dos clientes finais em prol dos acionistas. Ao mesmo tempo, o capital paciente acaba exigindo respostas na forma de retorno de capital: prova de que a essência da empresa pode crescer de forma sustentável no longo prazo".

O Fórum Econômico Mundial e a Organização para Cooperação e Desenvolvimento Econômico estão, da mesma forma, buscando maneiras de encorajar investimentos de longo prazo. O tamanho da tarefa está longe de ser insignificante, como mostrou uma grande iniciativa recente. Ao longo do último meio século, o tempo médio de manutenção de uma ação caiu de oito anos para quatro meses.

Na reunião anual de 2013 do Fórum Econômico Mundial, em Davos, sobre a necessidade de um pensamento de longo prazo, empresários e líderes políticos apoiaram a necessidade de ir além do curto prazo. O ex-primeiro-ministro da Itália Mario Monti culpou a União Europeia por um pensamento de curto prazo em sua resposta patética à crise do euro, protestando: "Liderança é o oposto de visão de curto prazo". A diretora do FMI, Christine Lagarde, expôs sua opinião: "Se olharmos além do curto prazo, de fato superaremos a crise".

A empresa de consultoria Mercer me procurou depois que escrevi sobre essas conversas e me pediu para participar de uma reunião para discutir um estudo que estava conduzindo sobre como promover o pensamento de longo prazo. A Generation Foundation, que se dedica a fortalecer o campo do capitalismo sustentável, contratou Mercer e Stikeman Elliott para investigar como as empresas podem emitir títulos de fidelidade para encorajar os investidores a manter suas ações por três anos ou mais.

Patrick Bolton, da Universidade da Colúmbia, e Frédéric Samama, do Grupo Crédit Agricole, propuseram a emissão de ações L (abreviação de "lealdade"), o que daria aos investidores que as detinham uma garantia que lhes daria o direito a ações adicionais quando o "período de lealdade" expirasse. Bolton e Samama culpam duas coisas por aumentar a pressão para que as empresas tomem decisões com base no que é bom no curto prazo, mas não necessariamente no que é melhor para o negócio. Primeiro é o aumento constante, nos últimos trinta anos, do fator de remuneração do CEO com base nos preços das ações. E segundo é a influência crescente de diretores independentes, fundos de investimento livre-ativistas e grupos de acionistas.

Eles argumentam que esses incentivos de curto prazo se tornam particularmente perigosos durante bolhas e colapsos especulativos, ao encorajar os CEOs a fazer o *"pump and dump"* das ações da empresa, isto é, estratégias que inflacionam os lucros de curto prazo a fim de construir um elemento especulativo do preço de uma ação, mas prejudicam seu valor de longo prazo.

Somada a esse problema está a mudança na propriedade de ações de investidores individuais de varejo, que detinham mais de 75% das ações em 1951, para investidores institucionais, que, no início deste século, controlavam perto de 70% de todas as ações negociadas. Algumas empresas, especialmente na Europa, tentaram criar incentivos para encorajar os acionistas a manter suas ações por mais tempo. A Michelin adiou um dividendo caro em 1991. Para amenizar o golpe para os investidores, ofereceu garantia de que recompensaria os acionistas que permanecessem com suas ações.

De acordo com uma disposição da lei francesa, mais de setenta empresas daquele país concedem o dobro dos direitos de voto aos acionistas que detêm suas ações por dois anos ou mais. Sob um princípio semelhante, empresas francesas, incluindo Crédit Agricole, L'Oréal e Lafarge, pagam dividendos mais elevados aos acionistas que detêm certas classes de ações por dois ou mais anos, embora a lei francesa as limite a fornecer esses dividendos a um seleto número de ações e pagando não mais do que um prêmio de 10%. Em outras partes do mundo, empresas – incluindo British Telecom e Standard Life, no Reino Unido, Singapore Telecom, Deutsche Telekom e Telstra, da Austrália – concederam ações de bônus únicos para acionistas de longo prazo. Com certeza, dois anos não são nada comparados com um pensamento de muito mais longo prazo, mas são um grande passo comparado a um único trimestre.

Mercer concluiu, no entanto, que incentivos na forma de garantias de "fidelidade" de ações não funcionariam. Em vez disso, recomendou janelas de tempo mais longas para a análise de investimentos, estruturas de longo prazo para medir e recompensar o desempenho e relacionamentos mais fortes entre investidores e empresas.

Algumas das melhores mentes de negócios de hoje se uniram para andar na direção certa. Assim como o B Team busca inspirar outras empresas, alguns catalisadores entraram em ação. A questão é com que rapidez outras empresas seguirão seu exemplo.

ESTRATÉGIAS FISCAIS

Os governos podem ajudar nesse processo nivelando o campo de jogo, que nos Estados Unidos é pesado contra os verdadeiros investimentos de longo prazo. O imposto sobre ganhos de capital é cobrado após apenas um ano, dificilmente um incentivo de "longo prazo". Reequilibrar a política tributária aumentando o tempo pelo qual os investidores devem manter as ações a fim de obter um imposto mais baixo sobre ganhos de capital, ou mesmo criando um conjunto de níveis que reduzam ainda mais os impostos sobre ganhos de capital conforme o calendário se estende no futuro, pode ser uma proposta atraente.

Fazer outras alterações no código tributário poderia reduzir a rotatividade das ações e encorajar investimentos de longo prazo por parte de algumas das próprias organizações que recebem incentivos fiscais porque sua função é necessariamente beneficiar a sociedade, mas que, paradoxalmente, aumentam as pressões de curto prazo. As pensões e doações isentas de impostos, como as enormes doações de Harvard e Yale, podem pressionar mais para obter retornos, muitas vezes vendendo ações em um prazo de tempo mais curto do que outros investidores, porque não pagam impostos sobre os ganhos de lucros quando vendem as ações. Acabar com esse tratamento fiscal preferencial desencorajaria parte da agitação das bolsas. O mesmo aconteceria com uma promessa das maiores universidades e fundações de adotar uma estratégia de investimento de longo prazo, juntamente com um compromisso de transparência que as manteria em suas promessas.

Governos, empresas e indivíduos também podem promover o pensamento de longo prazo e os investimentos de capital estratégico, implementando estratégias para destinação de lucros inesperados. Durante os tempos de prosperidade, a receita inesperada – seja de impostos mais altos, seja de *royalties* – iria para metas de longo prazo, e não de curto prazo. O Chile deu um bom exemplo dessa prática com seu fundo de estabilização do cobre, que economiza lucros extras quando os preços das *commodities* estão altos, para que o governo possa usar essas reservas em um momento de necessidade.

MEDIR OU NÃO MEDIR

No Capítulo 8, vimos como é importante medir os resultados como uma forma de inspirar as pessoas à ação. A capacidade da China de focar nas tarefas importantes, mas não urgentes, desde as reformas econômicas de Deng Xiaoping até a versão atual do Plano Quinquenal, que incorpora estratégias e métricas modernas, é impressionante. Ao concentrar seus planos de cinco anos em resultados mensuráveis específicos, em vez de ações trabalhosas, como fez a União Soviética, a China transformou o conceito de cinco anos criado pela URSS de motivo de chacota em uma ferramenta de gestão sofisticada reconhecida que desempenhou papel importante na ascensão da China a potência econômica global. Também fez progressos constantes na gestão da crise financeira de 2008, na necessidade de elevar os padrões de vida e, mais recentemente, desinflar uma bolha imobiliária. A constantemente prevista "crise chinesa" continua sendo empurrada para o futuro. Seria uma tolice supor que a China terá sucesso indefinidamente, mas há muito a aprender com sua abordagem de grandes problemas.

Como usado pela União Soviética, o Plano Quinquenal envolvia uma microgestão desajeitada da economia que gerou escassez e filas de pão. Mas a China redefiniu o conceito, estabelecendo metas e permitindo que as empresas descobrissem como alcançá-las, em vez de estabelecer comportamentos específicos sem nenhuma ideia sobre se essas decisões eram boas. Embora não sejam perfeitos, os planos de cinco anos, em contraste com os antigos planos soviéticos, geraram forte crescimento econômico e respeito significativo, embora ainda seja necessário ver como eles enfrentarão o desafio de desacelerar o crescimento e mudar a dinâmica global.

Também podemos usar relatórios e indicadores-chave de desempenho para forçar as pessoas a rastrear seu comportamento e ser recompensadas por isso. Quando os governos mapeiam seus orçamentos anuais, eles devem reportar quanto vai para as metas de longo prazo e estimar o retorno sobre esses investimentos; e deveriam ser obrigados a destinar porcentagens para objetivos de longo prazo.

Para justificar seu orçamento de pesquisa e desenvolvimento, que mais tarde teria de ser defendido frente a investidores ativistas com prioridades de curto prazo, a DuPont em 2010 prudentemente definiu uma meta de 30% da receita proveniente de inovações e começou a rastrear quanta receita foi acumulada a cada ano vinda de inovações desenvolvidas nos quatro anos anteriores. Em 2011 o número de novas patentes concedidas à empresa subiu para 910, um recorde que aumentou a receita em 10% em 2008-11. Em 2014, gerou US$ 9 bilhões em receita, ou 32% do total de produtos desenvolvidos dentro desse período.

No entanto, como vimos acima com o movimento para reduzir os relatórios trimestrais, às vezes não medir resultados pode ajudar a direcionar a atenção para o futuro. Mesmo tendo suas próprias consequências não intencionais, o movimento para eliminar os relatórios trimestrais pode ajudar as empresas a evitar a cegueira sobre as mudanças e a perigosa visão de curto prazo, tornando mais fácil investir nas mudanças necessárias que levam tempo para mostrar resultados.

Aprendizados do capítulo 9:

- Novo olhar e novas palavras podem pintar uma imagem do futuro. Assim como escapar das garras do pensamento de grupo requer uma mente aberta e vozes distintas, reconhecer os perigos e oportunidades do futuro requer uma nova mentalidade.
- Reconhecer o valor do propósito no longo prazo. Empresas em todo o mundo tornaram-se altamente lucrativas olhando além do curto prazo. Em uma economia de meta-espaço rapidamente moldada cada vez mais pela geração do milênio, o valor do senso de propósito que impulsiona o longo prazo é mais importante do que nunca.

- Use uma estratégia "altamente eficaz" e pensamento de longo prazo a fim de economizar dinheiro e liberar recursos para criar oportunidades, em vez de apenas tapar buracos. Equilibre o curto e o longo prazo. Priorize a importância, não apenas a urgência.

10

Conclusão:

Como evitar ser atropelado por um rinoceronte

"O caminho será todo acidentado. Nós o chamamos de massagem africana", disse o guia que me levou à montanha da Mthethomusha Game Reserve, na extremidade sul do Parque Nacional Kruger, no norte da África do Sul, bem perto da fronteira com Moçambique. Estávamos a caminho do chalé onde eu ficaria hospedado em um safári para ver os rinocerontes na selva. A África do Sul é o lar de mais de quatro de cada cinco rinocerontes que restam no planeta. É o ponto de partida de uma guerra para salvar o rinoceronte da extinção, lutando por uma batalha que parece perdida, já que os caçadores matam um rinoceronte a cada oito horas para retirar o seu chifre – a arma que deveria ser a defesa dos rinocerontes se tornou na verdade a razão da sua destruição.

Enquanto o Land Cruiser cambaleava e rangia subindo uma encosta íngreme, o motorista parou e apontou para um ponto na vegetação onde, segundo ele, havia um macho kudu listrado – uma espécie de antílope comum na África. Apertei os olhos e tentei seguir a direção onde seu dedo indicador estava apontando, mas ainda não conseguia detectar o contorno do animal. Minha visão é terrível, mas, mesmo se não fosse tão ruim, eu ainda teria tido dificuldade de ver o antílope. Logo percebi que é preciso prática para ver muitos dos animais a quem a mãe natureza deu o grande dom da capacidade de se camuflar.

No meu primeiro passeio pelo safári, algumas horas depois, enquanto o sol lentamente se punha no céu, meus olhos gradualmente se acostumaram a seguir a direção onde nosso guia apontava. Aqueles pontos escuros na colina eram búfalos. Aquele barulho no arbusto seco era um antílope. Lá, no outro lado do vale à nossa direita, estava uma manada de cerca de duas dúzias ou mais de elefantes. A família que viajava conosco viu os elefantes antes mesmo do nosso guia, mas muitos minutos se passaram até que eu os visse. Em pânico por não ser capaz de notar uma manada de elefantes, deduzi que eles tinham praticado em outro safári antes de chegarem àquela reserva, preocupado que meus olhos estivessem indo de mal a pior.

Mesmo sabendo que os olhos dos meus companheiros de safári estavam simplesmente mais acostumados do que os meus, mesmo assim fiquei aliviada quando finalmente vi os elefantes. Era um grande grupo de fêmeas, filhotes e jovens adultos machos e fêmeas. Nosso motorista, Noel, tirou o carro da estrada e desligou o motor. Sentamos e observamos enquanto alguns se cuidavam e se acariciavam, alguns brincavam e outros puxavam galhos e folhas de árvores para comer. Então, no meio do rebanho, um jovem macho caminhou até outro maior e o desafiou. Eles desenrolaram suas trombas e se agarraram, puxando com força até que o menor desistisse e fosse embora. Então um macho gigante, quase duas vezes maior que o maior dos machos jovens, percebeu e se aproximou dos jovens encrencados, e todo o rebanho começou a se mover em massa.

Voltamos para a estrada e continuamos nosso caminho. Quinze minutos depois ou mais, nosso guia, Aaron, sinalizou para o motorista parar. Ele apontou colina abaixo, onde outro veículo havia saído da estrada. Noel franziu a testa e balançou a cabeça com preocupação; eles estavam se aproximando perigosamente do grande macho, desafiando a sorte. A natureza humana gosta de brincar com o perigo. Por fim, o macho afastou-se, e Noel deu um suspiro de alívio. Durante o jantar, no final da semana, ouvi histórias de um elefante macho em *must* – condição periódica em elefantes machos caracterizada por um comportamento altamente agressivo e acompanhada por grande aumento nos hormônios reprodutivos durante o período de acasalamento – atacando outro veículo do safári, mas o grupo escapou ileso.

Ficamos de olho nos rinocerontes. Aaron apontou um lamaçal de rinoceronte: uma poça no chão onde a água da chuva tinha se acumulado. Rinocerontes, que não suam, cavam buracos e se deitam na lama para refrescar e acalmar a pele. Com quase 2,5 centímetros de espessura, a pele de um rinoceronte pode parecer dura, mas não é uma armadura eficaz contra as picadas de insetos nos arbustos ou contra o sol devastador. Outro sinal de que os rinocerontes estavam próximos foi uma pilha de estrume, uma grande mancha de fezes de rinoceronte pisoteada e espalhada. Os rinocerontes usam esses rastros de fezes para marcar território e se comunicar uns com os outros. Besouros de esterco rastejaram por todo a pilha de estrume, rolando e empurrando pequenas bolas de cocô de rinoceronte enquanto se defendiam de outros besouros que tentavam roubar essas bolas. Era ilusório pensar que cada besouro poderia simplesmente rolar sua própria bola, já que havia material mais do que suficiente para levar. Os rinocerontes produzem cerca de cinquenta quilos de estrume por dia. Mas, se aprendi alguma coisa ao pesquisar para este livro, é que os comportamentos nem sempre têm um sentido óbvio. Aparentemente, isso vale também para besouros de estrume.

Logo após o pôr do sol, quando a luz ainda não havia deixado completamente o céu, ouvimos e vimos a vegetação se mexendo fora da estrada. Nos aproximamos, e lá eles estavam no meio da clareira: três rinocerontes-brancos. Eles são maiores, com focinho largo, mais comuns, mais sociais entre eles, bem menos desconfiados do que os rinocerontes pretos, que tendem a ser solitários. Os chifres desses rinocerontes haviam sido cortados a fim de desencorajar caçadores. Quando nosso carro se aproximou, o trio de rinocerontes se afastou vagarosamente na escuridão. Embora de forma rápida e não muito clara, essa foi a primeira vez que vi rinocerontes na selva.

No dia seguinte, ganhei confiança na minha capacidade de avistar animais selvagens. Vimos girafas, leões, kudus, inhalas e impalas, muitos elefantes, pássaros, cobras, uma tartaruga aparentemente suicida que tentava rastejar sob a roda de nosso veículo, e mais poças de rinocerontes. Mas não vimos mais nenhum rinoceronte.

Um grupo de nós acordou às quatro da manhã no dia seguinte para ir ao Parque Nacional Kruger, que fazia fronteira com a Mthethomusha Game Reserve. Cobrindo mais de doze mil quilômetros quadrados e seis ecossistemas, o parque é maior do que Israel e atrai turistas que geram 3% do PIB da África do Sul, uma estimativa conservadora. É também o lar da maior população de rinocerontes do mundo, com mais de oito mil rinocerontes, representando mais de um terço de todos os rinocerontes do continente.

No Kruger, ao contrário da reserva onde fiquei, não se cortam os chifres dos rinocerontes. Com cerca de uma dúzia de veículos de turismo ao longo do acostamento, um rinoceronte correu pela estrada, com seus chifres impressionantes de perfil. Ao longo do dia, vimos de perto hipopótamos, leões, crocodilos, elefantes e búfalos. Mas o macho correndo rapidamente pela estrada foi o mais perto que um rinoceronte chegou de nós. Todos os rinocerontes que avistamos foram passageiros: um casal de rinocerontes tomando sol do início do outono em uma rocha distante; um rinoceronte fêmea e o filhote se alimentando; um casal de rinocerontes pastando na vegetação ao lado da estrada; mas todos correram assim que nos viram. Meu histórico como observador de rinocerontes foi decepcionante, embora não um completo fracasso.

Em minha última noite de volta à Mthethomusha Game Reserve, vimos no safári muitas zebras, que, pelo relato de alguns, são mais intimamente relacionadas aos rinocerontes do que os elefantes. Mesmo assim, ainda não tinha experimentado o que vim buscar na África do Sul: uma oportunidade de ver os rinocerontes de perto. Quando o sol de pôs atrás das montanhas e a noite caiu, me conformei com a provável realidade de que o que eu tinha visto, mesmo distante, era o melhor que eu poderia ter. Tivera a sorte de ter visto tantos rinocerontes quanto vi, mesmo que rapidamente e de longe. Se a situação dos rinocerontes não mudar drasticamente de direção, logo as pessoas não serão mais capazes de vê-los na natureza.

E então Noel parou o Land Cruiser e desligou o motor. Aaron apontou à nossa esquerda, um pouco à frente. Ouvimos um choque de rinocerontes em algumas árvores na beirada de uma clareira. Conforme nosso veículo se aproximava, alguns deles se viraram e desapareceram sob as árvores. Mas três ficaram e olharam para nós enquanto nos esforçávamos para ver na escuridão cada vez mais profunda.

Uma fêmea enorme estava deitada na terra, de costas para nós. Ela não parecia estar nem um pouco incomodada com a nossa presença ou com a luz que Aaron apontava para suas costas. Ao fundo, dois rinocerontes prestavam atenção. De repente, a fêmea se levantou e sacudiu-se, então se virou e caminhou para debaixo de uma árvore à esquerda. Ficou lá por alguns momentos. Podíamos ouvi-la se mexendo, mas não podíamos vê-la. Um dos outros rinocerontes desapareceu, mas um deles, um grande macho, aproximou-se da árvore onde a fêmea estava escondida. Supusemos que eram intenções amorosas; ele a seguiu até atrás de uma árvore e desapareceu na escuridão.

O que me impressionou foi quão calma havia sido essa interação: um rinoceronte fêmea que não se incomodara com nossa presença atrapalhando seu cochilo, um macho a fim de cortejá-la e totalmente indiferente a nossa presença. É preocupante pensar que a geração seguinte de seres humanos pode não ter a possibilidade de ver esses animais magníficos.

A equipe da pousada estava extremamente atenta aos perigos que ameaçam os rinocerontes e, por sua vez, a população local, que depende da vida selvagem para atrair turistas e gerar renda. "As pessoas precisam ser esclarecidas acerca de como os rinocerontes são importantes, não apenas para nós, mas também para as próximas gerações", disse Noel. "A maioria das pessoas que vêm para a África do Sul está na maior parte das vezes interessada nos rinocerontes. Se os rinocerontes forem extintos do planeta, os dólares das pessoas que visitam o país cairão. Isso fere a todos."

Apesar de cortar os chifres dos rinocerontes para deter os caçadores ilegais, a reserva ainda perde quatro ou cinco rinocerontes por ano. Os chifres crescem outra vez, embora lentamente, e os caçadores querem pegar cada pedacinho de chifre que tiver. Pesando entre um e cinco quilos, os chifres são feitos de queratina – assim como as unhas dos dedos das mãos e dos pés –, que não tem valor medicinal, mas à qual a medicina tradicional asiática atribui poderes curativos. Ao contrário do mito, o chifre do rinoceronte não é conhecido principalmente como afrodisíaco, mas como um agente antifebril.

Cada perda atinge em cheio. "Uma tarde, ao dirigir, percebemos de repente que havia aves de rapina voando em direção a uma área", Noel nos disse, lembrando-se do trauma de um ataque recente de caçadores. "Havia muitos deles, então eu queria ir investigar. Normalmente isso significa que há a morte de um leão. Ao entrarmos, sentimos o cheiro de um animal podre. E então vimos um rinoceronte morto. A primeira coisa que fiz foi verificar se os chifres ainda estavam lá, e eles estavam. Liguei para o gerente da reserva. O animal havia sido baleado e continuou fugindo até cair naquela área. Os caçadores o perderam, não sabemos se algo os assustou."

De volta ao chalé, Chris Edwards, o gerente-geral, parou perto da mesa que eu dividia com meus companheiros de safári. Ele culpa a imprensa por transformar os rinocerontes em bandidos. "Olhe para a Disney. Em *Robin Hood*, os rinocerontes eram os vilões", disse ele. O mesmo aconteceu com Rocksteady, um traficante de armas russo transformado em um rinoceronte antropomórfico mutante inimigo de um das Tartarugas Ninja. Onde estariam os rinocerontes, ele se perguntou, se a Disney tivesse inventado um rinoceronte tão fofo como o Dumbo? "Um rinoceronte é um unicórnio. Só que é gordo e cinza", disse Chris.

Como li muito e vi com meus próprios olhos nos últimos dias, os rinocerontes tendem a se manter isolados e são relativamente dóceis quando não se sentem ameaçados. O hipopótamo é considerado muito mais perigoso do que o rinoceronte; um mosquito minúsculo é responsável por mais mortes do que qualquer um dos cinco animais africanos considerados como os mais perigosos.

Um rinoceronte atacando é, sem dúvida, uma visão assustadora, mas temi ter prestado um desserviço ao rinoceronte ao usá-lo como metáfora para o perigo. Senti uma pontada de culpa porque, quando procurava uma imagem que representasse uma ameaça gigante e óbvia, o rinoceronte foi o que me veio à mente. A realidade é que, para as espécies ameaçadas de extinção, especialmente o rinoceronte, a raça humana é o Rinoceronte Cinza. Os rinocerontes correm muito mais perigo conosco do que nós com eles. Precisamos voltar a atenção para salvar uma criatura que andou na Terra por mais de cinquenta milhões de anos e cujo destino será um indicador da nossa capacidade de reconhecer e agir diante de um desafio importante. Se a estrutura do Rinoceronte Cinza der às pessoas o poder de mudar os resultados dessa ameaça iminente de extinção dos rinocerontes, então só posso esperar que a licença poética que tirei tenha valido a pena.

CINQUENTA MILHÕES DE ANOS

A luta para salvar os próprios rinocerontes é um exemplo poderoso de como o pensamento do Rinoceronte Cinza explica onde falhamos, mas também onde há esperança. A ameaça à sobrevivência de uma espécie mostra como a negação e a ignorância intencional podem atravessar o caminho das soluções, e também como é fácil clamar vitória e se esquecer de quão perto os perigos ainda espreitam. Os governos perdem-se no enfrentamento da caça ilegal, muitas vezes por causa da corrupção e de poderosos interesses enraizados. Quando estão prontos para agir, o diagnóstico ou, mais precisamente, o protocolo de tratamento nem sempre é claro. A luta para salvar o rinoceronte entra e sai dos estágios de pânico e ação. É um exemplo recorrente de que uma crise é algo terrível de se desperdiçar.

As pessoas só prestam atenção quando a situação parece estar crítica, e então pode ser muito tarde para os poucos animais restantes. Intervenções anteriores poderiam ter feito diferença para algumas espécies que agora estão extintas ou em vias de extinção. No entanto, sem o ímpeto de um desastre iminente para nos impulsionar à ação, não intervimos. O poder da imaginação e da oportunidade é a chave para o futuro.

Os altos e baixos ao longo de décadas na luta para salvar os rinocerontes apontam para outra lição comum aos desafios recorrentes do Rinoceronte Cinza: não importa quanto tempo você lute, você nunca ganha de verdade.

No começo do século 20, cerca de meio milhão de rinocerontes vagavam pela África e Ásia. No entanto, a necessidade de preservar já era evidente no rosto dos grandes caçadores que vinham buscar troféus, reduzindo o número de rinocerontes-brancos para apenas cem. Em março de 1898, a República da África do Sul, reconhecendo a necessidade de controlar a caça e proteger o número de animais selvagens em rápida queda, criou um parque de vida selvagem do governo que em 1926 se tornou o Parque Nacional Kruger.

Pouco depois de seu mandato presidencial nos Estados Unidos terminar, em 1909, Theodore Roosevelt veio a um safári, matando onze rinocerontes-negros e – surpreendentemente, dada a raridade deles na época – nove rinocerontes-brancos. Na época, os rinocerontes-negros eram tão abundantes que Roosevelt reclamou que eles estavam atrapalhando seu grupo em encontrar outros tipos de animais para matar.

Em sete décadas, o número de rinocerontes caiu vertiginosamente. As guerras civis da década de 1960 na África trouxeram com elas um grande fluxo de armas, muitas delas trocadas por marfim e chifre de rinoceronte. Em 1970 o número de rinocerontes-negros em toda a África havia caído para 65 mil. Em 1993 havia somente 2.300 rinocerontes-negros.

Enquanto isso, os governos dos países onde os rinocerontes viviam dedicaram mais recursos para protegê-los e dar incentivos aos cidadãos que fizessem parte do esforço de conservação. África do Sul, Quênia e outros países trabalharam para construir indústrias do turismo em torno de seus animais selvagens de modo que as populações locais tivessem incentives econômicos para proteger a espécie posta em perigo.

Na África do Sul, o estado de segurança do governo do Apartheid provou ser eficaz para impedir a entrada de caçadores ilegais, e a população de rinocerontes-brancos do sul começou a se recuperar, mesmo com outras populações caindo. Em 1960 havia seiscentos rinocerontes-brancos do sul, seis vezes a população da virada do século. Em 1961 a África do Sul lançou a Operação Rinoceronte, que transportou rinocerontes das reservas Umfolozi e Hluhluwe para outras áreas protegidas em todo o país, incluindo, controversamente, reservas privadas. Em 1968 o país legalizou um número limitado de licenças de caçadores de troféus como forma de criar um incentivo econômico para as reservas preservarem os animais. Embora caçar rinocerontes parecesse contraintuitivo para salvá-los, o esquema funcionou: o número de rinocerontes-brancos aumentou muitas vezes desde que a caça foi legalizada.

Os esforços de conservação dos rinocerontes uniram-se a um movimento mais amplo para salvar espécies ameaçadas, tanto em seus hábitats quanto nos países que consumiam seu chifre. Em 1973, após dez anos de preparação, oitenta nações se uniram para criar formalmente a Convenção sobre o Comércio Internacional de Espécies Ameaçadas de Extinção (CITES), um acordo internacional para garantir que o comércio internacional de animais e plantas selvagens não ameaçasse sua sobrevivência. Em 1977 a CITES listou os rinocerontes em seu Apêndice I, para espécies ameaçadas de extinção, efetivamente ordenando a proibição do comércio internacional de chifres de rinoceronte.

Vários países encerraram a maior parte do comércio legal de chifres de rinoceronte dentro e fora de suas fronteiras. O Japão, um grande consumidor na década de 1970, cedeu à pressão internacional e ingressou na CITES em 1980. O país proibiu a importação de chifre de rinoceronte, e seu Ministério da Saúde exigiu que todos os profissionais de saúde parassem de prescrevê-lo e designassem substitutos. O foco então mudou para a Coreia, que proibiu as importações em 1983, removeu o chifre de rinoceronte de sua farmacopeia e ingressou na CITES uma década depois. Taiwan proibiu as importações em 1985 e, sob pressão dos Estados Unidos, proibiu as vendas. Por um tempo, os constantes esforços de conservação pareciam estar progredindo. As populações de rinocerontes na África aumentaram significativamente

desde meados da década de 1990, chegando a 20.405 rinocerontes-
-brancos e cerca de 5.055 rinocerontes-negros em 2012.

No entanto, assim que uma crise é resolvida, outra surge, e a maré virou para o lado errado. Mesmo depois dos sucessos relativos no Japão, na Coreia e em Taiwan, o crescimento econômico das últimas duas décadas na Ásia aumentou a demanda por chifres de rinoceronte. Atendendo ao enriquecimento recente e ao crescimento da classe média na China e no Vietnã, surgiu um mercado negro de US$ 20 bilhões na Ásia, com chifres de rinoceronte sendo vendidos tanto quanto a cocaína. O mercado no Vietnã tornou-se significativo em 2005, em parte devido a rumores de que o câncer de um oficial de alto escalão fora curado por um chifre de rinoceronte, apesar de a ciência médica dizer o contrário. Uma tendência muito maior se seguiu quando uma nova geração se agarrou ao chifre de rinoceronte como remédio preventivo e curativo para a ressaca, ou como presente de alto valor frequentemente usado para fechar negócios em vez de um relógio Rolex, e quando fornecedores inescrupulosos começaram a promovê-lo como cura do câncer para famílias de pacientes hospitalares.

Assim, após anos de muito trabalho para aumentar o número das populações de rinocerontes em toda a África, uma nova e agressiva onda de caça ilegal se instalou para atender à nova demanda da China e do Vietnã. O número de rinocerontes mortos na África do Sul aumentou de treze, em 2007, para 122 em 2009. A média era de apenas nove por ano entre 1980 e 2007. Em 2014 o número de mortes aumentou mais dez vezes. Os caçadores clandestinos mataram 1.215 rinocerontes, dos quais 827 morreram só no Parque Nacional Kruger. O número de caçadores ilegais presos é irrisório. Os caçadores têm adotado técnicas cada vez mais brutais, como anestesiar os rinocerontes e cortar seus chifres até o osso enquanto os animais ainda estão vivos, deixando-os acordados com dores angustiantes. Também estão usando agora equipamentos cada vez mais sofisticados, incluindo helicópteros de nível militar e óculos de visão noturna. E começaram a cortar as orelhas e caudas para provar que os chifres que vendem vieram de rinocerontes reais.

O governo sul-africano se tornou mais agressivo na perseguição e condenação de caçadores ilegais. No entanto, ainda teve que lutar contra criminosos não apenas estrangeiros, muitos deles vindo de Moçambique, mas também de dentro de suas organizações – informantes que ganharam a duvidosa distinção de "criminosos de colarinho cáqui". Em 2014 ladrões roubaram uma coleção inteira de 120 chifres do prédio de turismo do governo de Mpumalanga em um crime suspeito de ter contado com colaboração interna. Os sul-africanos estão particularmente irritados com Moçambique, onde o crime internacional de chifre de rinoceronte opera impunemente. Os caçadores moçambicanos tiraram partido do fato de que os guardas do Parque Nacional Kruger não têm permissão para perseguir os caçadores ilegais fora da fronteira nacional; quando caçadores em fuga cruzavam a fronteira, comemoravam vitória, para irritar os patrulheiros.

Felizmente, o crescimento dramático da caça ilegal de rinoceronte não passou despercebido. O mundo começou a notar, especialmente porque os meios de comunicação passaram a dar notícias cada vez piores. E as pessoas estão apoiando a causa. "Os rinocerontes caminham pela Terra há cinquenta milhões de anos, mas três são mortos todos os dias. Todos os dias, quando você almoça, um é morto; na hora de jantar, já se foi outro; e enquanto você dorme, perdemos mais um", disse a Dra. Susie Ellis, diretora executiva da Fundação Internacional de Rinocerontes. Um grupo de diretores do jardim zoológico formou uma organização em 1991, a Fundação Internacional do Rinoceronte-Negro, que se expandiu mais tarde para todas as cinco espécies de rinocerontes em um esforço para tentar viabilizar uma resposta que combatesse a caça ilegal e aumentasse o número de rinocerontes. Um de seus primeiros passos foi importar vinte rinocerontes-negros para os Estados Unidos e Austrália como garantia de manutenção da população. Hoje o grupo é a maior organização internacional na luta para preservar os rinocerontes, junto com a Salve os Rinocerontes, no Reino Unido, e a Federação Mundial da Vida Selvagem. "Queremos que eles ajudem nossos filhos", disse Ellis.

Na esperança de repetir o sucesso da pressão do governo americano nos anos 1980, a Fundação Internacional do Rinoceronte fez parceria com a Agência de Investigação Ambiental para solicitar aos Estados Unidos que impusessem sanções comerciais contra Moçambique por seu apoio à caça ilegal e ao comércio de chifres de rinoceronte. "Se esses governos quiserem cortá-los, eles podem", disse Ellis. "É uma questão de vontade política."

Estamos em um momento crucial em que a própria sobrevivência da espécie depende dessa vontade política, em um desafio que vai ao cerne da questão por trás deste livro. Você poderia dizer que estamos no estágio de pânico agora. Nosso desenvolvimento aumentou o senso de urgência, o que pode ser bom para subespécies de rinoceronte que ainda podemos salvar. Mas essa consciência teve um grande custo: recentemente testemunhamos a extinção de uma subespécie, a de outra é iminente, e o desaparecimento de duas outras é altamente provável.

Em 2011 a União Internacional de Conservação da Natureza declarou o rinoceronte-negro ocidental extinto depois de cinco anos sem encontrar nenhum vivo. No final de 2014, Angalifu, um rinoceronte-branco do norte do zoológico de San Diego, morreu na idade avançada de 44 anos, deixando apenas cinco membros sobreviventes da subespécie. O único macho restante, Sudão, teve o chifre cortado e estava sob guarda armada 24 horas por dia no Quênia, na esperança de mantê-lo vivo. A contagem de espermatozoides de Sudão caiu, já que ele está agora com 42 anos, então os conservacionistas não tinham certeza de por quanto tempo ele seria capaz de gerar um novo filhote, especialmente porque as duas fêmeas que moravam na reserva com ele também estavam envelhecendo. Celebridades globais se reuniram para visitá-lo e promover uma campanha internacional no Twitter com a hashtag #LastMaleStanding para arrecadar fundos para sua proteção. Outras duas subespécies estão praticamente em extinção. Existem menos de sessenta rinocerontes-de-java e apenas cerca de cem rinocerontes-de-sumatra.

Em resposta aos caçadores ilegais, os tratadores de rinocerontes têm adicionado ao próprio arsenal ferramentas de alta tecnologia, como microchips, testes de DNA e bancos de dados para rastrear até sua origem chifres de rinoceronte apreendidos, e câmeras de temperatura e inteligência artificial para alertar os guardas florestais sobre caçadores suspeitos. Eles também estão empregando treinamento paramilitar e unidades caninas de combate à caça ilegal para detectar chifres de rinoceronte e contrabando de marfim.

Tem havido esforços para tingir os chifres a fim de torná-los menos atraentes, e para envenená-los a fim de que qualquer pessoa que os ingira adoeça. Há certa ironia neste último. Como os chifres não têm sistema vascular para distribuir a tinta ou o veneno por todo o chifre, as aplicações permanecem localizadas e, portanto, não são tão eficazes quanto deveriam ser. E nem todos os chifres de rinoceronte são ingeridos; alguns são puramente ornamentais.

Algumas empresas de biotecnologia propuseram usar impressoras 3-D para criar chifres artificialmente visando inundar o mercado e baixar bastante o preço, tornando-o não atraente para as organizações criminosas. Mas os conservacionistas têm sérias dúvidas. Em um artigo conjunto, a Fundação Internacional de Rinocerontes e a Salve os Rinocerontes fazem uma série de perguntas. Poderia o substituto realmente reduzir a demanda pelo chifre do rinoceronte real? Ou a queda nos preços criada pela alternativa mais barata aumentaria a demanda, forneceria uma cobertura para chifres ilegais, aumentaria os lucros dos contrabandistas e colocaria os rinocerontes ainda mais em perigo? As organizações concluíram que esse era o caso, assim como vários outros grupos que publicaram relatórios posteriores.

Talvez a abordagem mais controversa para a conservação de rinocerontes seja a caça de troféus. Pouco antes de chegar à África do Sul, os Estados Unidos concederam uma licença de importação a um caçador texano que pagou US$ 350 mil, um novo recorde, em um leilão realizado pelo Clube Dallas Safari pelo direito de atirar em um rinoceronte-negro mais velho na Namíbia. Minha reação automática foi a mesma de muitas outras pessoas, a de repulsa. Nunca vou entender por que algumas pessoas ficam entusiasmadas em matar qualquer coisa por puro esporte, especialmente um animal que pode ser um dos últimos de sua espécie. Porém, olhando a lógica por trás do negócio, vi que a questão tinha mais nuances. Ao eliminar um macho mais velho que era velho demais para se reproduzir e estava supostamente impedindo que os machos mais jovens acasalassem com as fêmeas, na visão de algumas pessoas, a caça tinha o potencial de aumentar a população. A receita destinava-se a apoiar os esforços de conservação. E o exemplo dos rinocerontes-brancos na África do Sul deixou claro que permitir alguma caça legal tinha o efeito de aumentar o valor dos rinocerontes vivos e, portanto, tirá-los do risco de extinção.

"Se uma espécie em extinção tão desejada como o rinoceronte-negro está sob ameaça extrema de caça ilegal, então talvez a mensagem de que a espécie precisa ser salva tenha um problema maior para resolver do que a perda relativamente limitada de animais para caçadores ricos", Jason Goldman escreveu na revista *Conservation*. Goldman citou um estudo de 2005 publicado no *Journal of International Wildlife Law & Policy* no qual foi argumentado que a caça por troféus poderia, de fato, salvar os rinocerontes. Esse artigo recomenda permitir a caça apenas de machos mais velhos, não reprodutores, ou machos mais jovens que espalharam seu material genético amplamente; qualquer receita iria diretamente para os esforços de conservação – em outras palavras, exatamente de acordo com o leilão em questão. "A verdadeira tragédia aqui é que aquele rinoceronte que será morto como resultado do leilão de sábado recebeu uma quantidade desproporcional de atenção da mídia em comparação com as centenas de rinocerontes perdidos na caça ilegal a cada ano, que permanecem praticamente invisíveis", concluiu Goldman.

Por outro lado, pareceu uma boa ideia quando a South African Airlines anunciou, em abril de 2015, que havia proibido o transporte de troféus de leões, elefantes e rinocerontes ameaçados em seus voos de passageiros e carga, mesmo que o caçador tivesse uma permissão legal. Emirates e Lufthansa rapidamente seguiram o exemplo. Mas se a caça de troféus cuidadosamente administrada pode ser bem-sucedida na preservação de espécies ameaçadas, essa política poderia ter consequências não intencionais?

As respostas não são fáceis. No entanto, em geral, há amplo consenso sobre as estratégias que funcionam: uma combinação de aplicação da lei estrita, coordenação de inteligência para afastar os caçadores antes que eles tenham a chance de agir, movendo rinocerontes para áreas mais seguras, com populações concentradas, que podem ser protegidas mais facilmente, envolvendo as comunidades locais e criando fluxos de rendas sustentáveis relacionadas aos rinocerontes e, acima de tudo, reduzindo a demanda.

QUAL É O SEU RINOCERONTE CINZA?

Hoje, empresas, organizações, governos e indústrias estão lidando com muitas ameaças que são óbvias, altamente prováveis e potencialmente devastadoras para aqueles que não estão preparados. Cada um de nós enfrenta pelo menos um Rinoceronte Cinza, e muitas vezes mais: na sua vida pessoal ou familiar, na sua organização ou negócio, ou como membro da sociedade e cidadão do mundo. Nosso desafio, tanto coletivo quanto individual, é reconhecer e evitar os perigos altamente prováveis, óbvios e de alto impacto que são – ou pelo menos deveriam ser – tratados como claros e presentes, embora com muita frequência sejam negligenciados.

O conceito do Cisne Negro despertou as pessoas para a necessidade de se abrir para a possibilidade do inesperado. Atrás de cada Cisne Negro está um embate de rinocerontes cinza. Você acha que não precisamos acordar para as crises óbvias? Já não estamos lidando com elas? No entanto, o oposto é verdadeiro. Somos péssimos em prestar atenção ao que deveríamos antecipar. Às vezes, quanto maior é o Rinoceronte Cinza, mais difícil é vê-lo e agir a tempo de não ser pisoteado.

Uma vez que você sabe o que é um Rinoceronte Cinza, eles aparecem em toda parte. A Blue Bell Creamery fez o recall de todos os seus sorvetes na primavera de 2015 por causa de contaminação generalizada pela bactéria listéria, depois de uma série de avisos ignorados. Quando o trem da Amtrak descarrilou tragicamente em maio de 2015, descobriu-se que os planos para implantar sistemas de segurança haviam sido adiados. Muita gente tinha de ter estado ciente de que o lançamento, em 2013, do site Affordable Care Act, tão cheio de problemas quanto uma velha casa infestada de cupins, seria um desastre. Enron, Long-Term Capital, Kodak, BlackBerry, a lista de empresas que não conseguiram enfrentar seus rinocerontes cinza é imensa.

Não sabemos exatamente como, ou quando, cada Rinoceronte Cinza vai aparecer, mas seria imprudente ignorá-los. A impressão 3-D terá o mesmo impacto em alguns produtos manufaturados que as câmeras digitais tiveram na fotografia antiquada e que a internet e o YouTube tiveram na rede de televisão e na mídia tradicional? Como vamos lidar com as enormes mudanças de emprego que a inteligência artificial trará? Diante das crescentes disparidades de renda, com enormes consequências para a estabilidade social e política, bem como para as necessidades futuras de capital humano, como os líderes podem ajudar a globalização a erguer todos para que a riqueza estonteante de alguns não desmorone sob seu próprio peso? Como as megacidades emergentes lidarão com as intensas pressões que seu rápido crescimento está colocando em sua infraestrutura e recursos? Como as cidades envelhecidas vão lidar com as mudanças demográficas e a necessidade de atualizar sua infraestrutura – e como outras vão conter o êxodo de jovens? Como a ascensão da economia compartilhada afetará os negócios tradicionais, e o que essas empresas podem fazer para se antecipar às mudanças? Como o Japão, a Europa e os Estados Unidos lidarão com os efeitos econômicos, políticos e sociais do envelhecimento de suas populações? Como os líderes e cidadãos respondem à crescente escassez de recursos, incluindo água, alimentos e minerais essenciais, e o efeito potencialmente catastrófico resultante nas cadeias de abastecimento, estabilidade social e política e na própria vida? Como as populações costeiras lidarão com o efeito da elevação do nível do mar, que traz frequentemente tempestades como Katrinas, e Sandys, e Phailins e Haiyans, e inundações que antes aconteciam apenas uma vez a cada dez mil anos e agora se tornam tempestades que acontecem "meramente" a cada cem anos?

E como vamos lidar com os meta-rinocerontes, os problemas subjacentes decorrentes de nossas decisões e estruturas políticas que tornam ainda mais difícil o enfrentamento das ameaças óbvias e de alto impacto? Como as empresas, famílias e indivíduos enfrentam desafios que têm impactos profundos para aqueles que os vivenciam?

As coisas ficam mais claras à medida que você aprende a reconhecer os estágios, as armadilhas e oportunidades de cada etapa na revelação de uma ameaça óbvia: sair da negação para o reconhecimento, da hesitação à formulação de um plano, evitar o estágio de pânico, agir o mais rápido possível e juntar os pedaços e reconstruir melhor caso você tenha sido atropelado. Com esse espírito, ofereço aqui um Guia do Safári do Rinoceronte Cinza: um conjunto de princípios para lidar com os cinco estágios de ameaças futuras óbvias, altamente prováveis e de alto impacto; em outras palavras, como não ser atropelado por um Rinoceronte Cinza.

1. Reconheça o rinoceronte. Da mesma forma como o Cisne Negro ajudou as pessoas a se concentrarem em crises altamente improváveis, o Rinoceronte Cinza é um ponto de foco para as crises óbvias e altamente prováveis. Crises óbvias que tomamos como certas, que deixamos de lado e ignoramos, gerando alto custo. Simplesmente reconhecer que os rinocerontes cinza existem é um passo para não apenas sair do caminho, mas também transformar um problema em uma oportunidade. Todos conhecem a história do elefante na sala, sobre o qual ninguém fala porque é um assunto incômodo. Os rinocerontes cinza são semelhantes aos seus primos próximos, mas muito mais perigosos.

O primeiro estágio de um Rinoceronte Cinza, a negação, é o mais frequentemente confundido com os cisnes negros. Considerar um Rinoceronte Cinza muito provável como um Cisne Negro improvável é meramente um mecanismo de defesa contra o reconhecimento de uma realidade desagradável. Você pode questionar a definição de "altamente provável" e o período de tempo que isso envolve. Aqui é importante não se preocupar com os detalhes. Se houver uma possibilidade razoável de que algo de ruim aconteça em um espaço de tempo razoável, qualifica-se como um perigo provável com o qual você necessita lidar.

Para ser capaz de reconhecer rinocerontes cinza mais cedo, ajuda muito estar ciente das probabilidades acumuladas em não ver o óbvio. Como nossas mentes e nossa dinâmica social nos preparam para evitar o que não queremos que seja verdade, nos apegamos a previsões questionáveis e deixamos de dar atenção às que têm mais probabilidade de ser verdadeiras. Não fazemos perguntas para as quais não queremos realmente saber as respostas. O trio de macacos que não veem, nem ouvem nem falam coisas ruins vive em nossas organizações, nossas famílias, nossos governos e em nossas próprias cabeças. As estratégias delineadas nos Capítulos 2 e 3 podem nos ajudar a reconhecer os perigos óbvios, entendendo melhor a natureza de nosso relacionamento complicado com as previsões, e a resistir ao nosso impulso natural de negação e ignorância intencional.

Não tenha medo de questionar o que as pessoas de sempre estão dizendo, de se arriscar e estar errado. Não presuma que tudo ficará bem porque os poderes constituídos dizem que sim; eles têm segurança no *status quo*, por isso resistirão à ideia de que qualquer coisa possa perturbá-lo. Continue investigando e fazendo perguntas difíceis. Esteja atento ao pensamento de grupo e seja firme contra ele. Certifique-se de que haja diferentes perspectivas e vozes em torno da mesa quando sua organização estiver tomando decisões, e esteja aberto para ouvi-las. Como vimos no experimento de Chabris e Simons, fica fácil ver o gorila "invisível" quando dizem que ele está lá. Similarmente, fica mais fácil ver os rinocerontes cinza quando você começa a procurá-los.

2. Defina o rinoceronte. É claro que, quando começamos a ver rinocerontes cinza, é bem provável que fiquemos confusos. É impossível tratar de todos os problemas potenciais de uma só vez. É aí que entra a definição do escopo para que possamos priorizar os problemas e enquadrá-los de uma forma que chame a atenção de pessoas que têm o poder de fazer algo a respeito.

A maneira como você diagnostica e enquadra um problema faz a diferença para que as pessoas respondam e em se essa resposta funcionará ou não. O problema é o inconveniente de consertar uma defeituosa chave de ignição de US$ 0,57 que será chato e caro de substituir? Ou será que não consertar a chave vai custar vidas e bilhões de dólares e colocar toda a empresa em risco? O problema está em perder 30% de seu investimento agora, ou em perder 75% daqui a pouco?

Quando as empresas operam com margens menores, elas têm muito mais motivos para resolver problemas que parecem não valer a pena quando estão em crise. Durante décadas, a lendária fabricante de motocicletas Harley-Davidson não prestou muita atenção à sua ineficiência, alto absenteísmo e ambiente de trabalho onde os trabalhadores se orgulhavam de fazer as coisas à sua maneira; a cultura estava muito de acordo com sua marca independente. "Antes da grande recessão, a Harley-Davidson não precisava se preocupar em contar os segundos", escreveu Adam Davidson em uma matéria sobre o perfil da empresa na *New York Times Magazine*. Mas em 2009, quando as pessoas não tinham dinheiro para um item de luxo como uma Harley, a empresa não teve escolha a não ser redefinir a ineficiência, que deixava de ser parte de sua identidade de marca para se tornar uma ameaça à própria sobrevivência. Esse reconhecimento levou a empresa a fazer mudanças extensas, incluindo dolorosos cortes de empregos e congelamento de salários. Mas ela também começou a procurar maneiras de ser mais eficiente em toda a fábrica. Ajustando o ângulo de uma pequena trava de plástico em uma peça que não se encaixava perfeitamente, economizou-se 1,2 segundo no tempo de fabricação de cada motocicleta, o que parece pouco, mas possibilitou que a empresa fabricasse mais 2.200 motocicletas a cada ano, gerando milhões de dólares em receita, com o mesmo número de trabalhadores. O mundo redefiniu o problema para a Harley-Davidson; a empresa respondeu na hora certa. Mas, se os gestores tivessem reconhecido antes que seus métodos ineficientes estavam custando muito e tinham potencial de destruir a empresa, a companhia não teria chegado tão perto de ter que fechar as portas.

Encontrar uma mensagem emocionalmente ressonante que torne a ameaça real incentiva as pessoas a prestarem mais atenção. Quando Melbourne, na Austrália, implantou um novo sistema de bonde, era necessário encontrar uma maneira de alertar as pessoas – especialmente aquelas com idade entre 18 e 30 anos, que costumavam andar e mandar mensagens ao mesmo tempo – para que tomassem cuidado com os veículos. A solução foi uma campanha publicitária apresentando uma série de placas de trânsito amarelas com um rinoceronte-preto em um *skate*. Um vídeo que acompanhava a campanha mostra uma multidão fugindo de um grande grupo de rinocerontes patinadores descendo a rua ao longo do bonde e parecendo estar gostando muito do passeio, especialmente um rinoceronte com um brilho malicioso nos olhos enquanto pressiona seu pé gigante no pavimento e o empurra para fazer o *skate* acelerar. "Um bonde pesa até trinta rinocerontes", entoa a narração, enquanto um adolescente infeliz usando fones de ouvido levanta os olhos e vê um bonde vindo em sua direção. Spike, O Rinoceronte, mascote da campanha, tem uma conta no Twitter (@bewaretherhino) e sua própria página no Facebook.

3. Não fique parado. Se você não pode fazer as grandes mudanças que precisa fazer, pense sobre quais passos menores são possíveis e como eles podem funcionar com as ações viáveis que outros estão realizando. Se for preciso, pare, mas faça isso estrategicamente, preparando-se para o momento certo de agir.

A intuição e a razão são especialmente responsáveis por nos enganar quando estamos eufóricos ou deprimidos, mas também quando estamos estáticos. Se puder, faça um plano com antecedência e use-o. Pense nas respostas de emergência que as pessoas em zonas de furacões e tornados aprendem na escola primária. Melhor ainda, crie gatilhos automáticos que o forçarão a agir em momentos em que o pânico poderia obscurecer seu julgamento.

As pessoas tomam precauções razoáveis o tempo todo, mesmo não tendo certeza de que enfrentarão um perigo que, no entanto, é facilmente visto: usar cinto de segurança, comprar seguro, trocar hambúrgueres de queijo por saladas, tomar uma vacina contra a gripe e fazer exercícios, mesmo se nunca tivermos um acidente de carro, ou sofrermos danos em nossa casa, ou enfrentarmos uma doença ou ficarmos expostos à gripe.

4. Uma crise é uma coisa terrível de se desperdiçar. Às vezes, simplesmente não é possível sair do caminho. E às vezes, o maior problema não é o que nós pensamos que é. Ao enfrentar a destruição que traz o novo, a ameaça é a probabilidade de não salvarmos uma empresa ou de não desistirmos em breve? Às vezes, o único momento para evitar que os futuros rinocerontes cinza ataquem é logo após um desastre, quando as pessoas ainda temem as consequências de uma ameaça futura. Se você for pisoteado, levante-se e veja quais novos caminhos o Rinoceronte

Cinza abriu. Calamidades podem criar oportunidades inesperadas.

Os moradores de Chicago costumam falar sobre o renascimento inesperado que se seguiu ao Grande Incêndio de Chicago, em 8 de outubro de 1871. O incêndio destruiu quase cinco quilômetros quadrados da cidade, matou trezentas pessoas, derrubou dezoito mil edifícios, deixou cem mil desabrigados e causou danos que teriam chegado a mais de US$ 4 bilhões em valores atuais. Catherine O'Leary e sua vaca foram inicialmente acusadas de terem iniciado o incêndio, mas mais tarde foi revelado que haviam sido incriminadas por causa de uma boa história. A Sra. O'Leary estava dormindo profundamente na cama, e a vaca estava solta quando o fogo começou. Mas, para compensar a calúnia que sofreram, vou dar-lhes crédito pela dramática transformação que resultou do incêndio.

O incêndio estimulou o crescimento de construções, substituindo velhos prédios de madeira por construções de tijolo e pedra, muitas dos quais ainda estão de pé hoje. Muitos acreditam que ele criou novas configurações de quarteirões com becos, o que mantém o lixo fora das ruas, uma inovação que minhas narinas apreciam imensamente depois de 23 anos na cidade de Nova York. Despejados no lago Michigan, os milhões de toneladas de escombros criados pelo incêndio estenderam a costa leste sobre o lago, criando o que hoje é o belo Grant Park. Muitos historiadores atribuem ao incêndio o incentivo para levar a Exposição Mundial Colombiana de 1893 a Chicago. Como descreve a incubadora de tecnologia 1871, batizada em lembrança ao fatídico evento: "A história do Grande Incêndio de Chicago de 1871 não é realmente sobre o incêndio. É sobre o que aconteceu depois: um momento marcante quando os mais brilhantes engenheiros, arquitetos e inventores se uniram para construir uma nova cidade. Suas inovações – nascidas da paixão e engenhosidade prática – moldaram não apenas Chicago, mas também o mundo moderno".

O incêndio, de fato, era previsível. O verão excepcionalmente seco e o início do outono deixaram as pontes e edifícios de madeira de Chicago altamente vulneráveis. "A ausência de chuva por três semanas deixou tudo em uma condição tão inflamável que uma faísca poderia causar um incêndio que se espalharia de ponta a ponta da cidade", relatou o *Chicago Tribune* não muito antes da noite fatídica. O departamento de bombeiros tinha pedido novos hidrantes, adutoras maiores, mais homens, dois botes para o rio e uma inspeção de construção para corrigir as armadilhas de incêndio da cidade. Seus apelos foram em vão.

5. Fique a favor do vento. Os melhores líderes agem quando a ameaça ainda está longe. A probabilidade de responder a sinais de perigo quando é mais fácil de lidar com um Rinoceronte Cinza é menor, e somos mais propensos a agir apenas quando o custo de resposta é alto e a probabilidade de sucesso é baixa – ou mesmo depois de pagarmos o custo de passar por um desastre, como Chicago fez.

Ficar a favor do vento requer duas estratégias. Primeiro, fique de olho no horizonte. Assim você pode prever como perigos aparentemente distantes podem se desdobrar. Em segundo lugar – e isso é muito mais difícil –, lide com os meta-rinocerontes que atrapalham a tomada de boas decisões e a ação sobre elas: os processos de tomada de decisão que levam ao pensamento de grupo e nos cegam, os incentivos perversos que desencorajam os formuladores de políticas e líderes empresariais a fazer a coisa certa, e as maneiras ineficientes como alocamos recursos que desperdiçam dinheiro no curto prazo quando, em vez disso, poderíamos estar investindo em ganhos significativamente maiores no longo prazo.

> **Às vezes é impossível fazer os outros concordarem com as mudanças quando o céu está ensolarado e os problemas parecem distantes. Nesse caso, faça um plano para que, quando o inevitável acontecer, você tenha ações a tomar.**

6. Seja um observador de rinoceronte; seja um guardião de rinoceronte. A prevenção de uma crise começa com um observador de rinocerontes: uma pessoa que reconhece e avisa sobre um perigo óbvio que os outros ignoram. Da mesma forma como é preciso prática para ver um rinoceronte na selva, aprender a reconhecer os rinocerontes cinza é uma habilidade.

Os indivíduos são importantes para reconhecer os rinocerontes cinza, recrutando pessoas para reconhecer, conceber soluções e transformar ideias em ação. "As pessoas podem reconhecer uma necessidade, mas é a ação que é a parte mais difícil. A coisa mais difícil é descobrir o que fazer", disse Erica Orange, que conhecemos no Capítulo 9. "Tudo se resume a essa pessoa. Se uma empresa não tiver esse herói, isso não vai acontecer." Ela viu isso repetidamente nas empresas aconselhadas pela The Future Hunters. As empresas que tiveram mais sucesso no reconhecimento de mudanças tectônicas são aquelas com um defensor interno apaixonado, consistente com o que vimos no Capítulo 7 com organizações nas quais os influenciadores impulsionaram mudanças dentro das empresas e entre pares e parceiros.

Estes são os guardiões dos rinocerontes: as pessoas que estão dispostas a ir contra a multidão, derrubar os incentivos perversos e inspirar os outros. Elas são as únicas que podem estar um pouco malucas. É preciso coragem para se colocar lá e se sacrificar para evitar um desastre, como parte de uma empresa ou como indivíduo, ou como cidadão de uma comunidade, nação ou do mundo. Essa foi a mensagem que ouvi continuamente enquanto pesquisava para este livro. Foi o que me manteve escrevendo, apesar de todas as pessoas que me disseram que a natureza humana era muito programada contra nós que reconhecemos perigos óbvios e agimos a tempo de prevenir calamidades.

GUARDIÃ DE RINOCERONTE

Mina Guli é uma observadora e guardiã de rinocerontes cinza. Sua causa é a água. Cresceu na Austrália, onde viveu com a realidade da escassez de água. Quando criança, aprendeu a economizar água ao lavar as mãos e tomar banho; sua família tinha baldes por toda a casa, para coletar e reutilizar cada gota possível. Guli recorda quando os *shopping centers* desligaram suas fontes. "Costumávamos assistir ao nível das barragens diminuir cada vez mais. Era muito triste", lembra ela. Essa experiência moldou sua carreira em direito e finanças ambientais, incluindo a criação dos primeiros mercados de carbono. Por fim, ela se mudou para Pequim como cofundadora da Peony Capital, um fundo ambiental para empresas chinesas.

Moderando um painel do Fórum Econômico Mundial com o presidente da Nestlé, Peter Brabeck-Letmathe, em 2011, ela teve uma série de "horas 'H'". A primeira foi a constatação de que 95% do nosso consumo de água acontece fora de nossas casas: os 2.700 litros de água necessários para cultivar e processar o algodão de uma camiseta, os onze mil litros necessários para fazer uma calça jeans, e até dezoito mil galões para fazer um hambúrguer (mas não para Guli – ela é totalmente vegetariana). A segunda constatação foi que havia muitas organizações que viam a água como uma questão de saneamento e higiene, mas ninguém do lado da demanda. Porém, a maior realização, que ressoou em suas memórias de infância, foi esta: "Estamos ficando sem água porque a estamos usando com muito mais rapidez do que podemos repor", disse ela.

Essas percepções foram tão grandes e assustadoras e pareciam tão urgentes em um nível pessoal que Guli sabia que a água era sua vocação. Ela largou o emprego para fundar a Thirst, uma organização dedicada a envolver os jovens na mudança da maneira como o mundo usa a água. Ela sabia que precisava fazer algo dramático.

O primeiro projeto de Thirst foi estabelecer um recorde mundial no Guinness para o maior dragão de água humano, que cerca de dois mil alunos se uniram para criar em novembro de 2013. Desde então, a Thirst fez parceria com mais de cem escolas e 120 clubes em dezoito das vinte províncias da China para criar consciência de como o que consumimos afeta o abastecimento de água mundial. A empresa lançou um concurso de inovação para estudantes desenvolverem tecnologias a fim de reduzir o uso de água em casa e na escola.

Em abril de 2013, Guli saiu em uma corrida pelo Saara para chamar a atenção para a escassez de água. Sete quilômetros depois, ela sentiu uma dor terrível no quadril. "Sentei-me em uma pedra e pensei, estou em um lugar muito ruim. Posso desistir e ir para casa, e não há vergonha nisso. Algo está muito errado. Mas então pensei sobre a mensagem que isso enviaria: que não há problema em desistir quando as coisas ficam difíceis ou que você tem que se levantar mesmo quando as coisas vão contra você." Então ela continuou e terminou, 243 quilômetros depois. Quando voltou, um médico descobriu que ela tinha duas rachaduras no quadril.

Guli queria fazer mais para divulgar a mensagem e percebeu que, se pretendia atrair a atenção da mídia que a água merecia, precisava fazer algo completamente maluco. Ela se inspirou no advogado e defensor britânico-sul-africano Lewis Pugh, às vezes chamado de "Sir Edmund Hillary da natação", que nada longas distâncias para chamar a atenção para a urgência de proteger os oceanos. Ela queria usar sua corrida da mesma maneira. Então, ainda de muletas, Guli logo planejou seu esforço seguinte: correr por sete desertos em sete continentes em sete semanas, visando o Dia Mundial da Água em fevereiro de 2016. "Você precisa daquelas pessoas que estão dispostas a ser malucas o suficiente para identificar o problema, mas determinadas e persistentes o suficiente para fazer algo", disse Guli. "Você precisa não apenas de um observador de rinoceronte, mas também de assumir o compromisso de perseguir o rinoceronte e preservá-lo."

UMA QUESTÃO INEVITÁVEL

"É interessante perceber como logo começamos a aceitar nossas dificuldades com rinocerontes como algo inevitável", escreveu Teddy Roosevelt, em janeiro de 1911, na *National Geographic*, relembrando suas experiências em safáris. Durante a expedição, um dos carregadores africanos foi atirado para o alto e ferido por um rinoceronte furioso. "Aqui na civilização, se você pedisse a um homem que gentilmente descesse e espantasse um rinoceronte para você, o homem o olharia com certa surpresa; na África, foi um incidente natural", escreveu ele. "Quando está perto de um rinoceronte, sempre há uma chance de sofrer um ataque, seja por estupidez, seja por medo, seja por raiva. O problema é que nunca se sabe se ele vai ou não atacar."

A descrição de Roosevelt é aplicável tanto a uma longa batalha quanto à situação do safári. Só porque reconhecemos um Rinoceronte Cinza não significa que seremos capazes de ficar em segurança a tempo ou transformar uma ameaça em uma oportunidade e lucrar com isso.

Mas, se não reconhecermos os rinocerontes cinza à nossa frente, é quase certo que seremos pisoteados. O pensamento do Rinoceronte Cinza é uma combinação de realismo e otimismo. Você precisa ter a mente lúcida e estar aberto para ouvir e pensar sobre coisas desagradáveis se quiser entrar em ação a tempo de evitar o perigo. Mas também precisa ser otimista o suficiente para pensar que há uma chance boa de sucesso e ser capaz de reformular uma ameaça como uma oportunidade.

Sem ser Pollyanna, sou uma pessoa otimista. Existem neste livro exemplos suficientes de líderes que reconhecem e agem sobre ameaças prováveis e de alto impacto que podem derrubar indivíduos, famílias, empresas, sociedades e o mundo. São os observadores e os guardiões dos rinocerontes. Com isso em mente, quero encerrar com uma imagem de esperança.

Em um dia de inverno, visitei o Lincoln Park Zoo, de Chicago, para conhecer King, um rinoceronte-negro oriental nascido quase dois anos antes no zoológico. Entrando no ar quente e úmido da Regenstein African Journey e caminhando perto de sua mãe. Nesse dia, porém, ele ainda era um bebê muito tímido. Enquanto mastigavam alfafa e grama, King se escondia atrás de sua mãe e espiava de vez em quando. Kapuki, que tinha uma reputação de ser social, veio até as barras que a separavam de mim. Ela pegou um monte de alfafa com seu lábio preênsil, que se parece um pouco com o bico de um papagaio ou um polegar gigante rosa, e mastigou. Na natureza, o lábio atua como uma tromba, permitindo que os rinocerontes-negros vasculhem as matas e árvores e agarrem galhos e arbustos, ao contrário de seus primos rinocerontes-brancos, cujo lábio largo e achatado os limita a pastar na grama.

Os rinocerontes atingem a maturidade sexual por volta dos seis anos de idade. Quando King tinha em torno de quatro anos, a equipe do zoológico reconheceu que ele poderia muito bem ser enviado a outro zoológico para encontrar uma companheira; sob os termos do acordo do Plano de Sobrevivência de Espécies, não cabe ao Lincoln Park Zoo decidir. Ou talvez, conforme seu pai envelhecer, outra mulher possa vir se juntar a ele, eles esperam.

Por fim, a curiosidade de King pelos visitantes superou sua timidez, e ele se aproximou para investigar. Os rinocerontes geralmente param de mamar por volta dos dois anos de idade. O motivo rapidamente ficou claro quando King se deitou tão suavemente quanto um rinoceronte e esfregou seu já substancial chifre sob a barriga de Kapuki. Kapuki mudou ligeiramente de posição e olhou para nós com o que parecia ser uma mistura de resignação e afeto. Ela sabia, e nós também, que o que estava acontecendo era mágico. Naquele momento, apesar da onda de tristes notícias sobre rinocerontes pelo mundo, dava para ter esperança. Aquele bebê gigante representou um novo começo e uma história de conservacionistas dedicados que estão tentando garantir que uma espécie pré-histórica ainda ande pela Terra quando seus filhos crescerem e seus netos nascerem.

Talvez tenhamos dado o primeiro passo para ajudar esse magnífico animal, evitando sua extinção. Talvez este livro o ajude a evitar a sua.

Agradecimentos

Agradeço de coração ao meu agente literário, Andrew Stuart, e ao meu editor, George Witte, que abraçaram o conceito do Rinoceronte Cinza desde o início e me deram total atenção ao longo do processo. Agradeço também a Tom Neilssen, meu agente na BrightSight Group, que imediatamente me "entendeu". Foi fantástico trabalhar com toda a equipe da St. Martin's Press, incluindo Carol Anderson, Amelie Little, Kate Ottaviano e Sara Thwaite.

Os companheiros dos Jovens Líderes Globais do Fórum Econômico Mundial me ajudaram com inspiração, amizade, apresentações, sugestões, incentivos, boas conversas e *insights*, sem os quais este livro não existiria. Os agradecimentos especiais vão para Analisa Balares, Georgie Benardete, Katharina Borchert, Binta Brown, Matthew Bishop, Dana Costache, Michael Drexler, Sophal Ear, Rossanna Figuera, Stephen Frost, James Gifford, Elissa Goldberg, Mina Guli, Hrund Gunnsteinsdottir, Avril Halstead, Dave Hanley, Noreena Hertz, Brian Herlihy, Brett House, Terri Kennedy, Sony Kapoor, Valerie Keller, Peter Lacy, Tan Le, Peggy Liu, Christopher Logan, Leslie Maasdorp, Butet Manurung, Felix Maradiaga, Greg McKeown, Erwan Michel--Kerjan, Akira Kirton, Kevin Lu, Jaime Nack, Naheed Nenshi, Oliver

Niedermaier, Olivier Ouillier, Eric Parrado, Mitchell Pham, William Saito, Sonja Sebotsa, Lara Setra-kian, Ben Skinner, Lorna Solis, Ray Sosa, Mark Turrell e Andy Wales. Meu mais profundo respeito e minha admiração vão para todos os membros YGLs (Jovens Líderes Globais) que identificaram seus rinocerontes cinza e estão lá colaborando para transformar ameaças em oportunidades.

O apoio de Klaus e Hilde Schwab ao Fórum dos Jovens Líderes Globais criou uma enorme comunidade de pessoas determinadas a mudar o mundo para melhor. Meus agradecimentos a eles e à equipe do Fórum de Jovens Líderes Globais, incluindo David Aikman, Adrian Monck, John Dutton, Shun Nagao, Eric Roland, Jo Sparber, Miniya Chatterjee, Katherine Brown, Merid Berhe, Shareena Hatta e Rosy Mondarini.

A percepção de que este era o próximo livro que queria escrever e a decisão de torná-lo prioridade veio durante o módulo da Liderança Global e Políticas Públicas para o Século 21 na Harvard Kennedy School organizado para o Fórum de Jovens Líderes Globais. Minha mais profunda gratidão vai para os professores dedicados que organizaram e ministraram o módulo, especialmente Iris Bohnet, Mahzarin Banaji, Max Bazerman, Dutch Leonard e Bill George; à diretora do programa, Leticia DeCastro; e aos membros do True North Leadership Circle. Meus agradecimentos ao Fórum Econômico Mundial e aos generosos apoiadores do programa, David Rubenstein, do Carlyle Group, a Fundação da Família Bill & Penny George, Marilyn Carlson Nelson e Howard Cox Jr.

Algumas das ideias neste livro beneficiaram-se da discussão no World Economic Roundtable organizado pelo World Policy Institute and New America, e pela fundadora do Roundtable, Sherle Schwenninger. Os membros do Roundtable contribuíram com perguntas, comentários e sugestões valiosas.

Sou grata aos meus colegas do World Policy Institute, Ian Bremmer e Mira Kamdar, por seu apoio caloroso desde os primeiros dias do Rinoceronte Cinza; a todos os companheiros do instituto, por fornecerem uma comunidade de pensadores incrivelmente inteligentes e inovadores; e a Annika Christensen, Amanda Dugan, Brendan Foo, Dara Gold, Michael Lumbers e Alice Wang, por sua ajuda. Agradecimentos especiais a Bill Bohnett, conselheiro do World Policy Institute, que estava lá quando criei a imagem do rinoceronte, e cuja piada sobre o Cisne Negro me fez perceber que não importa se um rinoceronte é preto ou branco, porque eles são todos cinza. Muitos dos diretores e conselheiros do World Policy Institute contribuíram com incentivos, *insights* e ideias, bem como apoio e orientação para mim e para a organização que tive orgulho de ter revivido: Jim Abernathy, Peter Alderman, John Allen, Henry Arnhold, Jonathan Fanton, Diane Finnerty, Michael Fricklas, Diana Glassman, Sam Eberts, Nadine Hack, Hans Humes, Martin Kaplan, Elise Lelon, Peter Marber, Michael Patrick, Jack Rivkin, George Sampas, Mojgan Skelton, Mary Van Evera, John Watts, Rosemary Werrett e Debbie Wiley. Sinto muita falta da amizade, das boas perguntas e dos comentários de Dieter Zander durante nossas muitas conversas no chá da tarde.

Agradeço aos meus colegas do Conselho de Assuntos Globais de Chicago e ao Grupo de Jovens Profissionais e Líderes Emergentes do Conselho pelas conversas que me ajudaram a refinar ideias e conceitos. A líder emergente Emma Belcher, da Fundação MacArthur, foi quem me contou sobre os rinocerontes skatistas de Sydney.

Este livro não existiria sem as muitas pessoas que concordaram em conceder entrevistas e que ofereceram ideias, informações e orientações. Dan Alpert, Steve Blitz, Michelle Garcia, Robert Hardy, Constance Hunter, Bob Kopech, Orlyn Kringstad, Jeff Leonard, John Mauldin, Terry Mollner, Sam Natapoff, Yalman Onaran, Dan Sharp,

Frank Spring, Devin Stewart, David Teten, Tom Vogel, Eric Weiner e Worth Wray participaram com perguntas e comentários importantíssimos. Pela ajuda na África do Sul, agradeço a Leigh-Ann Combrink, da Rhino Expeditions, Dipak Patel e a equipe do Bongani Mountain Lodge. Por todas as informações sobre os rinocerontes, meu muito obrigado a Cathy Dean, Susie Ellis, Jo Heindel, Ashli Sisk e para o Lincoln Park Zoo.

Para ser breve, procurei mencionar aqui aqueles que estiveram mais diretamente envolvidos com estas páginas. Ainda assim, ao refletir sobre todas as pessoas que tornaram este livro possível, penso nas conversas no Facebook e Twitter que me forneceram ideias às vezes pequenas e às vezes grandes. Acima de tudo, considero profundamente como os meus dias e intuições foram moldados por meus vizinhos na rua 94 West, as pessoas e os cães que eu costumava ver diariamente no Riverside Park, no Upper West Side da cidade de Nova York; meus colegas voluntários no resgate de cães e na comunidade dos anos 1990 do oeste; e agora meus novos vizinhos e os novos rostos e interações em Lincoln Park e nas ruas e trens de Chicago, minha nova cidade. Levei muito tempo para perceber que momentos longe da minha mesa e da vida profissional, os momentos que não são diretamente focados em escrever e pensar, são, no entanto, uma fonte poderosa de inspiração e *insights*. Portanto, seria negligente se não mencionasse aqueles que não foram nomeados especificamente, mas cuja influência positiva e cumulativa foi muito importante para mim.

Meu círculo de amigos mais próximos forneceu combinações de encorajamento; logística; paciência, quando eu desaparecia no teclado do meu computador; e a satisfação de desejos por sushi, o caminhão de taco da rua 96 e as tortas de limão: Aaron e Randi Biller (e soldado!), Mary D'Ambrosio, Joe Harkins, Deb Kayman, Anne Kornhauser, Jean Leong, Margarita Perez, Maria-Caroline Perignon, Leigh Sansone e

Carol Spomer. O Dr. Daniel Grayson projetou o gráfico do rinoceronte para minha palestra em Davos sobre o Rinoceronte Cinza. Ele e a adorável Flo Lyle foram muito além ao dar ao meu amado cão boxer, Mitzi, uma casa no andar de baixo enquanto eu viajava, e ao sempre estar lá para mim. Amy Waldman me ofereceu *feedback* editorial muito útil ao mesmo tempo que cumpria o seu dever de melhor amiga.

Um agradecimento especial à minha família, por seu amor e apoio, especialmente meus pais, Danielle e Ed Wucker, e minha sobrinha Cassandra PineWucker, por pesquisar o que fazer se você estiver prestes a ser atropelado por um rinoceronte. E, finalmente, Billie, minha "pequena rinoceronte vermelha", que levava a sério seu importante trabalho: fazer com que eu desse um passeio no parque sempre que ficava sentada à minha mesa por muito tempo. Boa menina!

Notas

Prefácio

12   Na primavera de 2011, publiquei o artigo: Michele Wucker. "*Chronicle of a Debt Foretold.*" (Cônica de uma dívida anunciada), New America Foundation, 2 de maio de 2011.

16   Com isso em mente, a comissão propôs: *The New Climate Project. Better Growth, Better Climate*. London: Global Commission on Climate and the Economy (O Projeto Novo Clima. Melhor crescimento, melhor clima. Londres: Comissão Global sobre Clima e Economia), 2014. http://newclimateeconomy.report.

20   Estudo de tráfego de 2008: Nelson Nygaard Consulting Associates. "Blueprint for the Upper West Side". Novembro de 2008.

20   Em novembro de 2013: http://transalt.org/sites/default/files/news/reports/UWS_Blueprint.pdf.
Nelson Nygaard. "West 96th Street and Environs Pedestrian Safety and Circulation Study." Novembro de 2013. http://www.nyc.gov/html/mancb7/downloads/pdf/Manh_CB7_West96_Study_complete.pdf.

20   Total de mortes de pedestres em Nova York: Thomas Tracy e Tina Moore. "Pedestrian Deaths from Vehicle Strikes Are Quickly Rising in Nova York City." *Nova York Daily News*, 13 de janeiro de 2014. http://www.nydailynews.com/new-york/pedestrian-deaths-auto-strikes-rise-nyc-article-1.1577396.

1. Conheça o Rinoceronte Cinza

27   Em 28 de novembro, preços das ações da Enron: Cathy Booth Thomas e Frank Pellegrini. "Why Dynegy Backed Out." *Time*, Dezembro 3, 2001. http://content.time.com/time/business/article/0,8599,186834,00.html.

33   Em 2013, 41 desastres naturais: Brian Kahn. "Record Number of Billion-Dollar Disasters Globally in 2013." Climate Central, 5 de fevereiro, 2014. http://www.climatecentral.org/news/globe-saw-a-record-number-of-billion-dollar-disasters-in-2013-17037.

33   Escassez de água no mundo: WWAP (United Nations World Water Assessment Programme). The United Nations World Water Development Report 2015: Water for a Sustainable World. Paris, UNESCO 2015.

34   Em 2045, a África abrigará: Kingsley Oghobor. "Africa's Youth: Ticking TimeBomb or Opportunity?" Africa Renewal. Maio de 2013. http://www.un.org/africarenewal/magazine/may-2013/africa%E2%80%99s-youth-%E2%80%9Cticking-time-bomb%E2%80%9D-or-opportunity.

38   Quando o Pacto Global das Nações Unidas e a Accenture: Accenture e o Pacto Global das Nações Unidas. Peter Lacy (resp.). "Architects of a Better World." Setembro de 2013. http://www.accenture.com/Microsites/ungc-ceo-study/Documents/pdf/13-1739_UNGC%20report_Final_FSC3.pdf.

38   Enquanto o tufão se aproximava: "Typhoon of Historic Proportions Slams Philippines, Brings Worries of Catastrophic Damage". Washington Post, 8 de novembro de 2013.

43   O Fundo Monetário Internacional e o Banco de Pagamentos Internacionais: Fundo Monetário Internacional. World Economic Outlook 2007. Washington, DC: Outubro 2007. Ver também Bank for International Settlements. "77th Annual Report: 1 April 2006–31 March 2007." Basel, junho de 2007. http://www.bis.org/publ/arpdf/ar2007e.pdf.

44   Até mesmo o ex-presidente do Federal Reserve dos Estados Unidos: Alan Greenspan. "Never Saw It Coming: Why the Financial Crisis Took Economists by Surprise." Foreign Affairs. Novembro/dezembro de 2013. http://www.foreignaffairs.com/articles/140161/alan-greenspan/never-saw-it-coming.

48   Uma lição importante de uma escola de negócios: Jack W. Brittain, Sim Sitkin. "Carter Racing." Delta Leadership: 1986, revisado em 2006.

49   Se tivessem feito isso: Max Bazerman. *The Power of Noticing: What the Best Leaders See*. Nova York: Simon & Schuster, 2014.

53   Como John Maynard Keynes supostamente disse: esta citação foi atribuída a A. Gary Shilling em um artigo da Forbes de fevereiro de 1993 (página 236), embora haja incerteza a respeito da origem. http://quoteinvestigator.com/2011/08/09/remain-solvent/.

54   Essa história, descrita de forma brilhante: Michael Lewis. *The Big Short: Inside the Doomsday Machine.* Nova York: Norton, 2010.
55   Cidades como Nova York e Nova Orleans: Jeff Chu. "How the Netherlands Became the Biggest Exporter of Resilience." Fast Company, 1º de novembro de 2013. http://www.fastcoexist.com/3020918/how-the-netherlands-became-the-biggest-exporter-of-resilience#1.

2. O problema com as previsões: desencadeando a negação

63   Blog PunditTracker: "Vote: Worst Financial Prediction of 2013". PunditTracker. http://blog.pundittracker.com/vote-worst-financial-prediction-of-2013/. Acessado em 2014; link fora do ar em setembro de 2015.
70   No mesmo dia em que o professor Wadhams falou: Joby Warrick e Chris Mooney. "Effects of Climate Change 'Irreversible', U.N. Panel Warns in Report." *Washington Post*, 2 de novembro de 2014. http://www.washingtonpost.com/national/health-science/effects-of-climate-change-irreversible-un-panel-warns-in-report/2014/11/01/2d49aeec-6142-11e4-8b9e-2ccdac31a031_story.html.
73   O neurocientista Tali Sharot: Tali Sharot. The Optimism Bias: A Tour of the Irrationally Positive Brain. Nova York: Vintage, 2011.
76   Um estudo científico calculado: David Lazer, Ryan Kennedy, Gary King e Alessandro Vespignani. The Parable of Google Flu: Traps in Big Data Analysis. *Science.* 14 de março de 2014: Vol. 343 no. 6176 pp. 1203-1205. DOI:10.1126/science.1248506.
76   Embora as previsões individuais sejam erráticas: James Surowiecki. The Wisdom of Crowds: Why the Many Are Smarter Than the Few and How Collective Wisdom Shapes Business, Economies, Societies, and Nations. Nova York: Doubleday, 2004.
76   Nate Silver aplicou: Nate Silver. The Signal and the Noise: Why So Many Predictions Fail—But Some Don't. Nova York: Penguin Press, 2012.
79   Sobre defender Rumsfeld: Geoffrey K. Pullum. "No Foot in Mouth." Blog da University of Pennsylvania. 2 de dezembro de 2003. http://itre.cis.upenn.edu/~myl/languagelog/archives/000182.html.
80   *Aí* que mora o perigo: Herodotus. The Histories, 409.
84   Ela nota a tendência: Herodotus. The Histories, xxvi.
84   Decisões enviesadas: Olivier Oullier. "Behavioral Finance and Beyond." Perspectives (special edition on asset allocation by risk factor), 2013. http://oullier.free.fr/files/2013_Oullier_Perspectives_Behavioral-Finance-Decision-Neuroeconomics-Bias-Neuroscience-Economics.pdf.
85   Especialmente assustador: Noreena Hertz. Eyes Wide Open: How to Make Smart Choicesin a Confusing World. Nova York: HarperBusiness,

2013. O estudo citado é de Jan Engelmann, C. Monia Capra, Charles Noussair e Gregory S. Berns. "Expert Financial Advice Neurobiologically 'Offloads' Financial Decision-Making Under Risk."

88   Não é surpreendente: Barbara Mellers e Michael C. Horowitz. "Does Anyone Make Accurate Geopolitical Predictions?" *Washington Post Monkey Cage*, 29 de janeiro de 2015. http://www.washingtonpost.com/blogs/monkey-cage/wp/2015/01/29/does-anyone-make-accurate-geopolitical-predictions/. See also their 2015 schol-arly study of the project, "The Psychology of Intelligence Analysis: Drivers of Pre-diction."

"Accuracy in World Politics." Journal of Experimental Psychology: Applied 21, no. 1: 1–14. http://www.apa.org/pubs/journals/releases/xap-0000040.pdf.

89   Isso pode induzi-los: David Brooks. "Forecasting Fox." *The New York Times*, 21 de março de 2013. http://www.nytimes.com/2013/03/22/opinion/brooks-forecasting-fox.html?_r=0.

3. Negação: por que não vemos os rinocerontes e não saímos de seu caminho

94   Bjorgolfsson: Luisa Kroll. "Crazy Comeback: The Man Many Blamed For The Economic Meltdown Is a Billionaire Again." Forbes, 23 de março de 2015. http://www.forbes.com/sites/luisakroll/2015/03/03/crazy-comeback-from-near-bankruptcy-back-to-icelands-only-billionaire/.

96   Mas e se a crise se prolongar: Robert M. Sapolsky. *Why Zebras Don't Get Ulcers: The* Acclaimed Guide to Stress, Stress-Related Diseases, and Coping. 3 ed. Nova York: St. Martin's Press, 2004 (W. H. Freeman, 1994).

96   A negação: Elisabeth Kübler-Ross. *On Death and Dying: What the Dying Have to Teach Doctors, Nurses, Clergy and Their Own Families*. 1969. Reedição, Nova York: Scribner, 1997.

97   Os membros da equipe minimizaram: Jeffrey Young. "Obamacare Launch Day Plagued by Website Glitches." Huffington Post, 1º de outubro de 2013. http://www.huffingtonpost.com/2013/10/01/obamacareglitches_n_4023159.html.

Roberta Rampton. "Days Before Launch, Obamacare Website Failed to Handle Even 500 Users." Reuters, 21 de novembro de 2013. http://www.reuters.com/article/2013/11/22/us-usa-healthcare-website-idUSBRE9AL 03K20131122.

97   Mas agora parece: *The New York Times* Editorial Board. "Lessons of Nova York's Prison Escape." *The New York Times*. 6 de julho de 2015. http://www.nytimes.com/2015/07/06/opinion/lessons-of-new-yorks-prison-escape.html?action=clic k&pgtype=Homepage&module=opinion-c-col-left-region&region=opinion-c-col-left-region&WT.nav=opinion-c-col-left-region&_r=0.

Michael Winerip, Michael Schwirtz e Vivian Yeejune. "Lapses at Prison May Have Aided Killers' Escape." The New York Times, 21 de junho de 2015. http://www.nytimes.com/2015/06/22/nyregion/new-york-prison-escape-an-array-of-oversights-set-the-stage.html.

97 Interpol e muitos diplomatas: Eric Schmitt. "Use of Stolen Passports on Missing Jet Highlights Security Flaw." The New York Times, 10 de março de 2014. http://www.nytimes.com/2014/03/11/world/asia/missing-malaysian-airliner-said-to-highlight-a-security-gap.html.

98 Depois das chuvas torrenciais: Darryl Fears. "Before the Washington Mudslide, Warnings of the Unthinkable." Washington Post, 29 de março de 2014. http://www.washingtonpost.com/national/health-science/before-the-washington-mudslide-warnings-of-the-unthinkable/2014/03/29/0088b5f2-b769-11e3-b84e-897d3d12b816_story.html.

98 Natureza humana: Timothy Egan. "A Mudslide, Foretold." The New York Times, 29 de março de 2014. http://www.nytimes.com/2014/03/30/opinion/sunday/egan-at-home-when-the-earth-moves.html.

99 Ninguém ouviu falar: Ian Mitroff e Gus Anagnos. Managing Crises Before They Happen: What Every Executive Needs to Know About Crisis Management. Nova York: American Management Association, 2002.

100 Três anos depois: Atul Gawande. "A Lifesaving Checklist." The New York Times, 30 de dezembro de 2007. http://www.nytimes.com/2007/12/30/opinion/30gawande.html?_r=0.

100 O cirurgião e escritor Atul Gawande: Atul Gawande. *The Checklist Manifesto: How to Get Things Right*. Nova York: Picador, 2009.

101 Ele argumentou que a resposta: Alan Greenspan. "Never Saw It Coming." *Foreign Affairs*, Novembro/dezembro de 2013.

105 Ao final de 208: "FOMC: Transcripts and Other Historical Materials, 2008". http://www.federalreserve.gov/monetarypolicy/fomchistorical2008.htm.

106 Como corolário: Carolyn Kousky, John Pratt e Richard Zeckhauser. "Virgin Versus Experienced Risks." In Erwann Michel-Kerjann e Paul Slovic, ed., The Irrational Economist: Making Decisions in a Dangerous World. Nova York: PublicAffairs, 2010.

106 Crises financeiras são um exemplo: Carmen M. Reinhart e Kenneth S. Rogoff. This Time Is Different: Eight Centuries of Financial Folly. Princeton: Princeton University Press, 2009.

107 Tomasdottir: Sheelah Kolhatkar. "What If Women Ran Wall Street?" Nova York, 21 de março de 2010. http://nymag.com/news/businessfinance/64950/?imw=Y&f=most-viewed-24h5.

108 Um relatório de 2007: Catalyst. "The Bottom Line: Corporate Performance and Women's Representation on Boards." http://www.catalyst.org/

media/companies-more-women-board-directors-experience-higher-financial-performance-according-latest.

108   Estudo Thomson Reuters de 2013: "Mining the Metrics of Board Diversity." Thomson Reuters, 20 de julho de 2013. http://thomsonreuters.com/press-releases/072013/Average-Stock-Price-of-Gender-Diverse-Corporate-Boards-Outperform-Those -with-No-Women.

109   Mulheres de alto perfil: S. E. Asch. 1955. Opinions and Social Pressure. Scientific American 193: 31–35.

109   Em muitos casos os limites: Stanley Milgram. "Which Nations Conform Most?" Scientific American, 1º de dezembro de 2011. http://www.scientificamerican.com/article/milgram-nationality-conformity/.   Originalmente publicado no vol. 205, no. 6 da Scientific American de dezembro de 1961.

110   Essas ideias incluem tudo: Steven Liu. Wowprime Corporation Presentation, http://www.wowprime.com/investor/2013.3.11-HSBC%E7%94%A2%E6%A5%AD%E8%AB%96%E5%A3%87-%E8%8B%B1%E6%96%87.pdf.

"Wowprime's Key to Success—People First!" 1º de abril de 2012. Taiwan in Depth via Taiwan Panorama. http://taiwanindepth.tw/ct.asp?xItem=189601&CtNode=1916.

Ver também Joyce Huang, "Taiwan's Wowprime Attracts Eaters and Eager Employees." Forbes, 29 de agosto de 2012. http://www.forbes.com/sites/forbesasia/2012/08/29/wowprime-restaurants-attract-eaters-and-eager-employees/.

110   Incontáveis estudos e experimentos: Noreena Hertz. Eyes Wide Open. HarperBusiness, 2013.

115   O professor de Stanford: Robert N. Proctor. "Agnotology: A Missing Term to Describe the Cultural Production of Ignorance (And Its Study)." In Agnotology: The Making and Unmaking of Ignorance. Stanford, CA: Stanford University Press, 2008. http://scholar.princeton.edu/rccu/publications/agnotology-missing-term-describe-cultural-production-ignorance-and-its-study.

116   E também a indústria: Naomi Oreskes e Michael Conway. *Merchants of Doubt: How a Handful of Scientists Obscured the Truth on Issues from Tobacco Smoke to Global Warming*. Nova York: Bloomsbury Press, 2010.

117   Grandes empresas de combustíveis fósseis: Peter C. Frumhoff e Naomi Oreskes. "Fossil Fuel Firms Are Still Bankrolling Climate Denial Lobby Groups." *Guardian*, 25 de março de 2015. http://www.theguardian.com/environment/2015/mar/25/fossil-fuel-firms-are-still-bankrolling-climate-denial-lobby-groups.

Ver também Robert J. Brulle. "Institutionalizing Delay: Foundation Funding and the Creation of U.S. Climate Change Counter-Movement Organizations." Climactic Change, 21 de dezembro de 2013.

Mais detalhes em: http://drexel.edu/now/archive/2013/Dezembro/ClimateChange/#sthash.DNqJYWJ9.dpufhttp://drexel.edu/now/archive/2013/December/Climate-Change/.
117   Uma pesquisa de 2013: Pew Research Center. "Climate Change and Financial Instability Seen as Top Global Threats." Survey Report. 24 de junho de 2013. http://www.pewglobal.org/2013/06/24/climate-change-and-financial-instability-seen-as-top-global-threats/.
117   Outra técnica de fabricação: Beat Balzli. "Greek Debt Crisis: How Goldman Sachs Helped Greece to Mask Its True Debt." Spiegel Online International, 8 de fevereiro de 2010. http://www.spiegel.de/international/europe/greek-debt-crisis-how-goldman-sachs-helped-greece-to-mask-its-true-debt-a-676634.html.
119   Bazerman faz um conjunto de recomendações sensatas: Max H. Bazerman. *The Power of Noticing: What the Best Leaders See.* Nova York: Simon & Schuster, 2014. Ver também Max H. Bazerman e Michael D. Watkins. *Predictable Surprises: The Disasters You Should Have Seen Coming and How to Prevent Them.* Boston: Harvard Business School Press, 2004.
119   Leituras de poluição: Michael Greenstone. "See Red Flags, Hear Red Flags." The New York Times, 8 de dezembro de 2013. http://www.nytimes.com/2013/12/08/opinion/sunday/see-red-flags-hear-red-flags.html.
122   Esta foi, é claro, uma variação: Christopher Chabris e Daniel Simons. The Invisible Gorilla: How Our Intuitions Deceive Us. Nova York: Broadway Paperbacks, 2009.

4. Hesitação: por que não agimos mesmo quando vemos o rinoceronte

129   Em 2050: Departamento de Assuntos Econômicos e Sociais das Nações Unidas, Divisão de População. Perspectivas de urbanização mundial 2014. http://www.un.org/en/development/desa/news/population/world-urbanization-prospects-2014.html.
129   O preço é alto: McKinsey Global Institute: "Infrastructure Productivity: How to Save $1 Trillion a Year". Janeiro de 2013.
129   As Nações Unidas estimam: Charley Cameron. "UN Report Finds the Number of Megacities Has Tripled Since 1990." Inhabitat, 8 de outubro de 2014. http://inhabitat.com/un-report-finds-the-number-of-megacities-has-tripled-in-since-1990/.
131   John Husing, economista: "Not So Golden". *The Economist*, 30 de novembro de 2013.
131   Dieta é agora o maior fator de risco: *Institute for Health Metrics and Evaluation. The State of US Health: Innovations, Insights, and Recommendations*

from the Global Burden of Disease Study. Seattle, WA: IHME, 2013. http://www.healthdata.org/policy-report/state-us-health-innovations-insights-and-recommendations-global-burden-disease-study.

132 Esse fenômeno: Robert Kegan e Lisa Lahey. *Immunity to Change: How to Overcome It and Unlock the Potential in Yourself and Your Organization*. Cambridge, MA: Harvard Business Review Press, 2009.

132 Taxa de obesidade entre crianças: Centers for Disease Control and Prevention. "Prevalence of Childhood Obesity in the United States, 2011–2012." http://www.cdc.gov/obesity/data/childhood.html.

132 O sistema de agricultura: Michael Moss. "The Dopest Vegetable." The New York Times Magazine, 3 de novembro de 2013. http://www.nytimes.com/2013/11/03/magazine/broccolis-e.xtreme-makeover.html?_r=0.

135 Estados endividados: Erik Sofge. "The Minnesota Bridge Collapse, 5 Years Later." Popular Mechanics, 1º de agosto de 2012. http://www.popularmechanics.com/technology/engineering/rebuilding-america/the-minnesota-bridge-collapse-5-years-later-11254114.

135 O colapso da ponte de Minnesota: Minnesota Department of Transportation and Economic Development. "Economic Impacts of the I-35W Bridge Collapse." http://www.dot.state.mn.us/i35wbridge/rebuild/pdfs/economic-impacts-from-deed.pdf. http://www.minnpost.com/politics-policy/2008/09/officials-hail-new-i-35w-bridge-and-workers-who-made-it-happen.

135 A ASCE estimou: American Society of Civil Engineers. "2013 Report Card for America's Infrastructure." http://www.infrastructurereportcard.org/.

135 O economista da Goldman Sachs: Myles Udland. "America's Old Bridges Are a Problem." Business Insider, 18 de janeiro de 2015. http://www.businessinsider.com/goldman-on-american-infrastructure-2015-1.

136 O Banco Mundial estima que a África: The World Bank. World Development Report 1994: Infrastructure for Development. Washington, DC: junho de 1994.

136 Ele voltou ao hospital: Dan Ariely. *Predictably Irrational: The Hidden Forces That Shape Our Decisions*. 2008. Edição revisada e expandida, Nova York: Harper Perennial, 2010.

137 Não podemos confiar: Daniel Kahneman. *Thinking, Fast and Slow*. Nova York: Farrar, Straus & Giroux, 2011.

140 Dois anos depois: Vladimir Popov. "Shock Therapy Versus Gradualism: The End of the Debate." Comparative Economic Studies 42 (Primavera de 2000): 1.

140 A sequência errada pode ser pior: Weiying Zhang. *The Logic of the Market: An Insider's View of Chinese Economic Reform*. Washington, DC. Cato Institute: 2014.

141 O calor deve ser tolerável: Ronald Heifetz e Marty Linsky. Leadership on the Line: Staying Alive Through the Dangers of Leading. Cambridge, MA: Harvard Business Press, 2009.

141 Luís XVI na França em 1789: Timur Kuran. "Sparks and Prairie Fires: A Theory of Unanticipated Political Revolution." Public Choice, Vol. 61, No. 1 (abril de 1989), pp. 41-74.

115 O Trust for America estimou: J. Levi, L.M. Segal e C. Juliano. "Prevention for a Healthier America: Investments in Disease Prevention Yield Significant Savings, Stronger Communities." Washington, DC: Trust for America's Health, 2008. http://healthyamericans.org/reports/prevention08/Prevention08 .pdf.

115 Redução no uso do tabaco: C. Schoen, S. Guterman, S. A. Shih, J. Lau, S. Kasimow, A.Gauthier e K. Davis. "Bending the Curve: Options for Achieving Savings and Improving Value in U.S. Health Spending." Nova York: Commonwealth Fund, dezembro de 2007.

Josh Cable. "NSC 2013: O'Neill Exemplifies Safety Leadership." EHS Today. http://ehstoday.com/safety/nsc-2013-oneill-exemplifies-safety-leadership?page=1.

116 As coisas que conversamos: Mark Roth. "'Habitual Excellence': The Workplace According to Paul O'Neill." Pittsburgh Post-Gazette, 13 de maio de 2012. http://www.postgazette.com/business/businessnews/2012/05/13/Habitual-excellence-the-workplace-according-to-Paul-O-Neill/stories/201205130249.

116 Uma auditoria interna encontrou: Tom Cohen. "Audit: More than 120,000 veterans waiting or never got care." *CNN*. 10 de junho de 2014. http://www.cnn.com/2014/06/09/politics/va-audit/.

117 Quarto e último: Richard P. Shannon, MD. "Eliminating Hospital-Acquired Infections: Is It Possible? Is It Sustainable? Is It Worth It?"Transactions of the American Clinical and Climatological Association 122 (2011): 103–14. http://www.ncbi.nlm.nih.gov/pmc/articles/PMC3116332/.

5. Fazendo o diagnóstico: soluções certas e erradas

159 Acadêmicos derrubaram essa afirmação: Kees Rookmaaker. "Why the Name of the White Rhinoceros Is Not Appropriate." Pachyderm, janeiro-junho de 2003. http://www.rhinoresourcecenter.com/pdf_fi les/117/1175858144.pdf.

161 CEOs claramente reconhecem: Accenture and United Nations Global Compact. Study Lead, Peter Lacy. "Architects of a Better World." Setembro de 2013. http://www.accenture.com/Microsites/ungc-ceo-study/Documents/pdf/13-1739_UNGC%20report_Final_FSC3.pdf.

164 Raramente é uma boa ideia: Thomas Fox-Brewster. "195 Incidents in 10 Months: Leaked Emails Reveal Gaps in Sony Pictures

Security." *Forbes*, 12 de dezembro de 2014. http://www.forbes.com/sites/thomasbrewster/2014/12/12/195-security-incidents-sony-pictures-hack/.

164 Funcionários da Sony foram para a mídia: Hilary Lewis. "Sony Hack: Former Employees Claim Security Issues Were Ignored." Hollywood Reporter, 5 de dezembro de 2014. http://www.hollywoodreporter.com/news/sony-hack-employees-claim-security-754168.

164 Artigo da Fortune: John Gaudiosi. "Why Sony didn't Learn From Its 2011 Hack." Fortune, 24 de dezembro de 2014. http://fortune.com/2014/12/24/why-sony-didnt-learn-from-its-2011-hack/.

165 No final de dezembro: Richard Adhikari. "Security Firm Spills the Beans on Snapchat Vulnerabilities." Tech News World, 28 de dezembro de 2013. http://www.technewsworld.com/story/79705.html. Ver também Violet Blue for Zero Day. "Researchers Publish Snapchat Code Allowing Phone Number Matching After Exploit Disclosures." ZDNe, 25 de dezembro de 2013. http://www.zdnet.com/researchers-publish-snapchat-code-allowing-phone-number-matching-after-exploit-disclosures-ignored-7000024629/. Ver também Adam Caudill. "Snapchat: API & Se-curity." Blog pessoal. 16 de junho de 2012. http://adamcaudill.com/2012/06/16/snapchat-api-and-security/.

165 Dado que já se passaram cerca de quatro meses: Gibson Security *website*. http://gibsonsec.org/snapchat/.

165 Quando o Snapchat finalmente respondeu: Barbara Ortutay. "Snapchat Finally Responds to Hack, but Doesn't Apologize." AP/*Huffington Post*, 3 de janeiro de 2014. http://www.huffingtonpost.com/2014/01/03/snapchat-hack_n_4531636.html.141

166 O Belvedere Hotel: Emily Young. "Davos 2014: Hosting the rich and famous." *BBC News*. 24 de janeiro de 2014. http://www.bbc.com/news/business-25843923.

166 Um relatório da Oxfam: Ricardo Fuentes-Nieva e Nicholas Galasso. "Working for the Few." Oxfam Briefing Paper, 20 de janeiro de 2014. http://oxf.am/KHp.

167 Desigualdade reduz o crescimento econômico: *The Economist*. "Free Exchange: Inequality v Growth." 1º de março de 2014.

168 Kodak inventou a primeira câmera digital: Ernest Scheyder and Liana Baker. "As Kodak Struggles, Eastman Chemical Thrives." Reuters. 24 de dezembro de 2011. http://www.reuters.com/article/2011/12/24/us-eastman-kodak-idUSTRE7BN06B20111224.

168 A vida útil de uma empresa: Erik Sherman. "Kodak, Yahoo and RIM: Death Comes for Us All." CBS MoneyWatch, 6 de dezembro de 2011. http://www.cbsnews.com/news/kodak-yahoo-and-rim-death-comes-for-us-all/.

169   A empresa está escrevendo: Site da Kodak. http://www.kodak.com/ek/US/en/Our_Company/History_of_Kodak/Milestones_-_chronology/1878-1929.htm.

169   Hawking: Rory Cellan-Jones. "Stephen Hawking Warns Artificial Intelligence Could End Mankind." BBC News, 2014. http://www.bbc.com/news/technology-30290540.

169   Fundador da Tesla: Justin Moyer. "Why Elon Musk Is Scared of Artificial Intelligence—and Terminators." *Washington Post*, 18 de novembro de 2014.

170   Eles reconhecem o perigo: "Elon Musk's Deleted Edge Comment from Yesterday on the Threat of AI." Reddit. http://www.reddit.com/r/Futurology/comments/2mh8tn/elon_musks_deleted_edge_comment_from_yesterday_on/.

170   O Fórum Econômico Mundial: World Economic Forum, Global Risks 2015, 10th edition. Geneva: janeiro de 2015. http://www.weforum.org/reports/global-risks-report-2015.

171   Um estudo da Universidade de Oxford: Carl Benedikt Frey e Michael A. Osborne. "The Future of Employment: How Susceptible Are Jobs to Computerization?" Oxford: 17 de setembro de 2013. http://www.oxfordmartin.ox.ac.uk/downloads/academic/The_Future_of_Employment.pdf.

178   Evitamos a palavra: "Still Waiting." Liana Foxvog, Judy Gearhart, Samantha Maher, Liz Parker, Ben Vanpeperstraete, e Ineke Zeldenrust. Clean Clothes Campaign and International Labor Rights Forum, 2013.

178   Tuba Group, dono da fábrica Tazreen: http://www.evb.ch/cm_data/Fatal_Fashion.pdf citing the company's website, which had been taken down by March 2014. http://s3.documentcloud.org/documents/524545/factory-profile-of-tuba-group.txt.

185   Novos competidores: Timothy Aeppel. "Show Stopper: How Plastic Popped the Cork Monopoly." *Wall Street Journal*, 1º de maio de 2010. http://www.wsj.com/articles/SB10001424052702304172404575168120997013394.

186   Amorim recomendou PricewaterhouseCoopers: Chris Redman. "Portugal's New Twist on the Cork Industry." Time, 8 de novembro de 2010. http://content.time.com/time/magazine/article/0,9171,2027774,00.html.

187   Nos Estados Unidos: Chris Rauber. "Cork it: Many Bay Area Wine Producers Are Switching Back to Natural Cork." San Francisco Business Times, 29 de maio de 2015.

188   Muitos se perguntaram como: Nicholas Carlson, "What Happened When Marissa Mayer Tried to Be Steve Jobs", 17 de dezembro de 2014. http://www.nytimes.com/2014/12/21/magazine/what-happened-when-marissa-mayer-tried-to-be-steve-jobs.html?_r=0.

6. Pânico: a hora da decisão diante de um rinoceronte pronto para atacar

198 Nossa habilidade de nos compreender: Daniel Ariely. Predictably Irrational (edição revista e expandida). Nova York: HarperCollins, 2009.

200 Não havia um mecanismo real: Michele Wucker. "Passing the Buck: No Chapter 11 for Bankrupt Nations." *World Policy Journal 18* (Verão de 2001): 2.

201 Em maio de 2012, Humes gave: Landon Thomas, Jr. "A Band of Contrarians, Bullish on Greece." The New York Times, 4 de maio de 2012. http://www.nytimes.com/2012/05/05/business/global/bondholders-bullish-on-greece.html.

205 Tal evento: Margaret G. Hermann and Bruce W. Dayton. "Transboundary Crises Through the Eyes of Policymakers: Sense Making and Crisis Management." Moynihan Institute of Global Affairs, Syracuse University. Sem data de publicação. http://www.maxwell.syr.edu/uploadedFiles/Leadership _Institute/Journal%20of%20Contingencies%20and%20Crisis%20Management%20paper.pdf.

206 Demorou uma eternidade e então levou uma noite: PBS Frontline "Interview with Dr. Rudi Dornbusch". Supplementary material to "Murder Money & Mexico: The Rise and Fall of the Salinas Brothers." Abril de 1997. http://www.pbs.org/wgbh/pages/frontline/shows/mexico/interviews/dornbusch.html.

206 Como Mike Tyson disse: Mike Berardino. "Mike Tyson Explains One of His Most Famous Quotes." Sun Sentinel, 9 de novembro de 2012. http://articles.sun-sentinel.com/2012-11-09/sports/sfl-mike-tyson-explains-one-of-his-most-famous-quotes-20121109_1_mike-tyson-undisputed-truth-famous-quotes.

207 Se queremos que nossas organizações: Therese Huston. "Are Women Better Decision Makers?" *The New York Times*, 17 de outubro de 2014. http://www.nytimes.com/2014/10/19/opinion/sunday/are-women-better-decision-makers.html.

213 Thomas Eric Duncan: Maggie Fox. "Don't Panic: Why Ebola Won't Become an Epidemic in Nova York." *NBC News*. 24 de outubro de 2014. http://www.nbcnews.com/storyline/ebola-virus-outbreak/dont-panic-why-ebola-wont-become-epidemic-new-york-n232826.

213 Um gráfico: http://i.imgur.com/tFZV024.jpg.

214 Essa epidemia, em outras palavras, era uma crise evitável: Jeremy J. Farrar e Peter Piot. "The Ebola Emergency—Immediate Action, Ongoing Strategy." *New England Journal of Medicine*, 6 de outubro de 2014. http://www.nejm.org/doi/pdf/10.1056/NEJMe1411471.

215 A OMS não quer ouvir falar: David von Drehle e Aryn Baker. "The Ebola Fighters: The Ones Who Answered the Call." Time, 10 de dezembro de 2014. http://time.com/time-person-of-the-year-ebola-fighters/.
216 Em muitos casos, tratar o ebola: Jeffrey Gettelman. "Ebola Should Be Easy to Treat." *The New York Times*, 20 de dezembro de 2014. http://www.nytimes.com/2014/12/21/sunday-review/ebola-should-be-easy-to-treat.html?_r=0.
217 No final de dezembro de 2014: Justin Ray. "Flu Deaths in U.S. Reach Epidemic Level: CDC." *NBC News*. http://www.nbcbayarea.com/news/health/CDC-Epidemic-Flu-H3N2-Virus-287118961.html#ixzz3R6Pk4hCi.
218 Hospitais que trataram as pessoas: Norimitsu Onishi, "Empty Ebola Clinics in Liberia Are Seen as Misstep in U.S. Relief Effort", The New York Times, 11 de abril de 2015. http://www.nytimes.com/2015/04/12/world/africa/idle-ebola-clinics-in-liberia-are-seen-as-misstep-in-us-relief-effort.html?_r=0.
218 Um relatório, que desde então foi amplamente desacreditado: CNN Wire Staff. "Retracted Autism Study an 'Elaborate Fraud', British Journal Finds." 5 de janeiro de 2011. http://www.cnn.com/2011/HEALTH/01/05/autism.vaccines/.
223 Matthew Bishop e Michael Green: Matthew Bishop e Michael Green. "We Are What We Measure." *World Policy Journal*, primavera de 2011.
224 A ideia era controlar melhor os ciclos de crédito: Jaromir Benes e Michael Kumhof. "The Chicago Plan Revisited." IMF Working Paper, agosto de 2012. https://www.imf.org/external/pubs/ft/wp/2012/wp12202.pdf.
224 Sob a versão atualizada da Cochrane: John H. Cochrane. "Toward a Run-Free Financial System." Working paper, Booth School of Business at the University of Chicago, 16 de abril de 2014. http://faculty.chicagobooth.edu/john.cochrane/research/papers/run_free.pdf.
224 No entanto, notou que os méritos: *The Economist*. "Free Exchange: Narrow-Minded—A Radical Proposal for Making Finance Safer Resurfaces." 7 de junho de 2014.

7. Ação: a hora "H"

232 A empresa já usou materiais reciclados: Mark Peterson. *Sustainable Enterprise: A Macro Marketing Approach*. Thousand Oaks, CA: SAGE Publications, 2012.
233 O momento-chave: 2030 Water Resources Group. *Charting Our Water Future*. Nova York: 2009.
239 Oh, pai, reconhecemos nosso desperdício: Jenny Jarvie. "Georgia Governor Leads Prayer to End Drought." Los Angeles Times, 14 de novembro

de 2007; Associated Press. "Ga. Governor Turns to Prayer to Ease Drought", USA Today, 13 de novembro de 2007.

239   Ele implorou ao governo federal: Greg Bluestein. "Atlanta May Go Dry in 90 Days." Seattle Times, 20 de outubro de 2007.

239   Um ano depois, o estado emitiu: Georgia Department of Natural Resources. "Georgia's Draft Water Conservation Implementation Plan Is Released." Press Release. Atlanta. 18 de dezembro de 2008.

239   Em abril de 2013, a Geórgia autorizou: "Water wars: Tennessee, Georgia locked in battle over Waterway Access." CBS News. 8 de abril de 2013. http://www.cbsnews.com/news/water-wars-tennessee-georgia-locked-in-battle-over-waterway-access/.

239   Flórida: "Florida files water lawsuit against Georgia in U.S. Supreme Court." Atlanta Journal Constitution. 1º de outubro de 2013. http://www.ajc.com/news/news/state-regional-govt-politics/florida-files-water-lawsuit-against-georgia-in-us-/nbCKT/.

239   Perda de plantações e rebanho: Richard Howitt, Josué Medellín-Azuara, Duncan MacEwan, Jay Lund e Daniel Sumner. "Economic Analysis of the 2014 Drought for California Agriculture." University of California, Davis. 23 de julho de 2014. https://watershed.ucdavis.edu/files/biblio/DroughtReport_23July2014_0.pdf.

241   As empresas que sobreviveram: Carbon Disclosure Project. "From Water Risk to Value Creation: CDP Global Water Report 2014." https://www.cdp.net/CDPResults/CDP-Global-Water-Report-2014.pdf.

242   Grandes incertezas: Heather Cooley. "California Water Use." Oakland, CA: Pacific Institute, abril de 2015. http://pacinst.org/wp-content/uploads/sites/21/2015/04/CA-Ag-Water-Use.pdf.

246   O falecido senador de Illinois Paul Simon: Paul Simon. *Tapped Out: The Coming World Crisis in Water and What We Can Do About It*. Nova York: Welcome Rain Publishers, 1996.

247   Frase comum: Cameron Harrington. New Security Beat. "Water Wars? Think Again: Conflict Over Freshwater Structural Rather Than Strategic." 15 de abril de 2014. http://www.newsecuritybeat.org/2014/04/water-wars/.

247   Entre 1950 e 2000: Aaron Wolf, S. Yoffe e M. Giordano. *International Waters: Indicators for Identifying Basins at Risk*. UNESCO, 2003.

247   A guerra do Golfo: Priit Vesilind. "The Middle East's Critical Resource: Water." National Geographic (maio de 1993). Citado em Simon, *Tapped Out*.

248   Michel Jarraud, secretário-geral da OMS: "Green house Gas Emissions Rise at Fastest Rate for 30 years." *Guardian*, 9 de setembro de 2014. http://www.theguardian.com/environment/2014/sep/09/carbon-dioxide-emissions-greenhouse-gases.

254   A proposta de lei encontrou forte oposição: Oliver Balch. "European Commission to Decide Fate of Circular Economy Package." *Guardian*, 12 de dezembro de 2014. http://www.theguardian.com/sustainable-business/2014/dec/12/european-commission-to-decide-fate-of-circular-economy-package.
254   Reino Unido: Ellen MacArthur Foundation em colaboração com o World Economic Forum e McKinsey & Company. "Towards the Circular Economy: Accelerating the Scale-Up Across Global Supply Chains." 2014.
255   Unilever: http://www.unilever.com/mediacentre/pressreleases/2015/Unilever-achieves-zero-waste-to-landfill-across-global-factory-network.aspx.
256   Uma publicação declarou em 2014: Jessica Shankleman. "2014, the Year... Big Business Embraced Climate Action." BusinessGreen. http://www.businessgreen.com/bg/feature/2387980/2014-the-year-big-business-embraced-climate-action.
257   Depois de ver o vídeo do derretimento da calota polar ártica: Alex Nussbaum, Mark Chediak e Zain Shauk. "George Shultz Defies GOP in Embrace of Climate Adaptation." Bloomberg Business, 30 de novembro de 2014. http://www.bloomberg.com/news/articles/2014-12-01/reagan-statesman-s-sunshine-power-hint-of-thaw-in-climate-debate.
257   Mudanças climáticas, perda de biodiversidade e desmatamento: John Vidal. "Pope Francis's Edict on Climate Change Will Anger Deniers and US Churches." Guardian, 27 de dezembro de 2014. http://www.theguardian.com/world/2014/dec/27/pope-francis-edict-climate-change-us-rightwing.
257   Um estudo da Universidade de Yale: Anthony Leiserowitz, Edward Maibach, Connie Roser-Renouf, Geoff Feinberg e Seth Rosenthal. "Climate change in the American mind: abril de 2014." Yale University e George Mason University. New Haven, CT: Yale Project on Climate Change Communication. http://environment.yale.edu/climate-communication/files/Climate-Change-American-Mind-April-2014.pdf.

8. Após o atropelamento: uma crise é algo terrível de se desperdiçar

271   The Insurance Bureau of Canada: Institute for Catastrophic Loss Reduction. "Telling the Weather Story." Insurance Bureau of Canada. Junho de 2012. http://www.ibc.ca/nb/resources/studies/weather-story.
271   Estudo da AECOM de 2013: AECOM. "The Impact of Climate Change and Population Growth on the National Flood Insurance Program Through 2100." Prepared for Federal Insurance & Mitigation Administration and Federal Emergency Management Agency. Junho de 2013.
271   Autoridades estimam que a inundação: Jamie Komarnicki. "Winnipeg floodway has saved $32 billion in flood damages." Calgary Herald, 3 de outubro de 2013.

271 Agência Federal de Gerenciamento de Emergências dos Estados Unidos: Federal Emergency Management Agency. (2007). Fact Sheet: Mitigation's Value to Society (versão eletrônica). Washington, DC. Ver também Multihazard Mitigation Council (2005). Natural Hazard Mitigation Saves: An Independent Study to Assess the Future Savings from Mitigation Activities. Washington, DC: Institute of Building Sciences.

272 Secretário de imprensa: Chris Turner. "Owen's Ark: How Calgary Survived the Flood—And Why Other Cities Won't." The Walrus, junho de 2014. Cita American Political Science Review, 2009.

272 No final de setembro, o premier de Alberta: Sarah Offin. "Calgary's Mayor Critical of Prentice's Flood Announcement." Global News. 26 de setembro de 2014. http://globalnews.ca/news/1585968/calgarys-mayor-critical-of-prentices-flood-announcement/.

272 Seca: Trevor Howell. "Prentice Plan for Springbank Dry Reservoir Faces Fight from Landowners, Nenshi." Calgary Herald, 25 de setembro de 2014. http://www.calgaryherald.com/news/Prentice+plan+Springbank+reservoir+fa-ces+fight+from+landowners+Nenshi/10239193/story.html.

273 Shaun Rein estimou na Forbes: Shaun Rein. "Airport Security: Bin Laden's Victory." Forbes, 3 de março de 2010. http://www.forbes.com/2010/03/03/airport-security-osama-leadership-managing-rein.html.

273 Ao sul de Magdeburg: "Thousands Flee as German Dam Bursts." Al Jazeera, 10 de junho de 2013. http://www.aljazeera.com/news/europe/2013/06/201361051413232258.html.

273 Os pântanos da ilha: Forrest Wilder. "That Sinking Feeling." Texas Observer, 2 de novembro de 2007.

273 O mapa da ilha: Bureau of Economic Geology, University of Texas at Austin, adaptado para o Texas Observer, 2 de novembro de 2007.

276 Seis meses depois: A Stronger, More Resilient New York. http://www.nyc.gov/html/sirr/html/report/report.shtml.

277 Metade: Lloyd Dixon, Noreen Clancy, Bruce Bender, Aaron Kofner, David Manheim, Laura Zakaras. "Flood Insurance in New York City Following Hurricane Sandy." Santa Monica, CA: RAND Corporation, 2013. http://www.rand.org/pubs/research_reports/RR328.

278 O relatório também notou: CoreLogic. 2013 CoreLogic Wildfire Hazard Risk Report. Irvine, CA: CoreLogic, 2013. http://www.corelogic.com/about-us/news/2013-corelogic-wildfire-hazard-risk-report-reveals-wildfires-pose-risk-to-more-than-1.2-million-western-u.s.-homes.aspx.

278 Mais de três quartos: Felicity Barringer. "Homes Keep Rising in West Despite Growing Wildfi re Threat." *The New York Times*, 6 de julho de 2013. http://www.nytimes.com/2013/07/06/us/homes-keep-rising-in-west-despite-growing-wildfire-threat.html.

279   Empregados de trens: John Gaudiosi. "Why Sony Didn't Learn from Its 2011 Hack." Fortune, 24 de dezembro de 2014. http://fortune.com/2014/12/24/why-sony-didnt-learn-from-its-2011-hack/.

279   Uma lista parcial: Riley Walters. "Cyber Attacks on U.S. Companies in 2014." Washington, DC: Heritage Foundation, 27 de outubro de 2014. http://www.heritage.org/research/reports/2014/10/cyber-attacks-on-us-companies-in-2014.

9. Rinocerontes no horizonte: pensando no longo prazo

283   Quando o instituto: http://www.wfs.org/futurist/july-august-2012-vol-46-no-4/futurists-and-their-ideas%E2%80%94change-masters-weiner-edrich-brown-i.

284   Empregos futuros serão criados: http://www.futureofwork.com/article/details/metaspace-economy-predicting-disruption.

288   Aqueles que tinham uma data: http://www.nytimes.com/2015/01/04/business/if-you-want-to-meet-that-deadline-play-a-trick-on-your-mind.html?hp&action=click&pgtype=Homepage&module=mini-moth&region=top-stories-below&WT.nav=top-stories-below&_r=0.

289   Watson tomou uma decisão: http://fortune.com/2011/06/16/5-lessons-from-ibms-100th-anniversary/.

290   Eu realmente acredito: http://www.03.ibm.com/ibm/history/ibm100/us/en/icons/bizbeliefs/.

290   Em 2014, bem depois de atingir o pico: http://company.nokia.com/en/about-us/our-company/our-story.

291   Ele se afastou: Hana R. Alberts. "Japan Airlines Meets Its Savior." Forbes.com, janeiro de 2010. http://www.forbes.com/2010/01/14/japan-airlines-kyocera-markets-face-kazuo-inamori.html; http://global.kyocera.com/inamori/profile/index.html.

291   Observando essa regra: http://global.kyocera.com/inamori/profile/index.html.

292   Ele anunciou/trezentos anos: Dave McCombs e Pavel Alpeyev. "Softbank Founder Has 300-Year Plan in Wooing Sprint Nextel." Bloomberg Business, 12 de outubro de 2012. http://www.bloomberg.com/news/articles/2012-10-11/softbank-founder-has-300-year-plan-in-pursuit-of-sprint-nextel.

292   A empresa mais antiga do mundo: Kim Jae-kyoung. "Centennial Firms Dry Up in Korea." 15 de maio de 2008. http://www.koreatimes.co.kr/www/news/biz/2008/05/123_24196.html.

292 O Banco da Coreia fundou: http://japanese.yonhapnews.co.kr/economy/2008/05/14/0500000000AJP20080514003900882.HTML.

293 Maioria era pequena: http://www.tsr-net.co.jp/news/analysis_before/2009/1199565_1623.html.

293 Hoje é apenas 15 anos: Alexandra Levit. "How to Stay in Business for 100 Years." Business Insider, 7 de janeiro de 2014. http://www.businessinsider.com/how-to-stay-in-business-for-100-years-2013-1. Ver também: Kim Gitelson. "Can a Company Live Forever?" BBC News, 19 de janeiro de 2012. http://www.bbc.com/news/business-16611040.

297 Phil Libin, executivo da Evernote: Alyson Shontell. "How Evernote's Phil Libin Plans to Build a '100-Year Startup.'" Business Insider, 1º de novembro de 2013. http://www.businessinsider.com/how-evernotes-phil-libin-plans-to-build-a-100-year-startup-2013-10.

298 Os líderes empresariais hoje enfrentam uma escolha: Dominic Barton. "Capitalism for the Long Term." Harvard Business Review, março de 2011.

299 Ao longo do último meio século: Jesse Eisinger. "Challenging the Long-Held Belief in Shareholder Value.'" *The New York Times*: 27 de junho de 2012. http://dealbook.nytimes.com/2012/06/27/challenging-the-long-held-belief-in-shareholder-value/?_r=0.

299 Se olharmos além do curto prazo: Michele Wucker. "Down with Short Termism; Long Live the Long Term." 5 de fevereiro de 2013. World Economic Forum Agenda. https://agenda.weforum.org/2013/02/down-with-short-termism-long-live-the-long-term/.

300 Incentivos de curto prazo: Patrick Bolton e Frédéric Samama. "Loyalty-Shares: Rewarding Long-term Investors." Journal of Applied Corporate Finance, Volume 25 (5) (Verão de 2013).

300 Ao invés, recomendou: Jane Ambachtsheer, Ryan Pollice, Ed Waitzer e Sean Vanderpol. "Building a Long-Term Shareholder Base: Assessing the Potential of Loyalty-Driven Securities." Generation Foundation, Mercer, and Stikeman Elliott LP. Dezembro de 2013. https://www.genfound.org/media/pdf-long-term-shareholder-base-17-12-13.pdf.

303 Para justificar seu orçamento de pesquisa e desenvolvimento: "DuPont CEO sees global growth, innovation and productivity in 2011 and beyond". RP Newswires. http://www.reliableplant.com/Read/27912/DuPont-CEO-growth-productivity.

304 Em 2011, o número de novas patentes: "A Record Year for DuPont Innovation." DuPont News release, 15 de março de 2012. http://www2.dupont.com/media/en-us/news-events/march/record-year-innovation.html.

304 Em 2014, gerou US$ 9 bilhões: Bill George. "Peltz's Attacks on DuPont Threaten America's Research Edge." 9 de abril de 2015. http://www.nytimes.

com/2015/04/10/business/dealbook/peltzs-attacks-on-dupont-threaten-americas-research-edge.html.

10. Conclusão: como evitar ser atropelado por um rinoceronte

316   Em 2014, o número de mortes: Save the Rhino. "Poaching: The Statistics". https://www.savetherhino.org/rhino_info/poaching_statistics.
316   O número de caçadores ilegais presos: Wildlife and Environment Society of South Africa. "Current Rhino Poaching Stats." http://wessa.org.za/get-involved/rhino-initiative/current-rhino-poaching-stats.htm.
319   Contagem de esperma: Beth Ethier. "Last Known Male Northern White Rhino Requires 24-Hour Protection." Slate. 16 de abril de 2014. http://www.slate.com/blogs/the_slatest/2015/04/16/northern_white_rhino_last_known_male_sudan_protected_by_guards_as_efforts.html?wpsrc=sh_all_dt_tw_top.
319   Outras duas subespécies: Victoria Brown. "Saving the Sumatran Rhino—Too Little Too Late?" The Star Online. (Malásia) 1º de maio de 2015. http://www.thestar.com.my/Opinion/Online-Exclusive/Behind-The-Cage/Profile/Articles/2015/05/01/saving-the-sumatran-rhino/. Ver também Jeremy Hance. "Sumatran Rhino Is Extinct in the Wild in Malaysia", The Epoch Times. 27 de abril de 2015. http://www. theepochtimes.com/n3/1335352-sumatran-rhino-is-extinct-in-the-wild-in-malaysia/. Ver também Kevin Sieff. "A Species on the Brink," The Washington Post. 16 de junho de 2015. http:// www.washingtonpost.com/sf/world/2015/06/16/how-the-fate-of-an-entire-subspecies-of-rhino-was-left-to-one-elderly-male/.
320   Em um artigo conjunto: Joint Statement by the International Rhino Foundation and Save the Rhino International. "Synthetic Rhino Horn: Will It Save the Rhino?" https://www.savetherhino.org/rhino_info/thorny_issues/synthetic_rhino_horn_will_it_save_the_rhino.
320   A tragédia: Jason Goldman. "Can Trophy Hunting Actually Help Con-servation?" Conservation Magazine, 15 de janeiro de 2014. http://conservationmagazine.org/2014/01/can-trophy-hunting-reconciled-conservation/.
321   Parecia uma boa ideia: Taylor Hill. "Airline Takes On Big Game Hunters to Protect Rhinos, Lions, and Elephants." Take Part, 30 de abril de 2015. http://www.takepart.com/article/2015/04/30/south-africa-airline-bans-hunting-trophies.
322   Blue Bell: Jesse Newman. "Ice Cream Recall Sends Chill Through Food Industry." Wall Street Journal, 2 de agosto de 2015. http://www.wsj.com/articles/ice-cream-recall-sends-chill-through-food-industry-1438437781.
326   Ajustando o ângulo: Adam Davidson. "High on the Hog." *The New York Times Magazine*, 2 de fevereiro de 2014.

239   Jogado no lago Michigan: Kevin Borgia. "What If the Great Chicago Fire of 1871 Never Happened?" WBEZ Curious City. 8 de outubro de 2014. http://interactive.wbez.org/curiouscity/chicagofire/.

240   Seus apelos foram em vão: "People & Events: The Great Fire of 1871." Collateral to the movie Chicago: City of the Century. http://www.pbs.org/wgbh/amex/chicago/peopleevents/e_fire.html.

334   É interessante notar: Theodore Roosevelt. "Wild Man and Wild Beast in Africa." *National Geographic*, janeiro de 1911.

Bibliografia

Deron Acemoglu e James Robinson. *Why Nations Fail: The Origins of Power, Prosperity, and Poverty*. Nova York: Crown Business, 2012.

Liaquat Ahamed. *Lords of Finance: The Bankers Who Broke the World*. Nova York: Penguin Press, 2009.

Daniel Alpert. *The Age of Oversupply: Overcoming the Greatest Challenge to the Global Economy*. Nova York: Portfolio/Penguin, 2013.

Peter Annin. *The Great Lakes Water Wars*. Washington, DC: Island Press, 2006.

Lawrence Anthony e Graham Spence. *The Last Rhinos: My Battle to Save One of the World's Greatest Creatures*. Nova York: St Martin's Griffin, 2012.

Daniel Ariely. *Predictably Irrational: The Hidden Forces That Shape Our Decisions* (edição atualizada e expandida). Nova York: Harper Perennial, 2010 (2008).

Peter Atwater. *Moods and Markets: A New Way to Invest in Good Times and in Bad*. Upper Saddle River, NJ: FT Press, 2013.

Max H. Bazerman. *The Power of Noticing: What the Best Leaders See*. Nova York: Simon & Schuster, 2014.

Max H. Bazerman e Michael D. Watkins. *Predictable Surprises: The Disasters You Should Have Seen Coming and How to Prevent Them*. Boston: Harvard Business School Press, 2004.

Peter Bernstein. *Against the Gods: The Remarkable Story of Risk*. Hoboken: John Wiley & Sons, 1998 (1996).

Thor Bjorgolfsson e Andrew Cave. *Billions to Bust—and Back*. London: Profile Books, 2014.

Paul Blustein. *And the Money Kept Rolling In (and Out): The World Bank, Wall Street, the IMF, and the Bankrupting of Argentina*. Nova York: PublicAffairs, 2005.

Ori Brafman e Rom Brafman. *Sway: The Irresistible Pull of Irrational Behavior*. Nova York: Crown Business, 2008.

Rachel Carson. Silent Spring. 1962. *Reprint edition Nova York: Houghton Mifflin*, 2002.

Christopher Chabris e Daniel Simons. *The Invisible Gorilla: How Our Intuitions Deceive Us*. Nova York: Broadway Paperbacks, 2009.

Philip Coogan. Paper Promises: *Debt, Money, and the New World Order*. Nova York: PublicAffairs, 2012.

Stephen R. Covey. *7 Habits of Highly Effective People: Powerful Lessons in Personal Change*. Nova York: Free Press, 2004 (1989).

Jared Diamond. *Collapse: How Societies Choose to Succeed or Fail*. Nova York: Viking, 2005.

Charles Duhigg. *The Power of Habit: Why We Do What We Do in Life and Business*. Nova York: Random House, 2012.

Peter Firestein. *Crisis of Character: Building Corporate Reputation in the Age of Skepticism*. Nova York: Sterling Publishing, 2009.

Justin Fox. *The Myth of the Rational Market: A History of Risk, Reward, and Delusion on Wall Street*. Nova York: HarperBusiness, 2011 (HarperCollins 2009).

Francis Fukuyama. Blindside: *How to Anticipate Forcing Events and Wild Cards in Global Politics*. Washington, DC: Brookings Institution Press, 2007.

Atul Gawande. *The Checklist Manifesto: How to Get Things Right*. Nova York: Picador, 2009.

Bill George. *7 Lessons for Leading in Crisis*. San Francisco: Jossey-Bass, 2009.

Martin Gilman. *No Precedent, No Plan: Inside Russia's 1998 Default*. Cambridge, MA: MIT Press, 2010.

Malcolm Gladwell. *Blink: The Power of Thinking Without Thinking*. Nova York: Little, Brown, 2007.

Al Gore. *An Inconvenient Truth: The Planetary Emergency of Global Warming and What We Can Do About It*. Nova York: Rodale, 2006.

Paul Hawken. *The Ecology of Commerce: A Declaration of Sustainability*. 1993. Revised edition. Nova York: HarperBusiness, 2010.

Chip Heath e Dan Heath. Switch: *How to Change Things When Change is Hard*. Nova York: Crown Business, 2010.

Ronald Heifetz e Marty Linsky. *Leadership on the Line: Staying Alive Through the Dangers of Leading*. Cambridge, MA: Harvard Business Press, 2009.

Heródoto. *História*.

Noreena Hertz. *Eyes Wide Open: How to Make Smart Choices in a Confusing World*. Nova York: HarperBusiness, 2013.

Matthew L. Higgins, ed. *Advances in Economic Forecasting*. Kalamazoo: W.E. Upjohn Institute for Employment Research, 2011.

Eugene Ionesco. *Rhinoceros and Other Plays*. Traduzido por Derek Prouse. Nova York: Grove Press (John Calder Ltd., 1960).

Richard Jackson e Neil Howe. *The Graying of the Great Powers: Demography and Geopolitics in the 21st Century*. Washington, DC: CSIS, 2008.

Daniel Kahneman. *Thinking, Fast and Slow*. Nova York: Farrar, Straus & Giroux, 2011.

Robert Kegan e Lisa Lahey. *Immunity to Change: How to Overcome It and Unlock the Potential in Yourself and Your Organization*. Cambridge, MA: Harvard Business Review Press, 2009.

Erwann Michel-Kerjann e Paul Slovic, eds. *The Irrational Economist: Making Decisions in a Dangerous World*. Nova York: PublicAffairs, 2011.

William Kern, ed. *The Economics of Natural and Unnatural Disasters*. Kalama-zoo: W.E. Upjohn Institute for Employment Research, 2010.

Charles Kindleberger. *Manias, Panics and Crashes: A History of Financial Crises*. Hoboken: John H. Wiley & Sons, 1996 (1978).

Gary Klein. *Seeing What Others Don't: The Remarkable Ways We Gain Insights*. Nova York: PublicAffairs, 2013.

Naomi Klein. *The Shock Doctrine: The Rise of Disaster Capitalism*. Nova York: Henry Holt, 2007.

Alice Korngold. A Better World, Inc.: *How Companies Profi t by Solving Global Problems… Where Governments Cannot*. Nova York: Palgrave Macmillan, 2014.

Steven Philip Kramer. *The Other Population Crisis: What Governments Can Do About Falling Birth Rates*. Washington, DC: Woodrow Wilson Center Press, 2014.

Elisabeth Kübler-Ross. *On Death and Dying: What the Dying Have to Teach Doctors, Nurses, Clergy and Their Own Families*. 1969. Reprint, Nova York: Scribner, 1997.

Howard Kunreuther e Michael Useem. *Learning from Catastrophes: Strategies for Reaction and Response*. Pearson Prentice Hall, 2009.

Scott B. MacDonald e Andrew R. Novo. *When Small Countries Crash*. New Brunswick: Transaction Publishers, 2011.

Harry Markopoulos. *No One Would Listen: A True Financial Thriller*. Hoboken: Wiley, 2010.

John Mauldin e Jonathan Tepper. Code Red: *How to Protect Your Savings from the Coming Crisis*. Hoboken: John Wiley & Sons, 2014.

William McDonough e Michael Braungart. *Cradle to Cradle: Remaking the Way We Make Things*. Nova York: North Point Press, 2002.

Ian Mitroff com Gus Anagnos. *Managing Crises Before They Happen: What Every Executive Needs to Know About Crisis Management*. Nova York: American Management Association, 2002.

Charles R. Morris. *The Trillion Dollar Meltdown: Easy Money, High Rollers, and the Great Credit Crash*. Nova York: PublicAffairs, 2008.

Richard Nisbett. *The Geography of Thought: How Asians and Westerners Think Differently and Why*. Nova York: Free Press, 2004.

Yalman Onaran. *Zombie Banks: How Broken Banks and Debtor Nations Are Crippling the Global Economy*. Bloomberg Press, 2011.

Ronald Orenstein. *Ivory, Horn and Blood: Behind the Elephant and Rhino Poaching Crisis*. Buffalo: Firefly, 2013.

Naomi Oreskes e Michael Conway. *Merchants of Doubt: How a Handful of Scientists Obscured the Truth on Issues from Tobacco Smoke to Global Warming*. Nova York: Bloomsbury Press, 2010.

Michael Pettis. *The Volatility Machine: Emerging Economies and the Threat of Financial Collapse*. Nova York: Oxford University Press, 2001.

Eyal Press. *Beautiful Souls: Saying No, Breaking Ranks, and Heeding the Voice of Conscience in Dark Times*. Nova York: Farrar, Straus & Giroux, 2012.

Steven Rattner. *Overhaul: An Insider's Account of the Obama Administration's Emergency Rescue of the Auto Industry*. Nova York: Houghton Mifflin Har-court, 2010.

Carmen M. Reinhart e Kenneth S. Rogoff. *This Time Is Different: Eight Centuries of Financial Folly*. Princeton: Princeton University Press, 2009.

Judith Rodin. *The Resilience Dividend: Being Strong in a World Where Things Go Wrong*. Nova York: PublicAffairs, 2014.

Theodore Roosevelt. *African Game Trails. An Account of the African Wanderings of an American Hunter-Naturalist*. Nova York: C. Scribner's Sons, 1910.

David Ropeik. *How Risky Is It, Really? Why Our Fears Don't Always Match the Facts*. Nova York: McGraw-Hill, 2010.

Robert M. Sapolsky. *Why Zebras Don't Get Ulcers: The Acclaimed Guide to Stress, Stress-Related Diseases, and Coping*, 3. ed. Nova York: St. Martin's Press, 2004 (W. H. Freeman, 1994).

Ira Shapiro. *The Last Great Senate: Courage and Statesmanship in Times of Crisis*. Nova York: PublicAffairs, 2012.

Tali Sharot, *The Optimism Bias: A Tour of the Irrationally Positive Brain*. Nova York: Vintage, 2011.

Robert J. Shiller. *Finance and the Good Society*. Princeton: Princeton University Press, 2012.

Denise Shull. *Market Mind Games: A Radical Psychology of Investing, Trading, and Risk*. Nova York: McGraw Hill, 2012.

Nate Silver. *The Signal and the Noise: Why So Many Predictions Fail—But Some Don't*. Nova York: Penguin Press, 2012.

Paul Simon. *Tapped Out: The Coming World Crisis in Water and What We Can Do About It*. Nova York: Welcome Rain Publishers, 1996.

Andrew Ross Sorkin. *Too Big to Fail: The Inside Story of How Wall Street and Wash-ington Fought to Save the Financial System—and Themselves*. Nova York: Penguin Books, 2011 (2009).

Graham Spence. *The Last Rhinos: My Battle to Save One of the World's Greatest Creatures*. Nova York: St Martin's Griffin, 2012.

Keith Stanovich. *Rationality and the Reflective Mind*. Nova York: Oxford University Press, Dezembro de 2010.

Lawrence Stone. *The Crisis of the Aristocracy*, 1558-1641. Oxford University Press. 20. ed. (31 de dezembro de 1967).

Cass Sunstein e Reid Hastie. Wiser: *Getting Beyond Groupthink to Make Groups Smarter*. Cambridge: Harvard Business Review, 2014.

James Surowiecki. *The Wisdom of Crowds: Why the Many Are Smarter Than the Few and How Collective Wisdom Shapes Business, Economies, Societies, and Nations*. Nova York: Doubleday, 2004.

Nassim Nicholas Taleb. *A lógica do Cisne Negro: O impacto do altamente improvável*, 2010 (2007).

Nassim Nicholas Taleb. *Antifragile: Things That Gain from Disorder*. Nova York: Random House, 2014 (2012).

Carol Tavris e Elliott Aronson. *Mistakes Were Made (but not by me): Why We Justify Foolish Beliefs, Bad Decisions, and Hurtful Acts*. Nova York: Harvest, 2007.

Gillian Tett. *Fool's Gold: The Inside Story of JP Morgan and How Wall Street Greed Corrupted Its Bold Dream and Created a Financial Catastrophe*. Nova York: Free Press, 2009.

Richard Thaler e Cass Sunstein. *Nudge: Improving Decisions About Health, Wealth and Happiness*. Nova York: Penguin, 2008.

Donald N. Thompson. *Oracles: How Prediction Markets Turn Employees Into Visionaries. Cambridge*, MA: Harvard Business Review Press, 2012.

Alexis de Tocqueville. *The Old Regime and the Revolution*. Traduzido por John Bonner. Nova York: Harper & Brothers, 1856.

John A. Turner. *Longevity Policy: Facing up to Longevity Issues Affecting Social Security, Pensions, and Older Workers. Kalamazoo*: W. E. Upjohn Institute for Employment Research, 2011.

Ezra F. Vogel. *Deng Xiaoping and the Transformation of China*. Cambridge, MA: The Belknap Press of Harvard University Press, 2011.

Clive e Anton Walker. *The Rhino Keepers: Struggle for Survival. Johannesburg:Jacana*, 2012.

Karl Weber, ed. *Last Call at the Oasis: The Global Water Crisis and Where We Go from Here*. Nova York: PublicAffairs. 2012.

Edie Weiner e Arnold Brown. *FutureThink: How to Think Clearly in a Time of Change*. Nova York: Pearson Prentice Hall, 2006.

Eyal Weizman. *The Least of All Possible Evils: Humanitarian Violence from Arendt to Gaza*. Brooklyn: Verso, 2011.

Weiying Zhang. *The Logic of the Market: An Insider's View of Chinese Economic Reform*. Washington, DC: Cato Institute, 2014.

Iniciativas sobre rinocerontes

Para leitores que desejam aprender mais sobre a luta contínua para salvar os rinocerontes, recomendo fortemente os seguintes sites:

The International Rhino Foundation
www.rhinos.org

Rhino Resource Center
www.rhinoresourcecenter.com/

Save the Rhino International
www.savetherhino.org

WWF
www.worldwildlife.org/species/rhino

Livros para mudar o mundo. O seu mundo.

Para conhecer os nossos próximos lançamentos
e títulos disponíveis, acesse:

🌐 www.**citadel**.com.br

ⓕ /**citadeleditora**

📷 @**citadeleditora**

🐦 @**citadeleditora**

▶ Citadel - Grupo Editorial

Para mais informações ou dúvidas sobre a obra,
entre em contato conosco pelo e-mail:

✉ contato@**citadel**.com.br